Le calvaire d'un
travailleur d'élections

Le calvaire d'un travailleur d'élections
Lucien Cloutier

© Copyright 1994 Les Presses d'Amérique
Une division de l'Agence littéraire d'Amérique
50, rue St-Paul Ouest, bureau 100
Montréal (Québec) H2Y 1Y8
Téléphone: (514) 847-1953
Télécopieur: (514) 847-1647

Illustration de la page couverture:
Jean-Luc Trudel

Composition et montage:
Publinnovation enr.
Digitexte enr.

Correction d'épreuves:
Truchon Communications
Digitexte enr.

Distribution exclusive:
Québec-Livres
4435, boul. des Grandes-Prairies
Saint-Léonard (Québec) H2L 3K4

Dépôt légal: 2ᵉ trimestre 1994

ISBN: 2-921378-41-8

IMPRIMÉ AU CANADA

Lucien Cloutier

Le calvaire d'un travailleur d'élections

LES PRESSES D'AMERIQUE

À mes parents,
Émery et Blanche Cloutier,
à qui je dois tout.

Je dédicace ce livre à mon épouse Mariette, ainsi qu'à mon fils Bruno, ma fille
Carole et mon petit-fils Alexandre. Merci à mon épouse d'avoir eu la patience de
m'avoir laissé participer à cette aventure qui a pris beaucoup de mon temps,
plusieurs heures d'absence du foyer. Je le dédicace aussi à tous ceux qui, comme
moi, sont respectueux de la démocratie.

INTRODUCTION

*Après le pain, l'éducation est le
premier besoin pour un peuple*

Danton

C'EST MON PÈRE QUI M'A COMMUNIQUÉ LE GOÛT DE LA POLITIQUE

Dès ma plus tendre enfance, mon père était déjà dans le feu de l'action. Il était reconnu comme un conservateur. Dans ces années-là, les organisateurs des paliers fédéral et provincial étaient les mêmes à ces deux niveaux. Mon père était aussi un des organisateurs de l'Union nationale dès sa fondation, sous la gouverne de M. Maurice Duplessis. Le Parti libéral du Québec s'était accaparé le pouvoir sans relâche de 1897 à 1936, ce qui entraînait des abus de pouvoir, selon ce que mon père nous racontait. Lorsque l'UN fut portée au pouvoir en 1936, une des priorités de ce gouvernement fut d'instituer le prêt agricole, ce qui eut pour effet de plaire à plus d'un cultivateur. Mon père, qui a pu profiter d'un prêt agricole, voue à M. Duplessis une grande admiration jusqu'au décès de celui-ci en 1959. Combien j'ai vu d'hommes venir discuter politique avec mon père à la maison, tantôt pour le municipal tantôt pour le provincial.

AIMER OU DÉTESTER LA POLITIQUE

Un peu comme mon père qui avait un engouement peu ordinaire pour la politique, j'en ai fait mon passe-temps favori.

C'est en 1949 que j'ai vécu ma première expérience. Je dois admettre que j'étais très timide et peu convaincant à ce moment, mais suite à cette expérience, j'étais loin de m'attendre à m'y tremper à chaque palier, tant municipal, provincial ou fédéral. Le pourquoi, c'est peut-être du suspense. J'ai vite compris que j'avais cette piqûre profonde dans les veines.

Natif de l'île Jésus, plus précisément de Sainte-Rose Ouest, qui devint Fabreville en 1958 si je ne m'abuse, une lutte sans merci se déroulait entre deux groupes de contribuables qui avaient des vues diamétralement opposées sur la manière d'administrer la commission scolaire Montrougeau. Celle-ci devait durer dix ans. C'est un peu cette première décennie qui a fait que j'ai raffolé de chacune des aventures politiques auxquelles j'ai pris part année après année, même si chaque niveau est quelque peu différent. Vint, par la suite, en 1965, la fusion des quatorze municipalités de l'île Jésus qui ne s'est pas réalisée sans anicroches. Je l'ai vécue du début des pourparlers jusqu'à ce que ce soit un fait accompli. Là aussi il y avait deux groupes qui se livraient une lutte sans merci. C'est le député du PLQ, M. Jean-Noël Lavoie, qui menait la lutte pour l'annexion alors que le conseil intermunicipal de l'île Jésus s'y opposait. Cette fusion fut pour moi un moment important. À savoir si l'annexion a été une bonne chose pour chacun de ceux qui s'y sont impliqués, quel a été le pour et le contre, je ne peux répondre. Mais une chose est certaine pour celui qui vit à Laval et qui aime la politique, il n'a que l'embarras du choix, et ce, à quelque palier que ce soit. Je suis très bien placé pour vous le dire. Les racines des Cloutier sur l'île Jésus remontent à environ 1760.

C'est sans rancune ni animosité envers qui que ce soit que je vous livre ce que j'ai vécu.

Ce livre aurait tout aussi bien pu s'appeler *Le cheminement d'un travailleur d'élections*, mais...

Lucien Cloutier, Laval

MA PREMIÈRE EXPÉRIENCE EN 1949

Ma première expérience, je l'ai vécue à la petite école où je fis mes études. À ce moment, les élections se tenaient à vote ouvert. Peut-être que certains d'entre vous connaissent les règles qui régissaient ces élections. Personnellement, je trouvais cela très captivant. Le seul inconvénient était que, pour avoir droit au vote, il fallait avoir payé ses taxes au moment de l'élection, c'est-à-dire qu'à chaque voteur que nous sollicitions, nous devions nous informer si celui-ci avait acquitté ses taxes. Lorsque ce n'était pas le cas, nous devions lui demander de le faire la journée même pour qu'il puisse exercer son droit de vote. Lorsqu'un voteur était susceptible d'exercer son droit de vote, nous insistions pour l'emmener avec nous à la petite école, là où se tenait le bureau de votation. Nous nous présentions avec notre voteur et allions jusqu'à l'avant, là où le secrétaire d'élections disposait du cahier du scrutateur et des noms des candidats inscrits côte à côte. Le voteur n'avait qu'à prononcer à voix haute le nom du candidat de son choix. À ce moment, le secrétaire marquait le nom du voteur sous le nom du candidat de son choix. Les candidats pouvaient, s'ils le désiraient, se faire représenter à la table aux côtés du secrétaire.

Le principal avantage de ce vote ouvert est que l'on pouvait suivre le résultat du vote au fur et à mesure qu'il se déroulait. En effet, nous avions tout le loisir de constater sur la liste lequel des candidats enregistrait le plus de noms sous le sien.

Ce mode de scrutin donnait parfois lieu à des scènes cocasses. Si un voteur osait se faire inscrire contre notre candidat, nous pouvions, par exemple, tout simplement refuser de le ramener chez lui... De plus, nous tenant tout près de celui-ci lorsqu'il faisait son choix, il se sentait plutôt mal à l'aise d'opter en faveur de notre adversaire, ce qui le plaçait dans une drôle de position.

Lors de cette première expérience politique, je dois admettre que je n'étais pas très bon vendeur et peu convaincant, peut-être un peu timide.

Par surcroît, aucune liste électorale n'était disponible à ce moment. Seul le secrétaire de la commission scolaire, qui avait en sa possession le livre de perception des taxes, savait mieux que quiconque qui pouvait exercer son droit de vote, alors que ceux qui faisaient de la sollicitation y allaient au hasard. Si un citoyen n'avait pas les moyens d'acquitter ses taxes le jour du vote, il ne venait pas au bureau pour rien, et le temps de le solliciter avait été du temps perdu. Alors, dès cette première expérience politique, notre organisation avait tout mis en oeuvre pour espérer la victoire, mais à la fermeture du bureau de votation, nous avons dû nous avouer vaincus. Ce fut ma première déception mais elle ne fut certainement pas la plus grande.

Cette première élection s'est déroulée sans histoire, comparativement aux suivantes.

Environ deux ans après que j'eusse terminé mes études à la petite école de Montrougeau, il fallait penser à se doter d'une deuxième classe; sa population augmentait, ce qui donnait trop de travail pour une seule institutrice. Alors des travaux furent faits et comme il était prévu, une deuxième institutrice fut embauchée. Cette dernière, Mlle Irène Gosselin, était la soeur de Mlle Rita Gosselin, celle qui m'avait enseigné quelques mois au moment de laisser les études.

Elles accomplissaient du très bon travail mais malheureusement certains contribuables trouvaient encore à redire contre celles-ci.

Alors des commissaires d'école du rang de la petite côte Sainte-Rose, connue aujourd'hui sous le nom de boulevard Dagenais, ayant eu vent du départ imminent des deux demoiselles Gosselin, vinrent leur offrir du travail. Elles acceptèrent sur le champ. C'est à partir de ce moment qu'une controverse avait passablement divisé les citoyens de notre arrondissement. Deux nouvelles institutrices furent embauchées pour prendre la relève. Comme celles-ci ne faisaient pas l'unanimité, ce fut une lutte de pouvoir qui s'engagea entre deux groupes de citoyens.

À mes premières armes dans les élections scolaires, les assemblées des commissaires se tenaient dans l'école. Nous y assistions en grand nombre, car les prises de bec entre commissaires et contribuables étaient monnaie courante, ce qui, en passant, se révélait être un agréable passe-temps pour nous! Les hivers étaient longs et rigoureux et les loisirs pratiquement inexistants. Dû à la bisbille, l'assistance augmentait de mois en mois, ce qui nous procurait un passe-temps à bon marché. C'était tragi-comique d'y assister. Un jour, en se présentant pour assister à l'une de ces assemblées, une surprise attendait les contribuables. En effet, les commissaires en place avaient retenu les services d'un contribuable pour maintenir la paix durant la tenue de l'assemblée.

Il n'en fallait pas plus pour faire déborder le vase. Mais comme nous étions très nombreux, l'on se foutait éperdument du contrôle que celui-ci pouvait exercer car ceux qui avaient quelque chose à dire ne se gênaient pas malgré la présence de ce gardien. Cette assemblée s'est terminée tôt, sans contrôle, et en queue de poisson.

Mais peu de temps après la tenue de cette assemblée, une autre surprise nous attendait. En effet, nous apprenions qu'à l'avenir les assemblées des commissaires d'école ne se tiendraient plus à l'école, mais à la résidence du secrétaire de la commission scolaire. Les résidents de notre municipalité acceptaient très mal cette décision, par laquelle nous venions de perdre un de nos rares loisirs.

Il n'en fallait pas plus pour activer davantage le mécontentement parmi la population.

UNE REQUÊTE QUI COÛTE CHÈRE...
MAIS DES COMPROMIS

Les parents qui avaient perdu confiance envers les deux institutrices en place firent circuler une requête pour faire congédier celles-ci qu'ils jugeaient nettement incompétentes. Mais peu de temps après cette requête, la plupart des signataires recevaient une citation à comparaître de la cour; il y avait supposément libelle diffamatoire dans l'exposé de cette requête. Les poursuites contre ceux qui avaient apposé leur signature sous cette requête jetaient une douche froide à plusieurs d'entre eux.

UNE DEMI-VICTOIRE

La première élection à laquelle j'avais pris part s'était tenue à l'école. Chacun de ceux qui y participaient se sentait bien à l'aise.

La commission scolaire était, à ce moment, composée de cinq commissaires. Les élections se tenaient vers la fin du mois de juin. Nous savions que deux postes de commissaires deviendraient vacants et plusieurs citoyens en avaient gros sur le coeur et encore plus depuis qu'ils s'étaient vu servir une citation à comparaître.

Environ quinze jours avant la tenue des élections, les citoyens désireux d'apporter du sang neuf autour de la table des commissaires d'école y avaient droit. Ces citoyens étaient regroupés autour de deux candidats pour mener la lutte aux deux commissaires sortants. Chacun de nous faisait beaucoup de sollicitation de porte en porte et, chaque soir, nous donnions un compte-rendu à savoir comment cette élection s'annonçait. Selon certains, la lutte s'annonçait serrée et il ne fallait rien laisser au hasard. Mais il se passait quelque chose de bizarre. En effet, cinq ou six jours avant la tenue de cette élection, un de nos candidats demeurait introuvable et certains de nos organisateurs étaient allés s'informer auprès de l'épouse de celui-ci pour savoir où il était passé. Celle-ci prétendait ne pas le savoir mais ne semblait s'en soucier aucunement. À la grande surprise de chacun, le candidat fit son apparition au comité à la veille du scrutin pour annoncer qu'il se désistait de la lutte. Cette nouvelle eut l'effet d'une bombe. Nous étions dans une situation des plus inconfortables. Tout d'abord, selon une entente hors cour, ceux qui avaient signé la requête s'étaient vu imposer une amende d'environ 150 dollars chacun, si j'ai bonne mémoire, alors que notre candidat qui s'était désisté a fini par avouer que s'il nous avertissait à la veille du scrutin, il serait exempt de payer son amende de 150 dollars. Lui aussi avait signé la requête et c'était difficile à accepter, mais c'était quelque peu compréhensible étant donné qu'il était père d'une famille assez nombreuse; il faut aussi admettre que l'argent était très rare dans ces années. À ce moment, il restait deux choix : tout laisser tomber ou trouver un candidat qui accepterait de prendre la relève du démissionnaire. Ce ne fut pas facile mais mon père accepta de prendre la relève. Il déclara qu'il y avait beaucoup trop de travail de fait pour abandonner la bataille. Cette défection avait quand même fouetté l'ardeur de notre organisation. Donc, à la mise en nomination, mon père et son colistier furent mis sur les rangs comme il était prévu. À partir de midi, le vote débuta. Chacun faisait de la sollicitation et tout allait rondement. L'élection était chaudement disputée, mais environ cinq minutes avant la fermeture du bureau de scrutin, les choses se sont quelque peu gâtées. En effet, trois résidents aptes à voter ont fait leur entrée dans le bureau de votation. Au moment où le premier s'est approché du scrutateur et s'est identifié, le scrutateur visiblement nerveux feuilletait le livre où étaient inscrits les noms des personnes aptes à voter. Il ne parvenait pas, semble-t-il, à repérer le nom de ce résident. À ce moment, les

13

deux autres qui le suivaient s'avancèrent à leur tour mais le scrutateur leur laissa entendre qu'il était trop tard et que le bureau de votation était fermé. C'était à n'y rien comprendre, car ceux-ci étaient bel et bien entrés dans le bureau de votation avant l'heure de fermeture. Cependant, ce fut peine perdue car ils durent repartir avec leur petit bonheur, passablement déçus.

À cette élection, nous n'avions plus le privilège de nous rendre à l'avant avec les voteurs comme par le passé. De ce fait, les résultats nous parvenaient plus lentement. Au moment du comptage des votes et pour chacun des candidats en lice, mon père fut déclaré élu par une voix de majorité alors que son colistier arrivait *ex æquo* avec son adversaire. Dans ce cas, le président d'élections se devait de voter pour trancher la question. Celui-ci se prononça contre le coéquipier de mon père. C'était son droit mais la décision se digérait très durement d'autant plus que trois voteurs n'avaient pu faire enregistrer leur vote.

Selon certains de nos organisateurs, il y avait matière à contestation. Ce fut d'ailleurs la décision qui fut prise et la cause fut portée devant les tribunaux.

Lorsque cette cause se déroula devant le juge et qu'il fut mis au courant des faits, il ordonna une nouvelle élection pour les deux candidats qui étaient arrivés *ex æquo*. Il décida aussi de nommer un nouveau président d'élections en la personne de M. Jean-Paul Ouimet, qui avait été secrétaire de la commission scolaire en 1947-48 et 1948-49, pour être ensuite remercié de ses services. À noter que cette élection se déroulait dans la maison du secrétaire. Dès l'ouverture du bureau de votation, le président M. Ouimet demanda au secrétaire s'il lui serait possible de sortir le livre de perception des taxes et de se tenir à la disposition des contribuables désireux de les acquitter le jour même pour ensuite pouvoir user de leur droit de vote. Le secrétaire refusa carrément sous prétexte qu'il n'en avait pas le temps. Alors le président demanda simplement que les livres lui soient rendus pour en prendre charge lui-même. Nouveau refus et cette fois, le secrétaire lui laissa entendre qu'il lui était interdit de prêter les livres à qui que ce soit. Nous avions deux représentants dans le bureau de scrutin mais ceux-ci, comme le président Ouimet, étaient entourés de quelques charmants garçons genre armoire à glace. Selon les dires de ceux-ci, il ne fallait pas trop insister. La journée ne s'annonçait pas trop bien pour notre équipe.

Il nous fallait d'abord solliciter les voteurs, leur demander si leurs taxes étaient acquittées et lorsqu'elles ne l'étaient pas, il nous fallait presque s'excuser car il aurait été bien inutile de les amener au bureau de votation dû au fait qu'il n'y avait personne pour percevoir les taxes.

Ce fut encore la défaite, comme le président d'élections M. Ouimet me déclarait quelques jours après. Il manquait d'expérience car, disait-il : «J'aurais dû tout simplement arrêter cette élection dès le début pour la faire reprendre à une date ultérieure et dans des conditions plus favorables.»

Après cette élection, une contestation fut à nouveau envisagée mais elle ne se concrétisa pas car plusieurs citoyens en avaient plus qu'assez.

TROP CONFIANTS

Lors de cette élection, nous étions tellement confiants de l'emporter que nous avions pris soin de cacher un camion tout décoré dans la grange de mon père, avec un ancien piano à l'intérieur. Ce camion devait servir à parader après la victoire. Mal nous en prit, nous avions perdu. Il a fallu tout démanteler et ressortir le camion de la même manière que nous l'avions caché. À ce moment, nous avons compris qu'il n'était pas bon de se préparer trop à l'avance pour célébrer la victoire.

Malgré la défaite de son colistier, mon père persistait à suivre les assemblées. Il était seul dans l'opposition mais il était du genre tenace.

UNE MANIGANCE POUR ÉVINCER MON PÈRE DE LA COMMISSION SCOLAIRE

Les membres de la commission scolaire voyant que mon père s'acharnait à poursuivre la lutte s'efforcèrent de se débarrasser de lui au moyen de tactiques par trop curieuses. Comme il en est encore aujourd'hui, je crois, on ne devait s'absenter de plus de trois assemblées consécutives, sous peine de perdre son éligibilité à siéger.

Alors que mon père était hospitalisé, le facteur apporta un avis de convocation. Il ne put évidemment y assister. À peine quelques semaines plus tard, il reçut un autre avis de convocation pour un samedi soir qui correspondait à la date du 40e anniversaire de mariage de mes parents. Curieuse coïncidence... Nous avions organisé une fête en leur honneur pour souligner cet événement. Bien entendu, mon père préféra demeurer parmi nous.

C'était la deuxième assemblée consécutive qu'il manquait et devait désormais se tenir sur ses gardes; s'il en manquait une autre, ça en était fait de son siège. C'est à ce moment que se joua le meilleur de la comédie. Par un beau matin, le facteur arrive une nouvelle fois avec un autre avis de convocation et le remet à mon père. Mais quelle surprise en l'ouvrant de constater que l'assemblée à laquelle il était convoqué avait eu lieu la veille! Une curieuse affaire se produisait à ses dépens, mais il ne se découragea pas pour autant. Décidé à en avoir le coeur net une fois pour toutes, il se rendit au bureau de poste à Sainte-Rose où l'avis avait été posté. Il s'informa auprès d'un commis des postes si la date d'envoi était légale. Après vérification, le commis lui déclara que, selon lui, cet avis avait été posté trop tard.

Furieux de ce manège, mon père prit la décision de se rendre à Montréal pour consulter un avocat. Après le récit des faits, l'avocat consentit à prendre la cause en main, affirmant

16

même qu'elle se défendait facilement. Cependant, pour ne pas brûler les étapes, il conseilla tout d'abord à mon père de retourner à une assemblée pour demander au président s'il était encore commissaire. Si à ce moment la réponse ne s'avérait pas satisfaisante, l'avocat lui demandait de revenir le consulter.

De retour à la maison, mon père raconta à ma mère l'entrevue qu'il venait d'avoir. Elle lui conseilla fortement de ne pas lâcher prise. Fort de cet appui, il se rendit à l'assemblée suivante. Ce ne fut que pour constater que son siège était occupé par un autre nommé à sa place. Il s'enquit quand même au président à savoir s'il était encore en fonction. On lui répondit que non, lui rappelant qu'il s'était absenté à plus de trois assemblées consécutives. On l'invita toutefois à assister à l'assemblée à titre d'observateur. Il déclina carrément cette offre en précisant qu'il n'était pas venu dans ce but. Sur ce, il passa la porte et revint à la maison avec une seule idée en tête, retourner à Montréal consulter à nouveau son avocat. Dès le lendemain matin, il partait pour Montréal, puis raconta à son avocat ce qui s'était passé la veille. Dans les circonstances, l'avocat lui promit de régler la cause rapidement. Il lui fit signer un mandat de la cour supérieure, l'assurant que les frais ne seraient pas encourus par lui mais bien par la commission scolaire. Mais au même moment, il se passait des choses à la commission scolaire.

UN DRAME SCOLAIRE SE DÉROULE À MONTROUGEAU

(Cf: Le Petit Journal du 10 mai 1953, par Dollard Morin)

«Une vive tension régnait, jeudi, dans la petite municipalité de Montrougeau à Sainte-Rose Ouest. C'est un véritable drame qui s'y déroule. Et l'on y

*trouve cette situation cocasse : une municipalité de
soixante-quinze familles qui y résident à l'année, avec
six commissaires d'école (au lieu de cinq) et quatre
institutrices pour deux classes de quarante élèves!*

*«Le 26 avril, le Petit Journal révélait que les parents
étaient mécontents parce que la petite école rurale de
Montrougeau manquait de chauffage depuis trois mois.
Durant les fins de semaine, l'école ne fut pas chauffée à
partir de la mi-février. Dès le 9 mars, les deux
institutrices n'obtinrent pas de charbon mais des
«croûtes» de bois. Jeudi dernier, elles n'avaient rien
pour chauffer; c'est une voisine qui leur a prêté du bois
et du charbon.*

*«À la suite de ces révélations, une assemblée des
commissaires fut convoquée lundi soir dernier. À
signaler que ces assemblées se tiennent non pas à
l'école mais chez le secrétaire de la commission
scolaire, M. P. E. Durocher, dont le père, M. Ernest
Durocher, est lui-même président. Les deux institutrices
Mlle Jeanne-D'Arc Ouimet et Mlle Angela Proulx,
ainsi que plusieurs parents se rendirent à la réunion.
L'entrée leur fut cependant refusée sous prétexte que
c'était une assemblée à huis clos!*

*«Espérant être admis plus tard à la réunion, ces gens
attendirent jusqu'à 23h00. Peine perdue, "mais nous
avons assisté à une petite comédie", nous relate un
père de famille. "Imaginez-vous que nous avons aperçu
les commissaires quittant la résidence du secrétaire par
une porte arrière et tentant de se faufiler derrière une
rangée de petits cèdres!"*

*«Dès le lendemain matin, par courrier recommandé,
les institutrices recevaient une lettre leur donnant ordre
de quitter les lieux «dans les 24 heures» à cause de leur
entêtement (mais sans aucune explication). De plus, la
lettre stipulait que "Si mercredi soir, le 6 mai, vous
n'avez pas quitté l'école, la porte vous sera*

18

irrévocablement fermée jeudi matin". On comprend mal que cette lettre, datée du 4 mai et livrée le matin du 5, ait pu suivre une décision "unanime des commissaires" après leur assemblée de lundi soir, terminée à 23h00! L'ordre ne portait que la seule signature du secrétaire.

«Cette nouvelle se répandit comme une traînée de poudre à travers le village. On a alors vu les enfants s'accrocher aux bras des institutrices et les supplier en sanglotant : "Ne partez pas Mademoiselle! Restez avec nous!". Écoliers et écolières étaient bouleversés. Les parents étaient révoltés. "Nous n'avons rien à reprocher à nos institutrices, disaient-ils, car elles font preuve d'un enseignement compétent, d'une conduite exemplaire et d'un dévouement admirable."

«L'une des institutrices téléphona aussitôt au surintendant de l'Instruction publique à Québec. Il n'avait reçu aucune plainte à leur sujet et leur dit de ne pas quitter l'école. Mercredi soir, une assemblée de parents était convoquée à l'école; ils vinrent en grand nombre. Les esprits étaient échauffés; des contribuables voulaient faire un mauvais parti à certains membres de la commission scolaire. Les parents prièrent les deux maîtresses de ne pas quitter les lieux, leur promettant la protection nécessaire. Un signal fut convenu; en cas d'urgence, la cloche de l'école sonnerait! Les deux institutrices ont donc passé à l'école la nuit de mercredi à jeudi. Les gens avaient laissé leurs lumières extérieures allumées. Deux ou trois pères de famille firent le guet toute la nuit. De bonne heure, jeudi matin, plusieurs étaient ressemblés à un restaurant voisin, prêts à se rendre à l'école en cas d'alerte. Un agent de la police provinciale fut même dépêché sur les lieux pour assurer la protection.

«Car c'est jeudi matin que se terminerait l'ordre de congédiement des deux institutrices. De plus, deux

autres institutrices venues du bas du Québec, à la demande des commissaires, étaient déjà arrivées chez le secrétaire. On prévoyait que ce dernier viendrait chasser les premières pour les remplacer par les nouvelles venues (mais qui avaient déjà enseigné à Montrougeau d'où elles furent remerciées de leurs services en décembre dernier). Mais rien ne se produisit le matin, ni le midi. Toutefois, la tension règne encore et les enfants sont fort nerveux.

«"Ce n'est pas le temps de changer d'institutrices", disent les gens, "Il ne reste qu'un mois et demi de classe". Et il faut préparer la communion solennelle le 14 mai, la première communion et la confirmation le 24 mai ainsi que sept certificats. Il y a aussi les examens de fin d'année. C'est malheureux que pour de simples caprices on sabote ainsi l'éducation de nos enfants. Quel mauvais exemple leur est donné! Et c'est comme ça depuis quatre ans; nos enfants ont presque manqué trois années de classe à cause de toutes sortes de mesquineries et de procès.»

C'est sur cette note que l'année scolaire avait pris fin, mais tout de même, les deux institutrices en place avaient pu terminer l'année en cours.

Environ un mois, peut-être deux, après que mon père eut sa deuxième consultation avec son avocat concernant son poste de commissaire, il reçut un avis enregistré, par la poste, lui confirmant sa réintégration au poste de commissaire. Au retour de cette première assemblée après sa réintégration, mon père nous racontait que lorsqu'il fit son apparition, la mine des autres commissaires changea de façon étonnante, encore plus pour celui qui siégeait à sa place, car il fut contraint de sortir de la même façon qu'il était entré, c'est-à-dire par la porte arrière...

Mais hélas, même si mon père avait gagné cette manche, je dois admettre qu'il n'était pas au bout de ses peines, loin de là. Il était seul contre quatre pour assurer l'opposition. Il faisait de son mieux mais il avait très hâte que la prochaine élection arrive; il espérait en effet qu'un ou deux nouveaux commissaires se fassent élire pour lui prêter main forte. Mais hélas!

LE BEAU RÊVE S'ENVOLE EN FUMÉE

Une élection approchait et comme on ne savait jamais à l'avance quelle sauce on nous servirait, nous nous tenions sur nos gardes.

Comme à chaque année, il y avait des postes à combler alors que les termes étaient de trois ans. À ce moment, il y avait élection pour deux commissaires, deux années consécutives alors que l'autre année, un seul poste devenait vacant. Une belle chance, à cette dernière tentative, car deux postes devenaient vacants.

Nous avions réussi à trouver deux candidats pour mener la lutte mais malheureusement, un de nos deux candidats qui avait difficilement accepté de poser sa candidature était plutôt timide et n'aimait pas beaucoup se mêler à ce genre d'élections. Nos opposants le savaient pertinemment. Il reçut une charmante visite l'avisant qu'il ferait sans doute mieux de ne pas poser sa candidature au poste de commissaire car sa candidature pourrait peut-être lui attirer des embêtements et lui réserver de désagréables surprises. Très mal à l'aise devant de tels procédés, il prit la décision de laisser tomber. Devant ce fait, le candidat qui devait combler l'autre poste prit lui aussi la décision de se désister. C'était la fin du rêve. Que de contestations! De plus, tout ce que ces machinations avaient coûté aux contribuables est incroyable. Inutile de chercher car je ne pourrais même pas dire avec exactitude combien il y a eu de protestations devant les tribunaux. Si j'ai bonne mémoire, seule la première élection à laquelle j'ai participé s'est déroulée sans incidents désolants; mais les autres élections auxquelles j'ai pris part avaient toujours un aspect louche. Mon père laissa aussi tomber. Pour tout dire, ce n'était pas un adieu de sa part mais seulement un au revoir. Mais combien j'ai appris dans ces débuts en politique. Tout d'abord, dès ma première participation, un type qui avait un chalet dans notre coin m'avait déclaré, alors que j'étais allé le solliciter, qu'il ne pourrait venir de Montréal pour exercer son droit de vote mais que ses taxes étaient acquittées et que dans un cas semblable, je devais savoir quoi faire. Je ne comprenais vraiment pas où il voulait en venir car je n'avais aucune expérience. Mais par après, je me le suis fait expliquer et j'ai bien compris que celui-ci m'invitait tout simplement à faire personnifier son nom. Ce n'est pas dans les coutumes de l'équipe à laquelle j'avais accordé mon appui. Il valait mieux perdre honorablement. Si ce procédé a fonctionné par le passé, ce n'est certainement pas au niveau scolaire, à ce que je sache. Pour la suite du niveau scolaire, j'y reviendrai plus loin. Vous verrez alors que chaque chose a une fin.

NIVEAU MUNICIPAL

J'avais la politique dans les veines, un peu comme mon père d'ailleurs. Celui-ci raffolait de politique et s'activait à chaque niveau électoral.

Ma première expérience au niveau municipal, c'est en 1956 que je l'ai vécue. À ce moment, la municipalité portait le nom de Sainte-Rose Ouest. C'est M. Lucien Dagenais qui était maire. Je crois que celui-ci avait été élu en 1953. Il était aussi reconnu comme un organisateur de l'Union nationale, le parti que mon père appuyait depuis sa fondation. Il était donc très facile pour moi de travailler avec l'équipe Dagenais. J'avais déjà bénéficié de quelques services de cette équipe. Dans notre district, M. Marcel Lacroix était échevin. Il accomplissait du très bon travail et il me demanda de le seconder. C'est avec plaisir que j'ai accepté.

Un des gros contrastes avec le niveau scolaire est qu'à ce niveau nous n'avions pas à nous enquérir du fait que les taxes étaient payées ou non. De ce fait, le travail se faisait beaucoup mieux.

Comme notre municipalité comptait un nombre assez important de villégiateurs possédant des chalets ou des terrains vacants, c'est sur ce terrain que je me concentrais car je livrais la glace pour mon père de porte en porte et de ce fait, j'étais plus connu.

La vie fait parfois des choses curieuses car le candidat qui se présentait contre M. Lucien Dagenais était M. Évariste Presseau, le père d'un de mes meilleurs amis, Marcel. Hélas, en politique il n'y a pas beaucoup d'espace pour les compromis.

Ce que j'acceptais mal à ces élections est que chacune des deux équipes en place avait une équipe de gros bras sous prétexte de faire maintenir la paix. Mon oeil! Ces deux équipes se connaissaient très bien car j'ai vu de mes propres yeux un membre de l'équipe que j'appuyais avertir un membre de l'équipe adverse de se tenir tranquille et que le contrôle était assuré par les représentants de l'équipe sortante. Cet avertissement n'est pas tombé dans l'oreille d'un sourd car tout au long de la journée, la majorité de ceux qui appuyaient nos adversaires s'est employée à jouer à la balle. Le matin, j'avais également vu un de nos organisateurs donner la description d'une automobile à un de ses hommes en lui disant qu'il ne voulait pas voir cette voiture sur la route au courant de la journée. Comme il était prévu, cette automobile fut interceptée et le conducteur reçut l'ordre de rentrer chez lui et de ne pas bouger. Il semble que celui-ci ne se le soit pas fait dire deux fois. Pour ce jour d'élections, j'avais été personnellement désigné comme représentant dans l'un des bureaux de votation. Ce bureau de votation se tenait à la maison paternelle, dans la cuisine. Je me rappelle très bien que l'un des candidats de l'équipe Dagenais avait demandé à mon père de sortir son poêle de cette cuisine au cas où il y aurait de la bagarre. Mon père avait carrément refusé en déclarant qu'il était capable de protéger son butin. Au tout début de cette journée, un des organisateurs nous a fait la morale en nous mettant en garde de bien faire attention si l'on voulait faire arrêter des votants qui en personnifieraient d'autres, car avant d'agir, il faut être certain de nos avances. Cela me donnait un goût amer. Je ne parierais pas ma chemise, mais je suis pratiquement certain que je me suis fait passer quelques sapins même si nous n'étions pas à la période de Noël. Il est cependant vrai qu'il faut être sûr de soi lorsque l'on fait arrêter quelqu'un personnifiant un électeur.

Un petit incident m'a laissé songeur. En effet, la soeur de M. Presseau, celui qui se présentait à la mairie, est arrivée pour voter à la place de son mari. Ce dernier était retenu à la maison par la maladie et ne pouvait se déplacer pour venir au bureau de votation. Je la connaissais très bien. J'étais convaincu de sa bonne foi mais hélas, comme son nom ne figurait pas sur la liste électorale, elle ne pouvait légalement exercer son droit de vote. Je sais qu'elle était très déçue mais ce n'était pas moi qui faisais les lois électorales. J'espère que celle-ci ne m'en veut plus.

Cette élection se termina à l'avantage de l'équipe que j'appuyais, soit celle de M. Dagenais.

UN RÉFÉRENDUM POUR ABOLIR LA PROHIBITION

C'était navrant. Aucun épicier ou hôtelier ne pouvait se procurer un permis pour vendre de la boisson car c'était prohibé dans les limites de notre municipalité. J'avais même un frère qui était épicier. Il nous fallait parcourir environ trois milles pour trouver un épicier licencié, ce qui était peu commode. En été, il y avait même un épicier du territoire voisin, Laval-Ouest, qui passait de porte en porte. Il prenait les commandes et revenait environ une ou deux heures après pour faire la livraison. Alors, un type qui venait de Montréal et qui tenait l'hôtel Miami sur le boulevard Sainte-Rose fit des démarches pour obtenir la permission de tenir un référendum. On la lui accorda. Avec mon frère, alors épicier, je menai une lutte de tous les instants. Seuls quelques citoyens d'un certain âge s'objectaient encore. Peut-être que ceux-ci faisaient partie du cercle de Lacordaire. Cependant, à la fermeture des bureaux de votation, c'est par une majorité des plus confortables que nous l'avions emporté. Les contribuables avaient bien saisi notre point de vue.

JE PROFITE DU PATRONAGE

À l'automne de 1957, alors que les travaux agraires achevaient, j'avais demandé à mon père s'il connaissait quelqu'un parmi les organisateurs politiques qui avait assez d'influence pour me permettre d'obtenir un emploi dans la construction du pont de l'autoroute 15 reliant Laval-des-Rapides à Montréal. Ces travaux étaient en marche. Mon père contacta alors le maire Dagenais de Fabreville, celui-ci étant reconnu comme un bon organisateur politique. Il me remit une lettre de recommandation et si celle-ci ne suffisait pas, M. Roland Couture de Sainte-Rose, qui était aussi reconnu comme un homme fort de l'Union nationale, m'avait remis une lettre de recommandation. C'est avec une facilité déconcertante que j'avais obtenu un emploi. Dans ces années, les organisateurs qui s'occupaient de politique étaient les mêmes pour les deux principaux paliers gouvernementaux, fédéral et provincial. Un membre ou un organisateur de l'Union nationale était automatiquement reconnu comme faisant partie de la grande famille du Parti conservateur.

Alors, en juin 1957, M. John Diefenbaker avait conduit le Parti conservateur au pouvoir mais si je ne m'abuse, son gouvernement était minoritaire. Ainsi, le 1er février 1958, M. Diefenbaker décide d'en appeler au peuple privilégiant une campagne électorale courte puisque la date était fixée au 31 mars. Personnellement, je n'étais pas membre du Parti conservateur mais comme je venais d'obtenir du travail grâce à certains organisateurs, on demandait à la grande majorité des employés de la construction du pont d'assister à quelques assemblées publiques pour en grossir les foules. Il aurait fallu de très bonnes raisons pour s'exempter d'aller à ces assemblées mais étant fier de travailler, c'est avec plaisir que nous assistions à ces réunions. J'ai travaillé à la construction de ce pont du mois d'octobre 1957 jusqu'à la fin de juin 1958, alors que je retournais travailler avec mon père.

Lors de la tenue des élections, le 31 mars, le Parti conservateur de M. Diefenbaker avait réussi un balayage sans précédent pour ce parti alors que celui-ci obtint deux cent neuf sièges, dont cinquante sur soixante-quinze au Québec, comparativement à un total de quarante-sept pour les libéraux.

Au point de vue travail, j'ai adoré mon expérience dans la construction de ce pont. Cependant, j'ai quitté cet emploi avec un très mauvais souvenir. Le 5 mars environ, une heure après avoir terminé mon quart de travail, alors que j'étais rentré chez moi, un caisson du pont a cédé, entraînant la mort de onze de mes collègues de travail. Quelle triste nouvelle. Tard en soirée, je reçus un appel téléphonique du bureau du personnel me demandant de bien vouloir entrer au travail de toute urgence pour travailler avec les membres de l'équipe et dynamiter des embâcles de glace autour du coffrage qui s'était effondré. J'entre au travail en vitesse et de toute façon, je n'aurais pu fermer l'oeil de la nuit. Combien d'heures sur le chantier avant de retourner chez moi? Cela m'échappe. Mais quel triste spectacle. À quelques occasions, j'ai assisté au repêchage de quelques morts. Lorsque les hommes-grenouilles récupéraient un corps, je me devais, avec un confrère de travail et avec l'aide d'une grue mécanique, de descendre à fleur d'eau pour ramener le corps à la surface. Je remerciais la providence de ne pas avoir fait partie de cette équipe. Je n'oublierai pas pour autant cet emploi et je ne le regretterai jamais. Je trouve ce genre de patronage des plus normaux car je n'enlève d'emploi à personne. Ce n'est pas d'hier qu'il est monnaie courante de privilégier des amis du régime.

En 1958, après que la municipalité de Sainte-Rose Ouest fut nommée ville de Fabreville, il s'est passé un incident des plus comiques. En effet, la municipalité avait donné le contrat de faire construire une usine d'épuration des eaux usées sur notre territoire. Celle-ci était située le long de l'autoroute 13, près de la rivière des Milles-Îles. Au moment de l'inauguration des travaux, certains hommes politiques furent invités à venir lever la première pelletée de terre. Je ne me souviens pas du nom du ministre qui avait été délégué par l'Union nationale, mais lorsqu'une pelle lui fut remise, celui-ci l'a refusée car elle avait un manche rouge. Il a alors fallu dépêcher quelqu'un au magasin le plus près pour en acheter une avec un manche de la bonne couleur, soit bleu. Il faut croire que les partisans allaient jusqu'au bout de leurs idées dans ces années.

Si l'on exclut ce changement de nom, 1958 aura été sans histoire au niveau électoral. Mais l'année 1959 fut remplie de suspense pour un homme comme moi, qui raffolait de politique. Tout d'abord, au niveau municipal, les élections avaient lieu au mois de mai et les termes étaient de trois ans. Un des échevins, M. Hormidas Nadon, qui siégeait avec l'équipe du maire Dagenais depuis 1953, a laissé celui-ci pour lui opposer sa candidature à la mairie. Je crois que ce n'était pas un précédent car nous vivons encore des cas semblables de temps à autre. Personnellement, je n'avais rien contre M. Nadon mais j'avais opté pour l'équipe du maire Dagenais car nous avions à ce moment un très bon échevin dans notre district en la personne de M. Marcel Lacroix, homme dévoué et disponible à chaque heure du jour et de la nuit.

Je ne sais pas le vrai pourquoi, mais je me souviens que l'organisation du maire avait pris la décision de déléguer plusieurs organisateurs à Montréal, dont moi-même, dans le but de rendre visite au plus grand nombre de propriétaires de chalets dans Fabreville. De plus, il nous fallait prendre la description de chaque personne apte à voter. Ce n'était pas une mince tâche que de rejoindre tous ces propriétaires éparpillés çà et là dans Montréal, et ce, presque uniquement le soir.

Dans ces années, les listes électorales n'étaient pas si faciles à obtenir, contrairement à ce que l'on rencontre aujourd'hui. Bien souvent, au comité central, nous ne disposions que de deux ou trois listes électorales mais un des organisateurs avait trouvé une manière géniale pour ces années. En effet, c'était simple et pratique. Il s'agissait de réunir le plus grand nombre d'organisateurs possible avec crayon et papier. Alors, un des organisateurs citait les noms qui se trouvaient sur les listes et celui d'entre nous qui le connaissait le mieux disait : «Je prends celui-là», etc. De cette manière, moins de temps se perdait car les campagnes électorales étaient beaucoup plus courtes qu'aujourd'hui. Bien sûr, il ne fallait pas seulement le dire car il fallait faire la sollicitation comme il était promis. Une erreur de parcours a bien failli coûter la victoire à l'équipe du maire Dagenais. En effet, quelqu'un dans l'organisation, dont je n'ai jamais pu savoir le nom, avait l'idée de faire nommer des sous-officiers rapporteurs de l'extérieur de Fabreville. Quelle erreur, car au moment du décompte des bulletins de vote, le maire Dagenais remportait la victoire mais par une faible majorité de vingt-deux ou vingt-quatre voix. Son équipe avait aussi triomphé mais je m'expliquais difficilement une victoire aussi peu convaincante sur le siège du maire après avoir travaillé d'arrache-pied tout au long de cette campagne. Ce scrutin s'était déroulé dans une école sur le boulevard Dagenais. L'équipe de M. Hormidas Nadon avait été vaincue, mais quand même, celle-ci avait un thème de campagne qui me plaisait beaucoup. En effet, leur devise était «Servir et non se servir». Peut-être que certains politiciens pourraient pratiquer cette devise, car, en ce moment, tout ce que l'on se fait servir, ce sont des augmentations de taxes à chacun des niveaux gouvernementaux.

ENVOÛTÉ PAR DE BELLES PAROLES

Il y avait environ deux ans que mon père avait laissé son siège de commissaire d'école. Depuis ce temps, nous n'avions aucune nouvelle du fonctionnement de la commission scolaire. Je ne sais si l'administration en place craignait un retour en force de notre part, mais un de ses membres monta un joli bateau à un de mes frères qui avait passé quelques années à l'extérieur de notre municipalité. Alors que celui-ci y était de retour pour y demeurer en permanence, il reçut la visite d'un commissaire d'école. Celui-ci était un bel enjôleur. Il proposa alors a mon frère Hervé de devenir commissaire. Il l'assura qu'il ne rencontrerait aucune difficulté pour l'obtention du poste car il ne prévoyait pas d'opposition. Mon frère accepta l'offre. Le commissaire l'incita même à se rendre à son travail la journée de la mise en nomination, précisant qu'il irait le proposer lui-même et qu'il trouverait bien un secondeur. «*Ne t'inquiète de rien*», termina-t-il. «*Lorsque tu reviendras de ton travail, tu seras commissaire et tu n'auras plus qu'à venir t'asseoir à la table avec nous; tu n'auras pas de problèmes. On se connaît d'ailleurs depuis longtemps.*» Quelques jours après cette entrevue, mon frère vint demander à mon père ce qu'il en pensait. Ce dernier le mit en garde: «*Fais attention mon garçon. Tu ne sais pas vraiment à qui tu as affaire et de quel bois se chauffent ces gens. Tu es jeune encore en politique et tu en as beaucoup à apprendre. Je te souhaite bien d'être élu mais j'ai l'impression que tu es en train de te faire jouer un vilain tour.*». Quelque peu incrédule, mon frère affirma qu'il ne croyait pas à un manège de la part de celui qui était venu lui offrir le poste car il paraissait très sincère. Il quitta la maison paternelle très convaincu de sa nomination au poste de commissaire d'école.

Lorsque la nomination eut lieu, mon frère fut complètement ignoré, son nom n'étant même pas cité une seule fois. Exactement comme mon père l'avait prévu. Celui-ci avait du flair. Mon frère n'était pas rompu à toutes les tactiques du métier comme pouvait l'être mon père. Par surcroît, mon frère ne pouvait s'imaginer tous les événements que notre arrondissement scolaire avait vécus en son absence.

Mon père avait prévu cette supercherie et nous avait même prévenus à l'avance de ce qui se passerait. En réalité c'est très simple. En offrant le poste de commissaire à mon frère au moins quinze jours avant l'élection et selon son consentement, ceux-ci n'avaient plus à s'inquiéter; personne ne s'occupant alors de chercher d'autres candidats. C'est exactement ce qui s'était produit. C'est dire jusqu'à quel point mon père pouvait avoir du flair. Il en avait vu de toutes les couleurs, et ce, bien avant que mon frère ne se laisse tenter par cette aventure. Cette expérience vécue par mon frère le rendit méfiant. Il en avait tiré une bonne leçon. Mais très irrité par la mauvaise plaisanterie dont il avait été victime, il n'oublia pas cette journée et se promit bien de tenter sa chance l'année suivante.

Comme il était prévu, il entreprit de se lancer dans la campagne suivante. Environ une semaine avant la mise en nomination, il se mit à la recherche d'avis publics. Ce ne fut pas sans peine qu'il réussit à en trouver un. Selon ce qu'il nous avait raconté, celui-ci se trouvait sur la porte du garage du secrétaire mais lorsqu'il devait s'absenter, il relevait sa porte et de ce fait l'avis public devenait invisible. Personne ne pouvait se plaindre; cet avis était bel et bien existant.

Au jour de la mise en nomination, il se présenta chez le secrétaire avec quelques-uns de ses amis. À ce moment, il fut référé chez le président d'élections qui demeurait, si j'ai bonne mémoire, à Laval-des-Rapides. Il s'y dirigèrent donc mais ce fut peine perdue; le président était absent de son domicile. Ceux-ci revinrent d'humeur massacrante. Ils avaient perdu une journée de travail sans même que mon frère parvienne à être mis en nomination... Je crois qu'année après année, plus les choses changeaient, plus elles étaient pareilles.

UNE ÉLECTION PASSIONNANTE, UN TRIOMPHE À SA HAUTEUR

Il y avait déjà trop longtemps que nous étions dans cette impasse et nous nous demandions bien comment en sortir. Une solution fut trouvée. En effet, quelques mois après que le nom de notre municipalité, qui s'appelait Sainte-Rose Ouest, fut changé pour celui de Fabreville, il était tout à fait normal que des démarches soient entreprises pour ne former qu'une seule commission scolaire sur le territoire de Fabreville. Il y avait sur notre territoire trois commissions scolaires soit : Montrougeau, la Petite Côte Sainte-Rose et une partie de la commission scolaire de St-Théophile de Laval-Ouest. Alors,

M. Lucien Dagenais, maire de Fabreville, fit parrainer un projet de loi à la législature du Québec par nul autre que M. Maurice Duplessis, alors premier ministre du Québec. C'est en 1959 que la fusion des trois commissions scolaires fut adoptée. Quelle élection en perspective et quelle délivrance! Alors la mise en nomination fut fixée au 6 juillet, à la nouvelle école Sacré-Coeur à 10h00, au 289, Petite Côte, Fabreville. La nouvelle commission scolaire fut divisée en deux quartiers : Quartier Nord et Quartier Sud. Cette nouvelle commission comprendra trois commissaires pour le Quartier Nord et trois pour le Quartier Sud. Cette division était acceptable pour les deux parties en cause.

Nous venions de gagner la première manche. Peut-être verrions-nous enfin la lumière au bout du tunnel. Mais bien sûr, il ne fallait pas s'attendre à ce que nos adversaires nous fassent des cadeaux. Loin de là notre pensée! Nous savions aussi qu'aucun pouce de terrain ne nous serait cédé gratuitement et que nous aurions une opposition des plus féroces de la part d'une équipe des mieux structurées.

Pour bien débuter cette campagne, il s'agissait de choisir des candidats le plus avantageusement connus possible, tout en évaluant les chances de chacun de ceux-ci.

Je sais que mon frère Hervé, qui s'était fait leurrer à deux occasions, avait été pressenti comme candidat mais il avait décliné l'offre. Alors, suite au refus de mon frère, ce fut mon père qui fut sollicité de toute part pour briguer les suffrages. Au début, il ne voulait pas s'y aventurer en laissant entendre à son entourage qu'il était âgé de soixante-neuf ans et qu'il y avait certainement des prospects plus jeunes qui pourraient faire de très bons candidats. Mais rien n'y fit. Les pressions se faisaient de plus en plus fortes et il finit par se laisser convaincre. Il faut bien admettre que la politique tenait encore une grande place dans sa vie et cette participation à la politique avait toujours été un de ses passe-temps favoris. De plus, cette élection était pour lui un défi. Malgré ses soixante-neuf ans, il était en très grande forme. Pour faire équipe avec

32

lui, deux autres candidats de notre quartier, le Quartier Nord, ont aussi été choisis.

Au jour de la nomination, nous étions fin prêts. Au tout début de cette assemblée, la lecture d'avis de convocation fut faite par M. Lucien Dagenais à 10h00, Me Guy Rouleau explique qu'il faut nommer un président et un secrétaire d'assemblée.

Me André Ducharme donne des explications sur les procédures à suivre, M. Jean-Marie Tanguay propose M. Marcel Bolduc comme président d'élections.

M. Paul-Eugène Lajeunesse seconde la proposition.

M. Marcel Bolduc est déclaré élu à l'unanimité.

M. Paul-Eugène Lajeunesse propose M. Eudes Drapeau, secrétaire de l'élection.

M. Henri Gauthier seconde la proposition.

M. Eudes Drapeau est déclaré élu à l'unanimité.

Me Ducharme explique l'article 13 du projet de loi et les articles de loi relatifs à la nomination des candidats. Notre commission scolaire avait été divisée en deux quartiers, soit le Quartier Nord et le Quartier Sud. Le président déclare la présente assemblée ouverte.

NOMINATION AU QUARTIER NORD

M. l'abbé J. Romuald Beauparlant, curé, propose M. Charles Edouard Gofsky. M. Charles Brossard seconde.

M. Martin Anderson propose M. Lucien Brunette.

M. Marcel Letellier seconde.

M. Armand Nadon propose M. Paul A. Gourd.

M. Paul-André Champagne seconde.

M. Ernest Durocher propose M. Raymond Rouleau.

M. Jos Filiatrault seconde.

M. Lauréat Ouimet propose M. Emery Cloutier.

M. André Pilon seconde.

M. Achille Dagenais propose M. Gérard Locas.

M. Eugène Lajeunesse seconde.

NOMINATION AU QUARTIER SUD

M. Benoît Fleurant propose M. Gustave Vaillancourt.

M. Doris Vaillancourt seconde.

M. Séraphin Éthier propose M. Joseph Locas.

M. Isidore Locas seconde.

M. John Lecouffre propose M. Lawrence Buswell.

M. Zotique Vaillancourt seconde.

M. Émile Maillé propose M. Armand Vanier.

M. J. Galarneau seconde.

M. Joseph Joly propose M. Denis Joly.

M. Jacques seconde.

M. Gustave Vaillancourt propose M. Henri Gauthier.

M. Doris Vaillancourt seconde.

Il a été déclaré que la votation aura lieu lundi le 13 juillet 1959 à 8h00 jusqu'à 18h00. Quartier Nord : à l'école St-Léopold des Îles, au 573, boulevard Sainte-Rose en la ville de Fabreville.

Quartier Sud : à l'école du Sacré-Coeur, au 289, Petite Côte en la ville de Fabreville.

Signé : Marcel Bolduc, président de l'élection.

Eudes Drapeau, secrétaire de l'élection.

Au moment de la mise en candidature, lorsque le nom de mon père fut prononcé comme candidat, le visage de certains de nos adversaires s'est allongé quelque peu. Ceux-

34

ci auraient accepté n'importe qui sauf lui. Ils n'étaient pas sans savoir que mon père leur donnerait beaucoup de fil à retordre. Les jeux étaient faits. Chacun des partis présents était satisfait des officiers choisis pour mener à bien cette élection. Personnellement, je connaissais intimement M. Marcel Bolduc, celui qui venait de se voir confier la tâche de présider cette élection. J'avais eu l'occasion, à quelques reprises, de travailler à ses côtés au niveau municipal. Je savais que celui-ci conduirait cette élection en main de maître. Il était reconnu pour son intégrité et aussi pour son impartialité.

À la fermeture des mises en nomination, nous étions à même de constater que le décor avait beaucoup changé depuis 1949, l'année où cette lutte avait débuté. À l'exception de mon père, un seul parmi ceux qui avaient siégé entre 1949 et 1959 fut mis en nomination au Quartier Nord. Cet individu était reconnu comme étant l'un des plus tenaces parmi l'ensemble des gens ayant occupé un poste de commissaire à cette époque.

Je sais pertinemment bien que la plupart de ceux qui ont été membres de cette administration avant 1959 n'étaient certainement pas toujours d'accord avec les prises de position de certains de leurs confrères. Cependant, la discrétion était de mise dans ces années et ceux qui n'étaient pas satisfaits de l'administration des destinées de la commission scolaire n'avaient qu'à se retirer, tout comme mon père l'avait fait alors qu'il en avait plus qu'assez.

Inutile de vous dire que la tenue d'élections ordonnée par le Département de l'Instruction revêtait une importance capitale pour chacun des partis en cause.

Au départ, nos adversaires nous avaient causé une certaine surprise. En effet, ils s'étaient regroupés sous un nom assez original : La Résistance. Toute leur publicité était concentrée dans une distribution connue sous ce nom.

En jetant un regard dans certaines rubriques de ce journal, l'on pouvait en apprendre de bien bonnes et même parfois de très comiques. Je vous citerai quelques extraits tirés de ce journal. L'un des meilleurs se lisait comme suit : *«Durant la dernière guerre mondiale, les Français ont formé le mouvement de la Résistance pour combattre le dictateur Adolf Hitler dont les armées avaient envahi la France. La Résistance fut victorieuse et le monde entier s'est réjoui. Nous avons jugé à propos de former ici un autre mouvement de la Résistance, rendu nécessaire pour combattre un autre dictateur, le Sieur Lucien Dagenais qui, non satisfait d'usurper la charge de maire, vint aussi contrôler les affaires scolaires de Fabreville. Lucien Dagenais veut implanter le régime de ses "petits amis" politiques et se lancer dans la construction de trente écoles. Citoyens de Fabreville, qu'allez-vous répondre à l'entrepreneur en construction politique, M. Lucien Dagenais?».* Il était facile à comprendre, en ayant pris connaissance de ce texte, que nos adversaires essayaient de faire dévier l'enjeu de cette campagne électorale sur le dos du maire Dagenais. C'était, selon moi, une grossière erreur de leur part car les citoyens de notre quartier en avaient plus qu'assez de cette administration qui avait fait la pluie et le beau temps depuis bientôt dix ans. Ironie du sort, M. Raymond Rouleau, qui avait été désigné pour livrer la lutte à mon père, était dans ma jeunesse un de mes joueurs de hockey préférés. À ce moment, il jouait pour le Château Sainte-Rose sur une patinoire extérieure située à l'arrière de l'église du village de Sainte-Rose. Je marchais trois milles pour aller et trois milles pour revenir pour admirer ses prouesses sur patins. Personnellement, je n'avais absolument rien à lui reprocher, mais en politique il n'y a aucune place pour l'hésitation. Je me devais d'appuyer mon père sans réserve. Pour ce qui est de l'équipe dont je faisais partie, nous avions convenu de mener une campagne propre, mais malheureusement nos adversaires ne l'entendirent pas de la même manière. Ne se contentant pas d'avoir attaqué le maire Dagenais, certains penseurs de l'équipe adverse décidèrent de s'attaquer à mon père d'une manière que la plupart des observateurs qualifièrent de basse. Tout d'abord, mon père agissait depuis plusieurs années comme inspecteur agraire de notre municipalité. C'était un travail des plus ingrats, pour la simple raison qu'il fallait toujours pousser dans le dos des gens pour faire creuser des fossés de ligne ou faire réparer des clôtures, etc. Il était très difficile de faire plaisir à tout le monde. Nos adversaires, croyant sans doute avoir découvert une méthode magique pour freiner nos élans, s'attaquèrent à mon père par le moyen d'un article intitulé «Billet doux».

LE RAT... DES FOSSÉS

«Billet doux» m'a dit le patron, mais avec un titre pareil (qu'il soumet et que j'approuve) comment ne pas employer directement le langage... des fossés? Il serait superflu (pour employer le vocabulaire des charlatans) de relever ici tous les noms mentionnés par J. Lupi... comme candidat de Lucien Dagenais. Retenons toutefois celui de la vieille mémère Emery Cloutier. À l'âge où tout le monde songe à se retirer, mémère Cloutier, servant d'instrument (tu parles!) à Lucien, a décidé de venir instruire nos enfants et d'administrer nos «cennes». Et le petit père J. Lupi... dit, dans sa chronique au ton laquais : «*Mémère Cloutier est commissaire scolaire et inspecteur pour la municipalité depuis plusieurs années.*». Voilà un vilain mensonge qui ne sent pas bon. Emery n'est pas commissaire et tout le monde sait qu'il se contente de nettoyer... des fossés pour Lucien. Les contribuables de Fabreville ne sont pas friands de charlatans, chères lectrices, et ils cherchent toujours à ne pas se laisser entraîner vers... des fossés. «Mémère Cloutier» devrait prendre une retraite (des fossés, ça ne manque pas) avec tous les «petits amis» candidats de M. le maire.

Vous voyez d'ici, chères lectrices, ces gazouillements... du fond des fossés?

Avec les plus chaleureux coups de mon mouchoir.

ANATOLE

Cet article chatouilla drôlement notre famille. Il faut dire qu'à ce moment, j'avais sept frères et quatre soeurs. Je dirais que cela fait très mal de voir son père traîné dans la boue. Il était certainement mieux que nous ne connaissions pas de fameux Anatole.

Cet article avait quand même eu un impact, celui de nous faire redoubler d'ardeur pour vaincre cette équipe qui se prenait pour le sauveur du peuple.

Dès le début de la campagne, nous avions pris la résolution bien ferme de mener une lutte sans merci.

Au moment même où la campagne battait son plein, certains organisateurs du Quartier Sud étaient venus à notre comité. Ceux-ci prétendaient détenir des informations selon lesquelles nous tirions de l'arrière dans notre quartier et que nous courions vers la défaite. Il est vrai que pour nous du Quartier Nord, la lutte était beaucoup plus difficile car nous avions un nombre de villégiateurs assez imposant qui étaient propriétaires de chalets ou de terrains vacants le long de la rivière des Mille-Îles. Ceci nécessiterait une surveillance de tous les instants au jour de la votation. Le Quartier Sud était certainement plus facile à contrôler car il était presque uniquement composé de cultivateurs et que d'un voisin à l'autre, à peu près tout le monde se connaissait. Par contre, nous n'avions pas attaché plus d'importance qu'il ne le fallait à ces remarques car nous avions monté une organisation de première force. Sur un ton taquin, un de nos organisateurs leur avait répondu : «*Ne vous tracassez pas trop pour nous. Vous feriez peut-être mieux d'aller continuer votre travail dans votre quartier, car il ne faut jamais vendre la peau de l'ours avant de l'avoir tué. Nous saurons bien au soir du scrutin lequel des deux quartiers aura mené la meilleure lutte.*». Quelques jours après cette rencontre, la campagne se terminait.

Nous avions peut-être mené une publicité moins tapageuse que les candidats de la Résistance mais nous étions très confiants. En cette veille de scrutin, nous avions tenu une réunion pour choisir des représentants pour chacun des bureaux de scrutin. Ce choix devait se faire le plus adéquatement possible, c'est-à-dire qu'il nous fallait choisir des représentants qui connaissaient le plus de gens possible dans l'arrondissement car, à partir de ce moment-là, l'identification serait plus facile. J'avais personnellement été désigné comme un de ceux-ci car j'avais le privilège d'être passablement connu dans l'entourage et, qui plus est, j'avais distribué la glace de porte en porte chez bon nombre de villégiateurs durant une dizaine d'années. Je n'en étais pas à mes débuts car j'avais agi à ce même titre à quelques occasions au niveau municipal. Malgré tout, je n'avais pas passé une très bonne nuit en cette veille de scrutin car je prenais cette élection très à coeur. J'avais appris beaucoup depuis mes débuts. Un villégiateur m'avait laissé un goût assez amer lorsqu'un jour il m'avait déclaré : «*Je ne peux me déplacer de mon travail à Montréal pour venir voter mais mes taxes sont payées et tu dois savoir ce que tu as à faire dans un cas comme celui-ci*». Autant dire qu'il m'invitait carrément à transporter quelqu'un à sa place qui viendrait personnifier son nom. Mais je m'étais bien promis d'accomplir mon boulot très consciencieusement car je voulais voir l'équipe de mon père triompher par la voie de la démocratie. Mais je me doutais bien que cette journée ne serait pas de tout repos. Au moment de prendre place au bureau de scrutin où j'étais assigné, je ressentais une certaine assurance pour la simple raison que je connaissais chacun de ceux qui étaient à notre table. Ce fut par contre une erreur de ma part de croire que tout serait calme car, à peine une heure après l'ouverture des bureaux de scrutin, un incident assez bizarre s'est produit. Un type fait son entrée dans l'école. Il arrive à notre table pour user de son droit de vote. Il a dans sa poche de chemise une feuille jaune pliée mais cette feuille est de la même couleur que l'une des circulaires que nous avions distribuées quelques jours avant le scrutin. Était-ce pour tromper l'ennemi? Le sous-officier lui demande son nom. Au moment précis où ce type a prononcé son nom, une dame qui représentait les candidats adverses déclare : «*Je connais ce type*». Je m'empresse de prendre la parole à mon tour et je dis: «*Je le connais moi itou ce type, Madame*». Mais malheureusement, je ne suis pas du tout convaincu que le nom qu'il vient de prononcer soit bien le sien. Par contre, j'étais certain d'avoir vu ce type quelque part et à ce moment, je me suis souvenu d'avoir travaillé sur un gros chantier de construction au même moment que celui-ci. Je savais qu'il n'était pas de ma compétence d'empêcher ce type d'exercer son droit de vote mais avant de demander au sous-officier rapporteur de faire assermenter ce votant, tel qu'existait mon privilège, j'essaie de me montrer bon prince et je lui demande tout simplement de bien vouloir quitter les lieux tout en lui assurant que le nom qu'il venait de prononcer n'était pas le sien. Celui-ci se refuse carrément à cette demande. À ce moment, j'ai demandé au sous-officier rapporteur de bien vouloir procéder à l'assermentation de ce type. Une fois cette formalité complétée, le sous-officier lui remet un bulletin de vote. Au même moment où il se dirigeait en arrière de l'écran pour exercer son droit de vote, je m'empresse de faire appel au chef de police qui se trouvait sur les lieux. Je lui demande de bien vouloir vérifier les papiers d'identité de ce votant dès qu'il aurait déposé son bulletin de vote dans la boîte à scrutin. Malgré l'expérience que j'avais acquise en politique, je me sentais très nerveux car je n'avais jamais vécu une situation semblable. Mais comme je l'avais prévu, au moment où il fut contraint à produire ses papiers d'identité, le chef de police confirma hors de tout doute qu'il venait bel et bien de se produire une personnification d'électeur. Il fut arrêté sur-le-champ.

Par contre, un fait obscur demeurait dans toute cette histoire. Chacun se demandait bien comment se faisait-il qu'un type puisse être identifié à deux occasions, en l'espace de quelques minutes et sous deux noms différents. Le président du scrutin ne l'entendait pas de la même manière car celui-ci est arrivé à notre table avec son conseiller juridique pour demander à la dame qui avait identifié ce type avant moi : «*Comment peut-on parvenir à identifier quelqu'un qui n'est pas la bonne personne?*». La dame ne savait trop que répondre. Elle venait d'en prendre pour son rhume et je crois qu'elle aurait aimé se voir bien loin de la table. Elle avait la tête basse. La dame avait été sévèrement avertie de ne plus recommencer ce manège et le conseiller juridique du président lui a dit que cela pourrait lui amener des complications. Je croyais bien que cet incident aurait refroidi l'ardeur de quiconque essaierait de fausser le résultat de ce scrutin par des manigances semblables. Il semble que ce n'était pas encore assez. En effet, au début de l'après-midi, un nouveau scénario se déroulait. Ce scénario se voulait très ingénieux mais pas encore assez pour influencer nos représentants plus qu'il ne le fallait.

Deux types font leur entrée dans la salle d'école où se déroulait le scrutin. Ils se sont avancés à un bureau de votation à une distance d'environ trente pieds de celui où je prenais place. En jetant un regard sur eux, j'avais la certitude de les connaître et j'étais pratiquement convaincu qu'ils n'étaient pas de notre arrondissement et qu'ils n'avaient pas droit de vote. L'un d'eux, s'étant approché du sous-officier rapporteur, lui présente un document que le sous-officier s'empresse de vérifier. Il semblait se douter que quelque chose ne tournait pas rond car il prit la décision de faire appel au président pour bien confirmer l'authenticité de ce document. Le président d'élections n'eut même pas le temps de se rendre sur place car ce votant a semblé pris de panique. Alors, à ce moment, il a enlevé le document des mains du sous-officier et a prestement quitté les lieux avec son acolyte. Au moment où le président a fait son apparition à la table, celui-ci se demandait bien ce qui venait de se passer. Selon l'explication fournie par le sous-officier, le document qu'il détenait aurait peut-être ressemblé à un reçu de taxe. Il faut dire qu'à cette élection, le système électoral n'avait pas tellement évolué car nous étions encore aux prises avec le système des taxes comme à mes tout débuts à ce niveau, c'est-à-dire que celles-ci devaient ou pouvaient être acquittées le jour même de l'élection pour quiconque voulait exercer son droit de vote. Suite à l'incident qui venait de se produire, le président d'élections prit une très bonne décision. Il a fait ouvrir le livre de perception des taxes et a prévenu chacun des sous-officiers que si quelqu'un d'autre venait se présenter avec un reçu ou document quelconque, ils se devaient d'envoyer le votant faire vérifier l'authenticité du document avec le livre de perception des taxes. Selon lui, tout résident qui détient un reçu en bonne et due forme n'a pas à avoir peur de faire confronter celui-ci au livre de perception des taxes. Je crois que cette mesure prise par le président s'avéra des plus efficaces car la journée s'est terminée sans qu'aucun autre incident ne fut signalé. C'est peut-être cette décision qui devait sceller l'issue du scrutin. Plus l'heure de fermeture approchait, plus nous étions impatients de connaître le résultat.

À la fermeture, lorsque la compilation des bulletins de vote fut terminée, ce fut une grande joie. Mon père et ses deux colistiers étaient déclarés élus pour le Quartier Nord. Pour ce qui est du Quartier Sud, un seul des trois candidats qui complétaient notre équipe avait été élu. La chance nous avait peut-être moins favorisés dans ce quartier mais par contre, notre équipe s'en sortait quand même majoritaire avec quatre candidats sur six d'élus. Bien sûr, nous avons débuté la fête avec une immense parade. La fête s'est terminée aux petites heures. Nous avions aussi profité de la fête pour taquiner les organisateurs du Quartier Sud qui s'étaient dérangés pour venir nous dire que nous courions à la défaite. Il est bien évident que nous n'avons pas manqué de leur laisser savoir qu'ils auraient bien dû employer tout le temps dont ils disposaient pour mener à bien la campagne dans leur propre quartier. Il y avait belle lurette que nous n'avions pas vu régner une si grande joie. C'était pratiquement indescriptible.

Au lendemain de cette élection, lorsque le président du scrutin donna le rapport officiel du scrutin, il nous apprenait que mon père avait triomphé par la plus forte majorité des six candidats en lice. J'espère qu'à ce moment les membres de l'équipe adverse ont compris qu'il n'était pas très bon d'essayer de salir un adversaire comme ils l'avaient fait pour mon père.

Voici le résultat du vote :

Relevé du vote comprenant les trois bureaux de votation Quartier Nord :

MM.	Lucien Brunette	224
	Emery Cloutier	227
	Charles-Edouard Gofsky	221
	Paul A Gourd	192
	Gérard Locas	191
	Raymond Rouleau	189

Relevé du vote comprenant les deux bureaux de votation Quartier Sud :

MM.	Lawrence Buswell	67
	Henri Gauthier	68
	Denis Joly	89
	Joseph Locas	89
	Gustave Vaillancourt	83
	Armand Vanier	85

Il est clair que la Résistance de Fabreville avait été moins chanceuse que celle formée par les Français pour combattre Adolf Hitler durant la dernière guerre mondiale. La dernière administration de la commission scolaire de Montrougeau avait quand même fait de bonnes choses comme la construction de cette école mais, hélas, les contribuables en avaient soupé de cette administration.

En septembre 1959, je suis embauché au journal *La Presse*. Dès ce moment, je me suis dit : «*Avec un travail semblable, je vais pouvoir faire de la politique comme bon me semblera et avec les partis de mon choix*». C'était mal calculer et très mal penser de ma part. Non pas que l'on nous dictait une ligne de conduite, loin de là. À ce moment-là, il y avait au-delà de quarante années que mon père s'occupait activement de politique. Il avait été un adepte des assemblées contradictoires car il nous racontait qu'il n'était pas rare de voir de chauds partisans en venir aux coups. Mon père était un admirateur de Maurice Duplessis. Une des raisons, et non la moindre, est que lorsque M. Duplessis est devenu premier ministre du Québec sous la gouverne de l'Union nationale le 17 août 1936, il s'est empressé d'instaurer le prêt agricole tel que promis lors de la campagne électorale. Ce fut un très bon coup de pouce pour plus d'un cultivateur, dont mon père, qui avait connu quelques difficultés financières avant de recevoir ce prêt. Mon père voua une fidélité à M. Duplessis jusqu'à son décès survenu dans la nuit du 7 septembre 1959 à Schefferville, à l'hôtel privé de l'Iron Ore Co.

Personnellement, je n'ai que très peu connu M. Duplessis si ce n'est d'être allé l'entendre prononcer un discours à l'ouverture du pont Saint-Eustache en 1947 ou 1948. C'était un puissant orateur. Mon père nous racontait qu'un jour, il s'était rendu à Québec avec quelques organisateurs de l'Union nationale dans le but de lui recommander M. Alexandre Joly comme candidat pour une élection qui serait décrétée incessamment. M. Joly avait aidé beaucoup de fils de cultivateurs à se faire exempter de la guerre de 1939. Alors lorsque ceux-ci furent introduits dans le bureau de M. Duplessis et lorsqu'ils lui expliquèrent le but de cette démarche, M. Duplessis leur déclara que le poste était déjà comblé. M. Joly lui demanda alors s'il avait une chance d'obtenir le poste advenant que le candidat choisi se désiste. Pour toute réponse, M. Duplessis lui demanda tout bonnement s'il pouvait lui dire quelle femme il remarierait s'il perdait la sienne subitement! Ceux-ci se rendirent compte qu'il avait l'esprit agile, pouvant toujours répondre du tac au tac. Ils n'insistèrent pas davantage...

Autre anecdote tirée du livre de M. Pierre Laporte alors qu'il était journaliste :

«M. Duplessis n'était parfaitement à l'aise qu'au milieu de ses journalistes, c'est-à-dire de ceux qu'il avait l'habitude de voir toutes les semaines et en présence desquels il pouvait dire un peu plus qu'il n'aurait fallu sans crainte de retrouver ses propos excessifs dans le journal du lendemain. Un jour, le représentant du Soleil *était malade. À la dernière minute, on demanda à un autre journaliste de le remplacer à la conférence de presse du premier ministre. Le remplaçant n'avait pas eu le temps de se raser. Ayant la barbe plutôt forte, il avait ce matin-là le visage presque noir. Monsieur Duplessis l'apostropha immédiatement :*

«Qui représentez-vous?

«Le Soleil, *Monsieur le premier ministre.*

«Vous êtes bien sombre pour représenter Le Soleil!

«M. Duplessis ne fut pas aussi à l'aise que d'habitude. Il y avait un étranger dans la place.»

L'histoire nous dit que M. Maurice Duplessis avait dit : *«En 1927, je serai premier ministre...»*

Il s'était tracé un chemin qu'il a scrupuleusement suivi. Né dans un milieu conservateur (son père, de ce parti, avait ensuite été nommé juge) (*La Presse*, mardi 8 septembre 1959), M. Duplessis fit une carrière politique qui dura 32 ans. Premier ministre du Québec de 1936 à 1939 et sans interruption de 1944 jusqu'à sa mort en septembre 1959, il combattit toujours tout ce qui lui paraissait porter atteinte, même de loin, à l'autonomie provinciale, allant jusqu'à

45

refuser les subventions fédérales à l'Instruction et à l'Assistance publiques.

Ce fut M. Paul Sauvé qui succéda à M. Maurice Duplessis soit le 11 septembre 1959. M. Sauvé était reconnu comme un des ministres les plus imminents de M. Duplessis. J'avais eu l'occasion de parler avec lui à un certain moment. Il était amateur de chasse à la perdrix. Je l'avait croisé dans un boisé à Sainte-Dorothée, partie intégrale de Ville de Laval. Malheureusement, il mourut le 2 janvier 1960. Quelle lourde perte pour la province et pour l'Union nationale en l'espace de quatre mois. Par surcroît, il fallait que l'Union nationale déclare des élections. Ce fut M. Antonio Barrette qui succéda à M. Paul Sauvé. M. Barrette eut la lourde tâche de décréter des élections. Il avait comme devise : «*Vers les sommets avec l'Union nationale*». M. Jean Lesage, qui était à ce moment chef du Parti libéral du Québec, avait comme devise : «*Maître chez nous*».

Pour la première fois de ma vie, je devenais membre d'un parti politique au niveau provincial. Une carte de membre de l'Union nationale signée par le maire Lucien Dagenais de Fabreville me conférait le titre, non pas d'un membre ordinaire, mais celui d'organisateur adjoint de l'Union nationale. C'était assez pour moi pour en être fier. Cette carte était valide jusqu'au 31 décembre 1960. À ce moment, je travaillais toujours de nuit au journal *La Presse* et vers la fin de l'après-midi et en soirée, je faisais campagne pour le candidat de l'Union nationale qui était, à ce moment, M. Léopold Pouliot. Les élections étaient prévues pour le 5 juillet 1960. Mauvaise nouvelle pour moi. Le 27 mai 1960, le surintendant des édifices *La Presse*, M. Laurent Marion, me convoque à son bureau ainsi que d'autres confrères de travail pour nous remettre un avis sur lequel il était dit : «*Vos services pour le département de la maintenance ne seront plus requis pour cause de réduction du personnel. Si vous avez besoin d'une lettre de références, adressez-vous au soussigné qui vous en fera parvenir une sans délai».* À ce moment, j'étais encore garçon. Cela fait mal mais je me disais que je m'en sortirais. Comment? L'avenir me le dirait. Qu'est-ce que la providence ne fait pas à certains moments. Je viens de terminer à *La Presse.* Il s'agit d'un samedi soir. À peine deux jours après avoir terminé ce travail, je croise M. Viateur David qui était à l'emploi du gouvernement provincial à titre de contremaître de l'entretien des ponts pour les travaux publics. À l'occasion, je sortais avec une de ses filles. Il me demande si je pouvais lui accorder quelques jours de travail sur la réparation des ponts. *«Je sais que tu travailles de nuit mais ces quelques jours te procureront un revenu supplémentaire.»* Alors j'accepte sur le champ mais je lui déclare que j'ai été remercié de mes services au journal *La Presse.* Cela tombe bien.

Tel que convenu, je travaille trois ou quatre jours à la réparation d'un pont appelé «Pont David», reliant Laval à Bois-des-Filion. Quelle drôle de coïncidence. Ce pont portait le nom de la personne qui m'avait embauché. De ce temps, la période électorale tirait à sa fin. Lorsque ces travaux furent terminés, il me déclare que si j'étais consentant il essaierait de me faire embaucher au garage des travaux publics qui se trouvait, à ce moment, sur le boulevard Henri-Bourassa à Montréal. J'accepte volontiers. Tel que prévu, je suis embauché mais je ne sais si ce sera de façon permanente ou temporaire. Je m'en soucie peu. L'important, c'est de travailler. Je faisais quand même campagne pour l'Union nationale mais un peu plus discrètement. Au soir des élections, c'est la déconfiture de l'Union nationale. Il faut croire que celle-ci a débuté avec le décès de l'Honorable Maurice Duplessis et s'est terminée avec celui de l'Honorable Paul Sauvé. Ce sont peut-être des conclusions un peu vite tirées, mais hélas! Au lendemain de cette défaite, je suis entré au travail mais quelque peu songeur car mon père m'avait déjà déclaré qu'un changement de gouvernement provoquait aussi un changement de personnel dans la fonction publique et aussi dans les bureaux de plaques automobiles qui étaient détenus dans les maisons privées par des amis du régime en place. Ce n'était pas rassurant, mais pas du tout. À ce moment, je ne me sentais pas en sécurité. Un incident me confirme, hors de tout doute, que j'ai raison car, à peine quelques jours après la prise du pouvoir par le Parti libéral, dirigé par M. Jean Lesage, appelé plus tard l'équipe du Tonnerre, je suis délégué en compagnie de M. Viateur David, celui qui m'avait embauché, à aller cueillir des coffres d'outils çà et là, en région autour de Montréal. Ces coffres d'outils étaient la propriété du gouvernement et ceux qui les détenaient étaient à l'emploi du gouvernement provincial au même titre que M. David à l'entretien de certains petits ponts en province. Si je ne m'abuse, c'est M. René Lévesque qui fut nommé titulaire du ministère des Travaux publics à cette époque. Alors, n'y tenant plus, je me disais que ces libéraux ne m'auraient certainement pas. Je quitterais avant. À ce moment, un de mes frères était employé à la construction du pont Champlain à Montréal. Je lui demande s'il y voyait une ouverture pour moi. Il me dit qu'il était pour s'informer et que j'avais de très bonnes chances. Le lendemain soir, il me demande de me rendre au plus vite faire une demande d'emploi. Tel que prévu, je ne préviens pas le contremaître à la cour des Travaux publics mais je préviens un de ceux qui travaillaient avec moi et en lequel j'avais bien confiance que le lendemain j'irais poser ma candidature ailleurs. En me présentant sur ce chantier, je fus embauché sur le champs. Je m'en étais bien sorti mais je ne saurai peut-être jamais si j'aurais perdu ou non mon emploi.

UN DE MES FRÈRES ÉCOPE

Il s'agit de celui qui s'était dévoué pour faire abattre la prohibition quelques années auparavant. Quelques années plus tôt, il était devenu épicier licencié. Il ne s'occupait aucunement de politique. Il savait pertinemment bien que c'était dangereux pour son permis de vente de bière. Mais

COMMISSION DES LIQUEURS DE QUÉBEC   THE QUEBEC LIQUOR COMMISSION

LUCIEN DUGAS. C.R. O.B.E.
GÉRANT GÉNÉRAL

MONTRÉAL, le 2 septembre 1960

Monsieur Jean Cloutier
595-A, boul. Ste-Rose
Fabreville (Laval)
P.Q.

Monsieur,

    Je vous donne avis, par les présentes, que votre permis pour la vente de bière dans une épicerie à Fabreville, au 595-A, boul. Ste-Rose, est annulé.

    Pour vous permettre de disposer du "stock" que vous pouvez avoir présentement, un délai vous est accordé jusqu'au 15 septembre, date où vous devrez faire remise à la police de votre permis; faute de quoi il vous sera enlevé et toute liqueur trouvée en votre possession sera confisquée au profit de la Commission des Liqueurs.

    Votre bien dévoué,

    le gérant général,

LD/sb

hélas, c'était le seul dans la famille à qui quelqu'un pouvait s'en prendre. Les autres membres de ma famille, qui comme moi s'occupait de politique, étaient des intouchables car aucun n'avait un travail que la politique n'aurait pu influencer, peut-être au grand désespoir de certains de nos adversaires. (Voir lettre ci-chaut.)

RETRAITE DE MON PÈRE

Un an après les élections scolaires tenues le 13 juillet 1959, soit en juillet 1960, il fallait procéder au changement de deux commissaires, un dans le district Nord et un dans le district Sud, tel que la loi le stipulait. Pour que cela se fasse le plus équitablement possible, il fut décidé que les noms des trois commissaires du Quartier Nord seraient déposés dans un chapeau et que le même procédé s'appliquerait pour le Quartier Sud. À partir de ce moment, un nom fut tiré au hasard dans chacun des chapeaux. Celui de mon père fut le premier sorti. Il avait contribué une seule année à la nouvelle commission scolaire de Fabreville, mais il était quand même très heureux. Il en sortait grandi et il avait la nette conviction qu'il avait accompli sa mission avec dignité.

Le candidat que mon père avait défait en 1959, M. Raymond Rouleau, posa sa candidature à nouveau au siège que mon père avait occupé pendant un an; il fut élu par acclamation. Voilà un signe démontrant que mon père n'était pas rancunier. M. Rouleau prouva qu'il avait les réelles aptitudes d'un bon administrateur en s'acquittant très bien de sa tâche. D'ailleurs, il fut plus tard nommé président de la commission scolaire des Mille-Îles lors d'une autre fusion avec Sainte-Rose, Vimont, Auteuil et Rosemère.

Je continuais de militer dans les rangs de l'Union nationale même si le parti allait à la dérive après la défaite de M. Antonio Barrette aux mains de M. Jean Lesage.

Il semblait y avoir beaucoup de bisbille dans la haute direction de l'Union nationale.

Le 14 septembre 1960, M. Antonio Barrette démissionne comme chef. Je crois que c'est M. Yves Prévost qui lui a succédé. C'est sur cette note que mon premier périple politique s'est terminé.

UNE DÉCENNIE CONTROVERSÉE

Le 11 janvier 1961, M. Yves Prévost abandonne à son tour la direction de l'Union nationale. C'est M. Antonio Talbot qui lui succède. Celui-ci devient donc, en l'espace de quinze mois le cinquième chef de cette formation politique. C'était à se demander si ce parti pourrait survivre.

C'est sous le gouvernement de M. Daniel Johnson, élu chef en septembre 1961, que ce parti a vraiment connu un second souffle.

Au plan électoral, 1961 avait été une année passablement tranquille. Fabreville s'était dotée d'un hôtel de ville situé sur la montée Montrougeau, reliant le boulevard Sainte-Rose au boulevard Dagenais. C'est vers la fin de novembre 1961 que l'hôtel de ville fut inauguré sous la présence de nombreux invités d'honneur dont M. Rodrigue Bourdage, député fédéral du comté de Laval. Lors de cette inauguration, M. Dagenais avait dit : «*Fabreville est maintenant la cité de demain*».

Il est vrai que notre ville connaissait un très bon essor. Le 23 février 1962, je suis de nouveau embauché au journal *La Presse*. On me laisse entendre que c'est pour une période de trois mois, mais j'y suis encore aujourd'hui.

Le terme de l'équipe du maire Dagenais de Fabreville prenait fin le 9 mai 1962. Je m'y trempe encore.

M. Hormidas Nadon, qui avait tenté sa chance en 1959, prit la décision de tenter sa chance à nouveau. Ayant passé très près de la victoire à l'élection précédente, il pouvait à nouveau mener une lutte à surveiller.

L'équipe de M. Nadon avait adopté comme slogan pour cette élection «*C'est le temps que ça change*».

Personnellement, j'appuyais encore M. Marcel Lacroix de l'équipe du maire Dagenais, car il m'avait rendu d'innombrables services ainsi qu'à plusieurs de mes connaissances qui allaient le voir au moindre problème avec la municipalité. L'équipe du maire Dagenais a encore triomphé à l'exception d'un de ses candidats du district N° 3, M. Marcel Bolduc qui a été défait par M. Claude Allard par la faible majorité de cinq voix. Je sais que cette victoire fut violemment contestée devant les tribunaux, mais en vain. Je ne me permettrai pas de donner une appréciation à ce sujet étant donné que je ne fus pas directement impliqué dans cette cause.

M. John Diefenbaker dissout le parlement et convoque des élections pour le 18 juin 1962. J'accepte de faire campagne avec eux. C'était vraiment la première fois que je faisais du porte-à-porte à ce niveau. Dans ces années-là, c'était un niveau des plus difficiles à travailler parce que c'est celui où les gens semblaient les moins intéressés. Ceci avait pour effet de laisser voir une campagne terne, sans couleurs et avec peu d'ambiance, selon l'expérience que j'y ai vécue. Après avoir terminé la sollicitation de porte-à-porte, je m'étais vu confier un poste de sous-officier rapporteur pour la journée du scrutin. C'était un travail qui ne m'attirait nullement et j'avais peur de commettre quelques erreurs. Le salaire était bon et comme l'on insistait, j'avais fini par accepter. Cependant, dans ces années, la plupart des bureaux de scrutin se tenaient dans les maisons privées. Dû au fait que les électeurs n'affluaient pas en très grand nombre, la journée semblait un peu plus longue et, parmi les électeurs, comme à chaque élection, quelques-uns n'étaient pas inscrits sur les listes et, bien sûr, certains d'entre eux ne se gênaient pas pour nous le laisser savoir. Pourtant, nous n'y pouvions rien s'ils étaient absents au moment où les énumérateurs étaient passés à leur domicile ou bien s'ils avaient omis ou oublier de se rendre à un bureau de révision pour se faire enregistrer.

Un autre problème se posait aussi à quelques occasions. Il fallait doubler certains bureaux de scrutin car il y avait trop d'électeurs inscrits à un même bureau de votation. Dans ces années-là, il était rare que deux bureaux de scrutin soient tenus dans une même maison. Est-ce que c'était pour donner du gagne-pain à un plus grand nombre de supporteurs des partis? De ce fait, certaines personnes qui se présentaient à un bureau pour se faire dire qu'elles devaient se déplacer quelques rues plus loin se sentaient un peu lésées. Il faut également dire que l'information n'était pas aussi bien répandue qu'elle l'est aujourd'hui. En voyant la réaction de certaines de ces personnes qui nous blâmaient, à cause de tous les déboires qui leur arrivaient au jour du scrutin, j'avais presque la certitude que parmi ce groupe, certains ne se rendraient pas à un autre bureau pour exercer leur droit de vote. Ce fut quand même une belle expérience. Les conservateurs étaient de nouveau demeurés au pouvoir mais cette fois avec un gouvernement minoritaire.

Par la suite, ce fut M. Jean Lesage qui décréta des élections pour le 14 novembre 1962, une campagne concentrée sur le nationalisation de l'électricité. C'était une idée que M. René Lévesque avait avancée alors qu'il était un des ministres les plus influents auprès de M. Lesage.

Ce fut un très bon cheval de bataille. Ce qui avait marqué cette élection, c'est un débat télévisé tenu le 11 novembre 1962 entre M. Jean Lesage et M. Daniel Johnson, alors chef de l'Union nationale. Ce débat télévisé avait été qualifié par certains qui l'ont regardé de débat du siècle. À cette élection, M. Johnson n'avait pas vraiment eu le temps de reconstruire le parti de l'Union nationale. Les libéraux, dirigés par M. Jean Lesage, avaient eu une victoire éclatante. J'avais appuyé l'Union nationale mais comme il n'y avait seulement que deux ans que M. Lesage était au pouvoir, je crois qu'il était tout à fait normal qu'il soit réélu.

UN BOUT DE CHEMIN AVEC LES CRÉDITISTES

Le parlement fédéral avait été dissous. Une élection générale fut décrétée pour le 8 avril 1962.

Comme plusieurs Québécois l'ont fait a un certain moment de leur vie, j'ai opté pour le Crédit social dirigé par M. Réal Caouette. Ce parti avait connu un succès sans précédent dans notre province à l'élection de 1962. Pour celui qui comme moi a toujours aimé être bien renseigné et comme j'ai toujours suivi la politique de près, je peux sûrement affirmer que si ce parti a connu autant de succès, ce n'est certainement pas l'effet du hasard mais celui d'un parti dirigé par un homme qui savait soulever les foules et qui savait de quoi il parlait. Il était reconnu comme un ardent défenseur des libertés des individus. Le nom du candidat dans le comté de Laval où je demeure m'échappe. La différence entre les assemblées créditistes et les autres formations est le fait qu'ils passaient le chapeau à chacune des réunions et disaient à l'assistance que ceux n'ayant pas d'argent à mettre dans le chapeau pouvaient s'en prendre. Bien sûr, je n'ai jamais vu personne en prendre.

UNE EXPÉRIENCE PEU EMBALLANTE

Étant donné que le Parti créditiste avait terminé au deuxième rang au vote populaire lors de l'élection précédente dans notre comté, cette deuxième position leur permettait de soumettre une liste de noms au président d'élections en vue de pouvoir en rendre un certain nombre accessible à faire de l'énumération. Comme mon nom avait été fourni parmi la liste, je me suis fait un plaisir d'accepter ce travail d'énumérateur. C'était pour moi une toute nouvelle expérience, qu'un travail semblable. C'était la seule manière que les créditistes possédaient pour récompenser quelque peu les organisateurs. Au moment où je me suis présenté au bureau du président d'élections pour me faire remettre la documentation requise ainsi que pour connaître la personne avec laquelle je devais faire ce travail, une petite surprise m'attendait. En effet, une dame avait été attitrée pour faire ce travail avec moi. Cependant, elle ne parlait pas un mot de français alors que moi c'était pratiquement l'inverse; je me débrouillais très mal en anglais! Même si cette dame était extrêmement gentille, inutile de vous dire que notre conversation n'était pas des plus enflammées. J'aurais certainement pu me désister face à cette situation mais mon orgueil me disait de continuer, alors je n'ai pas reculé. Cette expérience m'a tellement fait détester ce genre de travail que depuis ces élections, je n'ai jamais plus accepté de faire de l'énumération.

Je me suis alors souvenu qu'une dizaine d'années auparavant, lorsque j'étais marchand de glace, j'étais quelque peu mesquin car je profitais de la clientèle anglophone pour refiler mes plus petits morceaux de glace, faisant mine de ne rien comprendre lorsque certaines personnes faisaient allusion à la grosseur de mon morceau de glace. Faudrait-il déduire que tout se paye en ce bas monde?

Mais de cette campagne électorale, ce que je n'oublierai jamais, c'est d'avoir eu l'honneur de souper à la même table que M. Réal Caouette. Il avait une personnalité des plus simples et des plus attachantes. Il avait le don de convaincre son auditoire. C'était une table des plus restreintes, tout au plus une cinquantaine de personnes. Après la présentation de chacune des personnes présentes à la table et lorsque j'eus nommé mon nom, M. Caouette m'avait dit : *«Je comprends pourquoi j'aime autant la politique que tu peux l'aimer car ma mère était aussi une Cloutier»*. C'est ce genre de remarque que j'avais aimé entendre.

Suite à ce souper, je faisais le même manège qu'à chacune des élections précédentes : faire la sollicitation de porte en porte et distribuer des circulaires à la porte de l'église après chacune des messes tout en présentant le candidat.

Au jour du scrutin je m'étais empressé, avec mon épouse, de me rendre au bureau du scrutin auquel nous étions enregistrés. Cependant, en entrant dans ce bureau, je constate qu'aucun parti politique n'a de représentant. Seuls le sous-officier rapporteur et le greffier étaient en place. Personnellement, je trouvais cette situation déplorable. Je comprenais mal que les partis traditionnels tels que les conservateurs et les libéraux n'aient aucun représentant. Quant au Parti créditiste dans lequel je militais à ce moment, il avait réussi à dénicher quelques représentants. Pourtant, travailler bénévolement en plus d'apporter son dîner, c'était bien minime. Je me suis dit que les partis traditionnels qui avaient précédé le pouvoir actuel étaient tout à fait indifférents au système établi, que chacun de ceux-ci s'en accommodait très bien. Bien sûr, les partis traditionnels ont toujours eu une meilleure caisse électorale et, de ce fait, ils pouvaient faire une meilleure publicité. Comme je m'y attendais, notre candidat fut défait. Notre comté était reconnu comme un fief libéral sauf qu'en 1958 le Parti conservateur l'avait emporté. Peu importe le résultat, j'étais satisfait du travail accompli.

UNE PIROUETTE

Jusqu'en 1965, et ce, au niveau municipal, les élections se tenaient deux années consécutives suivies d'une année de répit. Ainsi, une année, le maire et trois échevins renouvelaient leur mandat; l'année suivante, les trois autres échevins faisaient de même. En mai 1963, le terme d'un échevin, que j'avais appuyé lors d'une élection partielle en 1960, prenait fin. C'était un de mes amis personnels.

Quelque temps avant les élections qui approchaient, on entendait parler d'un nouveau parti municipal en voie de formation. Je surveillais discrètement les développements. Un de mes frères qui avait adhéré à cette nouvelle formation connue sous le nom de «Renouveau municipal» me demanda de me joindre à eux. Je lui ai demandé quelques jours de réflexion car, pour la première fois, à ce niveau, on me proposait de changer de formation. Sur ces entrefaites, j'appris que l'un des échevins de l'équipe en place du maire Dagenais, ne demandait pas de renouvellement de mandat. Par surcroît, j'apprends que le candidat choisi par le maire pour combler le poste laissé vacant était un type qui ne saluait pratiquement personne avant d'avoir pris la décision de briguer les suffrages à titre d'échevin. Je me suis dit : «*C'est le moment de montrer à ce monsieur que l'on devrait, selon l'étiquette de la politesse, saluer les gens même en dehors des périodes électorales*».

Enfin et à ma grande surprise, l'échevin que j'avais appuyé en 1960 à titre d'ami personnel a déserté l'équipe Dagenais pour se joindre au Renouveau municipal. Il ne m'en fallait pas davantage pour joindre le mouvement.

Lors de la mise en nomination, mon ami personnel M. Georges Brulé a été élu par acclamation. Il n'avait jamais connu une victoire aussi facile. Par contre, celui qui se présentait sous l'étiquette du Renouveau municipal dans mon district se devait de faire face à celui que je surnommais «M. Sansourire» parce qu'il ne saluait personne. Ce fut quand même une curieuse élection car le candidat du Renouveau dans notre district, M. Jacques Poirier, avait déjà connu la défaite quelques années auparavant alors qu'il s'était présenté contre un des candidats de l'équipe Dagenais que j'avais appuyée par le passé. M. Poirier étant méfiant, on s'est occupé de lui faire comprendre que c'était son année chanceuse, c'est-à-dire qu'avec notre appui il ne pouvait pratiquement pas subir la défaite. Comme nous l'avions prévu, il a été élu. Le maire Dagenais se voyait donc, avec une certaine opposition, à la table du conseil mais il acceptait la tournure des événements en grand philosophe. Il en avait vu bien d'autres en politique. C'est probablement la campagne électorale qui m'a procuré le plus de plaisir car en connaissant très bien nos opposants, on se taquinait à qui mieux mieux tout au long de cette campagne. Nous sommes tous demeurés de bons amis après cette période électorale.

Début juin 1963. M. Raymond Rouleau est élu par acclamation en 1960 en remplacement de mon père à titre de commissaire d'école. Lorsque son terme prit fin, il décida de demander un renouvellement de mandat. Comme j'avais eu le plaisir de le croiser à certaines occasions, j'étais à même de constater qu'il accomplissait du très bon travail. Il faisait partie de ceux qui étaient toujours prêts à rendre service en tout temps. Il était venu me demander si je lui accorderais mon appui. Je n'ai aucunement hésité. Il avait su se mériter ma confiance lors de son premier mandat alors il méritait mon appui. Lorsque les mises en nomination prirent fin, il voyait son siège contesté. Bien sûr, cela faisait partie du jeu. Malgré cette opposition, il demeurait très calme et se déclarait prêt à faire face à la musique pour la tenue de cette élection. Il y avait un changement majeur qui régissait le système électoral. Un projet de loi avait été présenté à cet effet. Si ma mémoire est bonne, c'était le projet de loi 85. Celui-ci avait été présenté en 1961 pour prendre effet le 1er janvier 1962. Par ce nouveau règlement, chaque citoyen pouvait user de son droit de vote sans tenir compte de si ses taxes étaient acquitter ou non. Par surcroît, les locataires se voyaient aussi accorder le droit de vote. C'était, selon moi, une très bonne amélioration. Le simple fait de ne pas avoir à s'informer de l'acquittement des taxes nous mettait plus à l'aise pour faire de la sollicitation. Ce règlement, qui était en force dans les années antérieures, se voulait quelque peu indiscret. Très peu de gens connaissaient le système électoral dans ses moindres détails et chaque fois que nous devions leur demander si leurs comptes étaient acquittés, nous étions vraiment très mal à l'aise. Suite à ce nouveau règlement, qui était entré en vigueur le 1er janvier 1962, il était beaucoup plus facile de s'attirer de la clientèle électorale. M. Raymond Rouleau avait triomphé avec une confortable avance. Ce fut certainement la victoire la plus facile que je connaissais à ce niveau depuis mes débuts en politique en tant qu'organisateur.

M. Rouleau me fit parvenir une lettre de remerciements. J'en étais tout heureux car c'était la première fois, depuis que j'étais actif en politique, qu'un candidat me faisait parvenir des remerciements. J'en retirais une satisfaction personnelle. Cela était une preuve que mon travail avait été apprécié à sa juste valeur et que l'on me donnait une certaine confiance pour l'avenir.

Fabreville Juin 18 1963

M.Lucien Cloutier
595 A Boul.Ste.Rose
Fabreville Laval

Mon cher Lucien

Permets-moi de te remercier cordialement pour le travail grandiose que tu as bien voulu accomplir pour moi en vue et à l'élection du 10 juin dernier. C'était la première fois que j'avais l'occasion de travailler avec la famille des Cloutier et je te certifie que j'en suis très satisfait.

Non seulement vous êtes des hommes de parole mais encore vous semblez être des politiciens accomplis. J'espère fortement que nous aurons l'occasion de travailler ensemble de nouveau et entre temps si tu as besoin de moi ou tu aimerais venir "jaser" , n'hésite pas à communiquer avec moi.

J'aimerais que tu m'excuses auprès de ta petite amie pour m'être accaparé quelque peu de ton temps durant la campagne politique.

Espérant te voir sous peu,je demeure

ton bon ami

Raymond Rouleau

lr/RR

Comme cela faisait déjà quatorze ans que je m'occupais activement d'élections, il est bien évident que ma participation me mettait en contact avec beaucoup de gens. Un de ceux-ci, M. Willie Leclerc que je connaissais depuis quelques années, était venu me demander de l'appuyer. Il avait fait son entrée comme commissaire d'école en octobre 1964. Il avait complété le terme d'un commissaire qui avait démissionné quelques mois avant que son terme ne prenne fin. En juin 1965, le mandat était complété. C'est à ce moment-là qu'il avait sollicité mon appui. J'avais accepté car je pouvais compter sur son dévouement à n'importe quel moment, ce qui était d'une très grande utilité dans ces années.

Au jour de la mise en nomination, je m'étais rendu au bureau du président d'élections en sa compagnie. Il m'avait demandé de bien vouloir le proposer à nouveau comme candidat. C'était pour moi un honneur autant qu'une nouvelle expérience. Les mises en nomination se tenaient de midi à quatorze heures. Il restait environ quinze minutes avant la fin des mises en nomination et aucun autre opposant ne s'était manifesté. Plus le temps filait, plus nous espérions l'élection par acclamation. Mais mal nous en prit car, moins de cinq minutes avant que le temps des mises en candidature ne prenne fin, un candidat fait son apparition. Il arrivait un peu comme un cheveu sur la soupe. Je connaissais également ce type. Je l'avais croisé à quelques occasions dans d'autres élections. Je comprenais mal qu'il tente sa chance contre Willie Leclerc, car il le connaissait intimement et demeurait à quelques rues de Willie avec qui il était en très bons termes. Il n'avait jamais laissé voir à qui que ce soit son intention de se porter candidat. Cette candidature surprise était un peu décevante mais il ne fallait pas s'en faire outre mesure. Personnellement, j'en avais vu bien d'autres avant. C'était peut-être différent pour M. Leclerc, à qui j'avais accordé mon appui, car il en serait à son premier véritable test électoral. À la fermeture des mises en nomination, il fut convenu que l'on se rencontrerait le soir même avec quelques organisateurs, question d'étudier une stratégie à suivre. À mon arrivée chez moi, je me mis en frais de dresser une liste des contribuables que j'espérais faire pencher en notre faveur. Cette liste était assez imposante. À la réunion du soir, on nous avait priés de ne pas commencer la sollicitation trop vite et d'attendre les trois derniers jours de la campagne. Lors de cette réunion, je décidai de montrer la liste que j'avais préparée à notre candidat. Il parut très surpris de cette promptitude et de cet empressement. Je lui avais cependant fait comprendre que lorsque j'avais donné ma parole, je la tenais et que je ne voulais pas être pris au dépourvu à la dernière minute. Malgré l'avertissement de ne pas partir trop tôt, les préparatifs allaient bon train.

À peine les derniers préparatifs terminés, une communication nous parvint; le candidat adverse s'était rendu au bureau du président d'élections et il s'était désisté du poste convoité. Cette nouvelle nous avait quelque peu surpris. Comment se faisait-il que ce candidat ait lamentablement manqué de souffle en chemin? On ne put jamais le savoir. Quant à M. Leclerc, il disait qu'il aurait mieux aimé que son adversaire se rende jusqu'au bout. Ceci aurait pu, selon ses dires, lui faire passer un vrai test sur sa popularité et aurait pu le guider pour l'avenir. Comme je lui avais dit : «*Ce sera pour une prochaine fois. Sois certain que la victoire n'est pas toujours facile*».

ON PARLE FUSION

Dès 1963, tout au moins après l'élection de trois conseillers municipaux de Fabreville élus sous la bannière du Renouveau municipal, on entendait parler d'une fusion possible avec Chomedey. Si je ne m'abuse, une certaine controverse en approvisionnement d'eau potable n'était pas étrangère à cette dispute. Le maire Dagenais de Fabreville avait entrepris des démarches auprès de M. Olier Payette, maire de Sainte-Rose, pour en venir à une entente concernant un raccordement en eau potable avec Sainte-Rose. Une entente aurait même été conclue. Mais pourquoi au juste le maire de Chomedey, M. Jean-Noël Lavoie, qui était aussi député du comté Laval, ne semblait pas très enchanté? Pour M. Lavoie, le fait de s'approvisionner en eau potable de Sainte-Rose amenerait les contribuables de Fabreville à payer une taxe de 50 pour cent supérieure à celle imposée si Fabreville avait acheté de Chomedey. Pour le maire Dagenais, l'achat d'eau de Chomedey aurait déjà été plus coûteux puisque cette ville en vend déjà à Sainte-Dorothée au prix de 22 cents les mille gallons alors que Sainte-Rose ne charge que 20 cents. Pour le simple contribuable, qui croire? Deux organismes de Fabreville, le Comité des citoyens unis et la Chambre de commerce appuient le raccordement à Sainte-Rose. Fallait-il se fusionner à n'importe quel prix pour s'approvisionner en eau potable? Un économiste avait été mandaté pour faire une étude sur l'annexion possible de Fabreville par Chomedey. J'étais un de ceux qui s'opposaient farouchement à de telles mesures. Je n'étais pas nécessairement contre la fusion, mais je croyais qu'elle devrait se réaliser par étape. En collaboration avec un groupe de citoyens de Fabreville, nous avions fait circuler une pétition contre le projet, espérant qu'elle soulèverait les opinions. Certaines municipalités de l'île Jésus avaient tenu des référendums pour connaître l'opinion des contribuables. J'ai moi-même travaillé à l'un de ces bureaux dans ma municipalité, chose assez rare. Ce référendum donnait un résultat nul; une moitié était pour et l'autre contre. Cela ne devait rien régler. Il ne se passait plus une semaine sans entendre parler de fusion, mais il semble que la question d'approvisionnement en eau potable n'était plus d'actualité car plus un mot ne se disait sur le sujet.

JE RECRUTE DES MEMBRES POUR L'UNION NATIONALE

J'avais peu entendu parler de l'Union nationale depuis la victoire du gouvernement Lesage sur la nationalisation de l'électricité en 1962. C'est en avril 1964 que j'ai eu la chance de rencontrer M. Daniel Johnson alors qu'il était chef de l'Union nationale. C'est lors d'une partie de sucre à la cabane Chez Lalande à Saint-Eustache que j'ai eu la chance de parler avec lui. Mon père et ma mère étaient aussi de la partie ainsi que quelques membres de ma famille. C'était un homme des plus chaleureux, doté d'une mémoire surprenante, car mon épouse et moi lui avions parlé l'avant-midi et le croisant à nouveau vers la fin de l'après-midi, il se rappelait de chacun de nos noms. Je n'en revenais pas, et ce, parmi au moins cinq cents personnes. Lorsqu'il avait pris la parole, il nous avait demandé de nous tenir prêts à toute éventualité au cas où M. Lesage ferait de nouveau appel au peuple. Il nous avait également demandé de faire un effort pour recruter de nouveaux membres. Il sentait que l'Union nationale remontait la pente. Le parti était en pleine réorganisation. Dans mes moments libres, je faisais du recrutement. C'était d'ailleurs assez facile car la cotisation était facultative.

Cependant, depuis que j'avais rencontré M. Daniel Johnson à la cabane à sucre, je trouvais que les nouvelles de l'Union nationale étaient assez rares dans mon comté. Est-ce une idée que je me faisais?

Je ne m'en faisais pas outre mesure car aucune élection ne m'échappait à quelque niveau que ce soit. Je les faisais une à la fois et c'était toujours un nouveau défi pour moi. Sur ce, la scène municipale était en pleine effervescence. Je me dirige donc de ce côté.

JE ME SENS COINCÉ

On entendait parler de fusion de plus en plus, mais comme cela ne s'était pas encore concrétisé, les élections municipales devaient se tenir le 12 mai 1965 comme le voulait la loi des cités et villes. Je me trouvais pris entre deux feux car le Renouveau municipal que j'avais appuyé en 1963, favorisait la fusion. Cependant, aucun des candidats que j'avais appuyés en 1963 ne demandait de renouvellement de mandat. Les trois candidats ainsi que le candidat à la mairie, M. Jean Giosi, favorisaient la fusion alors que moi je m'y opposais toujours. Trois candidats se présentaient à la mairie. Le maire sortant, M. Lucien Dagenais, sollicitait un cinquième mandat avec trois candidats à l'échevinage. Quant à M. Jean-Charles Brouillard, il sollicitait la place de maire, mais sans aucun candidat à l'échevinage. Pour la troisième équipe, on retrouvait M. Jean Giosi à la mairie avec trois candidats favorables à la fusion. Les jeux étaient faits. Il ne nous restait plus qu'à faire notre choix.

JE RETOURNE À MES PREMIÈRES AMOURS

J'ai donc quitté l'équipe du Renouveau municipal pour retourner à l'équipe Dagenais qui s'opposait à la fusion. Au moment de faire le porte-à-porte, l'ambiance ne semblait pas très bonne. On pouvait sentir que le terrain nous glissait sous les pieds. Est-ce que les gens étaient fatigués d'entendre parler de fusion, fussent-ils pour ou contre? Possiblement. Alors, au jour de cette élection, l'équipe que j'appuyais, soit celle de M. Dagenais, a été rejetée au complet. C'est l'équipe de M. Giosi qui l'a emporté. Pour moi, c'était une première défaite à ce niveau en douze ans d'activité. Je me demandais bien à quoi avaient rêvé les gens de notre municipalité. Il faut toutefois admettre qu'il devenait de plus en plus difficile de contrôler les élections car notre ville se développait assez rapidement. Personnellement, j'avais très mal accepté cette défaite car nous avions en la personne de M. Marcel Lacroix un échevin des plus dévoués, qui avait rendu de nombreux services à ses concitoyens et, par surcroît, c'était un candidat d'un autre quartier qui venait de ravir le siège à ce bon ami. Quelques jours après cette élection, je me suis permis de faire une analyse du vote. J'ai constaté que la cause de notre défaite était due, en grande partie, au nombre d'abstentions parmi les supposés amis à qui cet échevin avait rendu de nombreux services. Il y avait peut-être d'autres facteurs à considérer, mais je tenais celui-là comme véritable responsable. Est-ce par pure négligence que certains voteurs ne s'étaient pas dérangés. Pour certains, oui, convaincus à l'avance de la victoire de celui-ci. Je crois qu'une telle attitude n'est admissible en aucun temps. Nous ne répéterons jamais assez l'importance du vote car il aurait suffit qu'environ vingt personnes se déplacent pour garder à la table du conseil un homme d'expérience.

Suite à ces élections, les seuls commentaires qui circulaient parlaient de fusion. Même si celle-ci avait de bons côtés, la majorité des Lavallois ne semblait pas intéressée à se la faire imposer par le gouvernement. Qu'est-ce qu'étaient les quatorze municipalités de l'île Jésus avant la fusion? Comment celle-ci s'est-elle réalisée? En voici un avant goût dans cet éditorial. Par la suite, vous pourrez voir dans ces deux brochures le pour et le contre de ce projet des plus audacieux. Qu'est-ce qu'étaient ces municipalités avant la fusion? Comment les gens gagnaient-ils leur vie et où? C'est à voir dans ces deux brochures. Inutile de vous dire que depuis trois ans, il en a coulé de l'encre avant que cette fusion ne devienne réalité.

«CITÉ DE LAVAL»
REBUFFADE AUX RÉFÉRENDUMS

(*Dimanche Matin*, 7 février 1965, éditorial de Claude Lavergne)

«Après avoir affirmé qu'elle était opposée au gigantisme, et allant à l'encontre de la volonté populaire, la commission Sylvestre, dans son rapport sur l'étude des problèmes intermunicipaux de l'île Jésus, endosse le principe "d'une île, une ville", et

recommande la création de la ville la plus étendue du Québec.

«*"Cité de Laval", deviendrait, par le fait même, la troisième municipalité de la province, par l'importance de sa population - après Montréal et talonnant Québec avec seulement 5 000 âmes en moins - et, par beaucoup, la plus vaste, doublant la métropole en superficie.*

«*La commission affirme d'ailleurs que si sa recommandation de regrouper l'île en une seule unité était suivie, cette ville serait vite appelée à devenir la deuxième d'expression française en Amérique.*

«*Il se trouve, dans ce rapport, un énoncé qui fait choc, lorsqu'il affirme son opposition à la tenue de référendums déclarant : "Nous estimons antidémocratique le fait de demander au peuple de statuer sur une question fort complexe dont on ne l'a pas instruit au préalable".*

«*Cette affirmation revient à douter de la compétence du citoyen à juger, faute de connaissances, et, par voie de conséquences, à nier le principe reconnu du suffrage universel qui est à la base même de la démocratie. À partir de là, n'y aurait-il pas lieu de se demander si, avant de faire appel au peuple, il ne faudrait pas bien s'assurer si l'électeur a toujours les connaissances suffisantes pour exprimer sa volonté dans l'intérêt général. Je vois mal ce principe généralisé. Je verrais alors mal la population aller aux urnes dans des élections provinciales ou fédérales, lorsque les questions posées sont aussi complexes que celles des relations fédérales-provinciales, du rapatriement de la constitution, et de la politique extérieure du Canada.*

«*N'est-il pas plus sain d'instruire le peuple souverain?*

«*LE JOUR ET LA NUIT*

«Il est intéressant de constater jusqu'à quel point les rapports Sylvestre et Blier, remis le même jour au ministère des Affaires municipales et rendus publics à une semaine d'intervalle, peuvent différer d'avis sur une question qui, somme toute, est grosso modo du même ordre : l'opportunité de l'annexion, de la fusion de municipalités.

«Là où la commission Blier refuse la fusion à Montréal qui la réclamait, la commission Sylvestre la recommande pour ceux-là qui s'y étaient davantage opposés par la voie des autorités municipales et par la volonté populaire (le résultat des référendums).

«Peut-être parce que l'oeuvre d'un magistrat dont les fonctions ordinaires sont de rendre la justice, le rapport Sylvestre fait preuve d'un grand souci d'équité. Il recommande qu'il faudrait prévoir la reconnaissance de certains droits acquis et, surtout, je cite : "Qu'il serait juste qu'au cours de l'étude de la préparation d'une législation sur l'île, de songer aux obligations consenties par certaines villes et de leur en laisser le fardeau, de façon à ne pas pénaliser les contribuables des municipalités qui ont donné la preuve d'une saine gestion. Chaque ville devra satisfaire aux engagements contractés antérieurement à la fusion".

«On est bien loin de cette pensée dans le rapport Blier qui refuse l'application à Montréal du principe "une île, une ville" et consacre "l'annexion financière", passée, présente et future.»

35 QUESTIONS, 14 MUNICIPALITÉS, UNE SEULE SOLUTION

(Publié par le ministère des Affaires municipales du Québec. Le texte de cette brochure a été approuvé par les membres de la commission Sylvestre.)

QU'EST-CE QUE L'ÎLE JÉSUS?

Territoire de 98 milles carrés, situé au nord de Montréal et entouré par la rivière des Mille-Îles, la rivière des Prairies et le lac des Deux-Montagnes.

QUELLE EST SA POPULATION?

170 000 âmes, soit 130 000 ou 366 % de plus qu'il y a treize ans.

QUE SERA-T-ELLE DANS 20 ANS?

Au rythme actuel, 500 000 âmes en 1985.

QUEL EST LE SALAIRE MOYEN DU CHEF DE FAMILLE?

7 023 dollars par an.

OÛ GAGNE-T-IL SA VIE?

Seulement 4 % des contribuables gagnent leur vie dans l'île Jésus et 96 % ailleurs (83 % à Montréal).

POURQUOI EN EST-IL AINSI?

Parce que l'île Jésus ne compte pas assez d'industries et que sa population doit vivre aux crochets du Grand Montréal. Imaginons ce que sera la situation quand l'île Jésus aura 500 000 habitants!

QUELLE EST LA VÉRITABLE SITUATION INDUSTRIELLE DANS L'ÎLE JÉSUS?

L'île Jésus possède seulement 93 établissements industriels, alors qu'il y en a 5 000 dans le Grand Montréal, soit au-delà de 50 fois plus. La production manufacturière de l'île atteint à peine 15 millions de dollars par année, ce qui représente moins de 1/3 de 1 % de la production totale dans la région métropolitaine.

EST-IL IMPORTANT QU'UNE MUNICIPALITÉ AIT BEAUCOUP D'INDUSTRIES?

Oui, car les industries constituent une source considérable de revenus qui viennent alléger d'autant le fardeau des contribuables particuliers.

POURQUOI Y A-T-IL SI PEU D'INDUSTRIES DANS L'ÎLE JÉSUS?

Les causes principales sont : la diversité des administrations; l'impossibilité pour celles-ci d'organiser les communications et d'offrir aux industries de brillantes perspectives d'expansion et de marché; l'absence de promotion industrielle et l'impossibilité de concurrencer les autres municipalités dans ce domaine.

QUELLE SORTE D'ADMINISTRATION A-T-ON PRÉSENTEMENT DANS L'ÎLE JÉSUS?

L'île compte 14 municipalités, donc 14 maires et autant de conseils municipaux, formés de 88 conseillers. Ces 102 administrateurs ont en moyenne la responsabilité des intérêts de 1 519 personnes chacun. À Montréal, la proportion est d'un seul administrateur par 24 054 habitants.

COMBIEN GAGNENT LES ADMINISTRATEURS DE L'ÎLE JÉSUS?

Les traitements des 14 maires et 88 conseillers municipaux de l'île Jésus atteignent la somme totale de 139 400 dollars. À Montréal, les indemnités du maire, des membres de l'exécutif et des autres membres du conseil atteignent seulement 230 000 dollars par an, soit moins que le double de celles de l'île Jésus, mais pour administrer une population huit fois plus considérable.

COMBIEN DE MUNICIPALITÉS DE L'ÎLE JÉSUS ONT UN SERVICE PERMANENT DE POMPIERS?

Trois sur quatorze.

COMBIEN ONT UN SERVICE D'AQUEDUC?

Quatre seulement.

COMBIEN ONT UN SERVICE DE BIEN-ÊTRE?

Cinq en tout.

**COMBIEN ONT UN DIRECTEUR
DES SERVICES MUNICIPAUX?**

Deux.

**COMBIEN ONT UN SERVICE D'ACHATS, UN SERVICE
D'EMBELLISSEMENT, UN SERVICE DE VOIRIE ET DE
TRAVAUX PUBLICS, UN SERVICE D'URBANISME?**

Une seule municipalité sur quatorze.

**LE FINANCEMENT MUNICIPAL PAR PETITS
EMPRUNTS EST-IL AVANTAGEUX?**

*Non, car chaque petite émission d'obligations entre en
concurrence avec celles (beaucoup plus avantageuses
pour les prêteurs) des grandes villes, des commissions
scolaires, des gouvernements et de leurs organismes.
Les conditions d'emprunt dépendent généralement de
la taille d'une municipalité, de son prestige régional,
de la compétence de ses administrateurs et de
l'efficience de son administration. Une petite
municipalité peut rarement bénéficier des taux
économiques que l'on consent pour les gros emprunts
ou la consolidation de gros emprunts. Et puis le
marché n'est pas toujours «bon».*

**COMMENT SE FINANCENT LES
MUNICIPALITÉS DE L'ÎLE JÉSUS?**

*Par petits emprunts, malheureusement. En une seule
année, du 1ᵉʳ janvier 1963 au 31 décembre 1964, les 14
municipalités de l'île Jésus ont lancé 33 émissions
d'obligations variant de 42 000 dollars à 1 508 000
dollars, pour un montant total de 28 500 000 dollars.
Une municipalité a lancé cinq de ces émissions, tandis
que cinq autres se sont présentées trois fois sur le
marché des obligations en une seule année.*

**LES EMPRUNTS ONT-ILS POUR EFFET
D'ABAISSER LES TAXES?**

*Non, puisque en fait les contribuables de l'île Jésus
paient des taxes plus élevées, sinon égales à celles que*

l'on paie à Montréal. Et cela, pour des services inférieurs en nombre et en qualité. Dans les 14 municipalités de l'île Jésus, les taxes municipales et scolaires varient, selon la localité, de 2,73 dollars à 4,57 dollars par 100 dollars d'évaluation.

TOUS LES CITOYENS DE LA NOUVELLE VILLE DEVRONT-ILS PAYER LES DETTES DES AUTRES MUNICIPALITÉS?

Non - chaque municipalité restera responsable de ses dettes antérieures.

POURQUOI LE GOUVERNEMENT A-T-IL CRÉÉ UNE COMMISSION D'ENQUÊTE SUR LES PROBLÈMES DE L'ÎLE JÉSUS?

Pour plusieurs raisons. 1) Il ne veut pas se rendre complice d'une situation qui va en s'aggravant et risque de devenir catastrophique pour l'île Jésus. 2) La plupart des administrateurs municipaux et des citoyens éminents de l'île Jésus reconnaissent l'acuité des problèmes actuels et l'urgence d'une solution. 3) Un grand nombre d'entre eux ont demandé à maintes reprises et continuent de demander au gouvernement de régler leurs problèmes. 4) Enfin, le gouvernement désire apporter le plus tôt possible une solution non seulement aux problèmes de chacune des municipalités, mais aussi à ceux de l'ensemble de l'île Jésus, afin que ce territoire ne se trouve pas dans quelques années dans la même situation que la Cité de Montréal, où l'on a attendu 50 ans de trop avant de s'attaquer aux même problèmes.

QUI ÉTAIENT LES COMMISSAIRES ENQUÊTEURS?

Le juge Armand Sylvestre, de la cour des sessions de la paix pour le district de Montréal; le bâtonnier C.N. Dorion C.R. de Québec, et M. Georges Longval, économiste de Montréal.

QUEL ÉTAIT LE MANDAT DE LA COMMISSION?

1) Étudier l'existence et l'état des problèmes intermunicipaux dans l'île Jésus;

2) Étudier les problèmes de regroupement des municipalités, s'il y avait lieu, et celui de la restructuration politique de l'île Jésus;

3) Étudier tout autre problème d'ordre municipal ou intermunicipal pouvant intéresser les municipalités ou les citoyens de l'île Jésus.

*COMMENT S'EST EFFECTUÉ
LE TRAVAIL DE LA COMMISSION?*

Créée le 7 février 1964, la commission Sylvestre a consacré près d'une année à la conduite de son enquête.

Elle remettait son rapport au ministre des Affaires municipales, l'Hon. Pierre Laporte.

Durant ce temps, les divers conseils municipaux et de nombreux organismes et corps publics lui ont soumis une quarantaine de mémoires qu'elle a soigneusement étudiés. La commission a aussi mené sa propre enquête à travers l'île, où elle a, en outre, fait faire des travaux de recherches par des spécialistes reconnus.

QUE SE DÉGAGE-T-IL DE TOUS CES MÉMOIRES?

Il y a dans l'île Jésus deux écoles de pensée qui, toutes deux, reconnaissent dans l'ensemble l'existence de problèmes graves et l'urgence de les résoudre. Cependant, elles envisagent différemment les solutions.

Les uns, tout en admettant l'existence de problèmes de frontières, le manque d'équilibre entre les municipalités quant au territoire et à la population, la situation économique déplorable de certaines municipalités, recommandent la formation d'un gouvernement supramunicipal, tout en conservant les quatorze gouvernements municipaux dans leur structure actuelle.

Les autres recommandent la création immédiate d'une, deux ou six villes pour l'ensemble de l'île. Ils s'opposent au projet du gouvernement supramunicipal parce que tous les organismes de ce genre, tant à Montréal qu'à Toronto et Winnipeg, ont fourni des preuves éclatantes de leur inefficacité, sans oublier l'exemple probant de la Corporation interurbaine de l'île Jésus. Les pouvoirs d'un gouvernement supramunicipal sont soit limités, soit illimités. Dans le premier cas, un gouvernement supramunicipal ne serait pas plus efficace que la Corporation interurbaine.

Dans le second, on s'acheminerait inévitablement vers une ville unique.

QU'EN PENSE LA COMMISSION SYLVESTRE?

La commission est d'avis que la solution idéale aux problèmes de l'île Jésus serait la création d'un gouvernement supramunicipal ayant juridiction sur tous les problèmes concernant l'ensemble de l'île et six gouvernements municipaux ayant juridiction sur un district. Toutefois, cette solution idéale ne peut être mise en pratique sur le champ.

QUE RECOMMANDE LA COMMISSION SYLVESTRE?

Comme solution immédiate, la commission recommande la création d'une ville unique, afin de régler sans délai les problèmes urgents exposés dans de nombreux mémoires soumis à la commission et dont les commissaires ont personnellement constaté l'existence sur place.

POURQUOI LA COMMISSION RECOMMANDE-T-ELLE CETTE SOLUTION IMMÉDIATE?

En recommandant la création d'une ville unique pour l'île Jésus, la commission s'inspire de la gravité des problèmes à résoudre et de la nécessité d'y apporter des solutions avant qu'il ne soit trop tard. Faut-il rappeler l'expérience cuisante de Montréal qui prit un demi-siècle à se donner un territoire convenable et à se doter de services qu'on commence à peine à juger satisfaisants? L'île Jésus est tout au début de son expansion. Les circonstances la favorisent donc, à condition qu'elle passe immédiatement à l'action. Plus tard, les contribuables ne pourront pas reprocher à leurs administrateurs de n'avoir pas prévu les solutions logiques alors qu'il était relativement facile de les appliquer.

COMMENT S'APPELERAIT CETTE VILLE UNIQUE?

Cité de Laval.

L'ÎLE JÉSUS SE PRÊTE-T-ELLE BIEN À UNE TELLE SOLUTION?

Oui, de par sa situation géographique et parce que c'est une île, ce qui lui vaut des frontières bien précises. Sa population offre plusieurs aspects de ressemblance et d'affinité : 80 % de ses habitants viennent de Montréal, ils sont presque tous propriétaires et gagnent approximativement le même salaire. De façon générale, cette population connaît les mêmes conditions de vie. En fait, les données géographiques, démographiques, économiques et même idéologiques que l'on possède sur l'île Jésus permettent de croire qu'elle pourrait devenir en quelques années la deuxième ville française d'Amérique.

QUELS AVANTAGES APPORTERAIT UN GOUVERNEMENT CENTRALISÉ?

Voierie : il adopterait une politique tenant compte des besoins de l'ensemble de l'île;

Aqueduc : il économiserait sur la distribution de l'eau et l'entretien du service, en plus d'éviter la multi-plication des usines de filtration;

Égoûts et usines d'épuration : là aussi, il réaliserait des économies appréciables et pourrait tenir compte des six bassins naturels de drainage que l'on trouve dans l'île;

Activités économiques : il obvierait au manque d'initiative de certaines autorités locales et favoriserait la venue de nouvelles industries ou l'expansion des entreprises existantes; il ferait disparaître l'esprit de concurrence et de rivalité entre municipalités de même que la tendance aux inégalités économiques;

Transport en commun : il établirait une politique d'ensemble pour l'île et remédierait aux lacunes du service, lequel est absolument insuffisant à l'heure actuelle;

Boisés et verdure : là également, un plan directeur s'impose quant à l'aménagement des parcs et des îlots de verdure;

Protection contre les incendies : il réaliserait des économies considérables sur l'achat d'équipement tout en assurant une protection uniforme à tous les citoyens de l'île grâce à un service permanent bien organisé;

Service de police : il assurerait, grâce à la fusion, des services actuels et à une direction unique, une protection bien plus grande à toute la population de l'île, et pourrait administrer sa propre cour municipale, réduisant d'autant le coût de ce service;

Service d'urbanisme : il assurerait une coordination totalement inexistante à l'heure actuelle et sans laquelle il est impossible de tracer un plan directeur pour l'île Jésus;

Services culturels, sociaux et de loisirs : il verrait à en faire bénéficier tous les secteurs de l'île et pas seulement les districts les plus fortunés;

Revenus : il y apporterait une amélioration en uniformisant l'évaluation grâce aux services d'évaluateurs d'une compétence technique reconnue et assurerait le partage de ces revenus sur une base de péréquation;

Taxes d'affaires : il en établirait l'uniformité afin de remédier aux graves inconvénients qui existent présentement;

Financement : il verrait à diminuer sans délai le nombre des emprunts et pourrait s'assurer les meilleures conditions possibles sur les marchés des obligations;

Administration : il en arriverait à une administration moins coûteuse et certainement plus efficace en éliminant les services similaires, en restructurant ces services et en profitant des méthodes modernes à la portée des grandes administrations;

Spéculation : par une législation appropriée, il éliminerait les torts considérables que certains spéculateurs causent aux contribuables par certaines façons de procéder.

L'UNIFICATION DE TOUS LES SERVICES MUNICIPAUX VA-T-ELLE EN AUGMENTER LE COÛT?

Au contraire, cette unification, tout en améliorant et en augmentant l'efficacité, permettra de réaliser des économies substantielles dont bénéficieront tous les contribuables.

COMMENT SERAIT CONSTITUÉ LE NOUVEAU GOUVERNEMENT DE L'ÎLE?

D'un maire, d'un comité exécutif et d'un comité législatif (conseil).

COMMENT CES ADMINISTRATEURS SERONT-ILS CHOISIS?

Le maire et les conseillers ne seront pas nommés d'office. Au contraire, ils seront élus par les contribuables lors d'une élection générale.

*QUEL SERAIT LE MANDAT
DE CES ADMINISTRATEURS?*

*Le comité serait formé de quatre membres et du maire,
tous élus pour une période de quatre ans par la
population de l'île toute entière. Le conseil serait, lui,
composé du maire, des quatre autres membres de
l'exécutif et de seize conseillers élus également pour
quatre ans, mais dans leurs districts respectifs.*

RÉPONSE DES CITOYENS DE L'ÎLE JÉSUS À LA BROCHURE DU MINISTÈRE DES AFFAIRES MUNICIPALES - LIBERTÉ, DÉMOCRATIE, RESPECT DE NOS DROITS

(Publiée par le Conseil intermunicipal de l'île Jésus.)

Chers citoyens de l'île Jésus,

*Le ministère des Affaires municipales a publié récemment,
aux frais de la province, deux brochures, l'une pour les non-
instruits et l'autre pour les plus instruits dans le but
d'informer, comme il le dit, sans passion, sans parti pris, les
citoyens de l'île Jésus sur le rapport de la commission
Sylvestre instituée pour faire l'étude des problèmes
municipaux de cette île.*

*Ces brochures, contrairement à ce qu'elles annoncent et ce
qu'en attendaient les citoyens de l'île Jésus, ne sont pas
objectives et renferment, comme d'ailleurs le rapport de la
commission, des inexactitudes, des faussetés et des
affirmations qu'il est nécessaire de relever.*

*La présente brochure a pour objet de réfuter les assertions
insidieuses répandues dans l'île par ces brochures et les
propagandistes du gigantisme.*

*Chaque citoyen doit se faire un devoir de lire cette brochure
et celles publiées par le ministère des Affaires municipales
afin de se faire une opinion personnelle sur les exposés
qu'elles contiennent.*

Dans cet espoir, nous nous souscrivons les défenseurs de vos droits et libertés municipales.

Le Conseil intermunicipal de l'île Jésus.

LES PETITS MENSONGES JOYEUX DU MINISTÈRE DES AFFAIRES MUNICIPALES

La brochure destinée aux non-instruits pose 35 questions rappelle que l'île Jésus compte 14 municipalités et offre une seule solution : une seule et unique grande ville.

1. Pour commencer, de la fausse représentation. Dans une brochure qui a uniquement pour but de faire accepter, de vendre une solution, le ministre Laporte dit qu'«il est essentiel que le citoyen soit bien informé, sans passion et sans parti pris».

2. Ensuite, une fausseté. Dans sa lettre, M. le ministre dit que les membres de la commission Sylvestre «ont fait faire des analyses par des spécialistes». De l'aveu même de M. Longval, commissaire de ladite commission, la commission n'en a fait, ni commandité aucune...

3. Un paradoxe. «Il faut tenir le débat à l'écart de la politique.» Or, il s'agit d'un mode d'organisation et de gestion de la société : n'est-ce pas la définition même de l'art politique?

4. Un brin de démagogie. «L'île Jésus... doit vivre aux crochets du Grand Montréal». Sans les 180 000 résidents de l'île Jésus, combien de places d'affaires seraient vacantes à Montréal? Sans les apports des résidents de l'île Jésus, combien de magasins, de restaurants et de salles de spectacles de Montréal devraient fermer leurs portes?

5. Un faux proverbe. «Pourquoi y a-t-il si peu d'industries dans l'île Jésus?» C'est une injustice de comparer Montréal, qui est la métropole du Canada, pourvue d'un incomparable port de mer, et en développement industriel depuis plus d'un siècle, à l'île Jésus qui est peu peuplée (20 % seulement) et n'invite des industries chez elle que depuis à peine trois ans. La diversité des administrations municipales n'est nullement un obstacle à la venue d'industries sur son territoire, comme le prouve éloquemment les diverses municipalités de l'île de Montréal qui ont attiré un grand nombre d'industries chez elles, depuis quelques années. Proportionnellement, ces municipalités moyennes et présentant des diversités, ont attiré dans leurs territoires respectifs, en quelques années, plus d'industries que la gigantesque ville de Montréal, ne l'a fait, en plus d'un siècle.

La brochure ne fait point mention des facteurs clés de la localisation industrielle, pas plus qu'elle ne fait mention du vaste projet d'un secteur industriel au centre de l'île Jésus, exposé et recommandé par presque toutes les municipalités dans leurs mémoires à la commission.

6. Plus de taxation avec moins de représentation. La brochure rappelle qu'il y a un mandataire élu par 1 519 habitants dans l'île Jésus et un par 24 954 habitants à Montréal.

Qui connaît et peut rencontrer ses mandataires dans Montréal. Est-ce qu'un mandataire peut adéquatement répondre aux besoins de 24 954 habitants?

Le contribuable de Montréal ou de la ville démesurée n'est-il pas considéré comme un zéro? Ce contribuable peut-il exercer un contrôle quelconque sur l'administration, comme il peut le faire dans la municipalité de taille moyenne? Un représentant par 25 000 habitants, est-ce suffisant? Et les services qu'il offre à ses commettants sont-ils satisfaisants?

7. «*Combien de municipalités de l'île Jésus ont un service d'aqueduc?*», *demande la brochure. Et la réponse est : «Quatre seulement». Faut-il conclure que les résidents des dix autres municipalités de ce secteur transportent l'eau au seau? Non, toutes les municipalités ont un service d'aqueduc fourni par l'usine de leurs villes ou celles des municipalités voisines par ententes entre elles, librement consenties.*

8. *Encore un petit mensonge. «Les contribuables de l'île Jésus paient des taxes plus élevées, sinon égales à celles que l'on paie à Montréal.» La vérité, c'est que le coût per capita des services municipaux (total des dépenses municipales divisé par la population) est de 42,00 dollars aux îles Laval, de 62,00 dollars à Laval-des-Rapides, de 104,00 dollars à Chomedey et de 124,00 dollars per capita par année à Montréal.*

9. *Des contradictions, encore des contradictions. La brochure dit, page 7 : «Chaque municipalité restera responsable de ses dettes antérieures». (La même chose avait été promise aux citoyens de la Ville Renaud lors de la création de la Ville de Chomedey. Nous vous invitons à demander aux citoyens de cette ville si cette promesse a été tenue. Cette garantie incluse dans le bill opérant la fusion des trois villes pour former Chomedey a été annulée dans un bill subséquent dès l'année suivante.)*

Quatre pages plus loin, les auteurs écrivent : «La fusion... apporterait une amélioration en uniformisant l'évaluation et assurerait le partage de ces revenus sur une base de péréquation». Quelle contradiction.

10. *La brochure fausse de nouveau les faits quand elle affirme à la page 4, qu'«il n'y a que trois municipalités sur quatorze qui ont un service permanent de pompiers».*

Les commissaires, en affirmant pareille fausseté, ont fait preuve de cécité ou de mauvaise foi. Qui ne sait que dans l'île Jésus toutes les municipalités possèdent des corps permanents de policiers et que ces policiers en service vingt-quatre heures par jour sont également des pompiers entraînés et en service vingt-quatre heures par jour pour assurer le service contre les incendies. Et cela, en plus de pompiers volontaires, appelés en service, s'il y a lieu, et également entraînés à cette fin.

11. «Le financement municipal, est-il aussi dit dans cette brochure, par petits emprunts est-il avantageux?» Et la commission répond «non». Selon les statistiques de la commission municipale, les petits emprunts ne sont pas désavantageux pour les municipalités.

12. La brochure pose la question : «Combien de municipalités ont un directeur des services municipaux, un service d'achats, un service d'embellissement, un service de voierie, de travaux publics et d'urbanisme?». Dans les petites municipalités ou municipalités moyennes, comme celles de l'île Jésus, ce genre de directeur n'a pas sa nécessité, car il y a un greffier ou un secrétaire trésorier qui dirige et a l'autorité sur tous ces services par l'intermédiaire du surintendant de la voierie, du trésorier, du directeur des loisirs et d'autres chefs dans chacun des départements. Pour pourvoir les municipalités d'un directeur des services municipaux, il n'y aurait qu'à changer le titre de l'officier supérieur en celui de directeur.

13. La brochure parle aussi de la taxe scolaire. Que vient faire cette taxe sur laquelle les municipalités n'ont aucun contrôle, sauf les commissions scolaires qui ne dépendent pas des municipalités en aucune façon.

14. À force de répéter leurs mensonges, les auteurs de la brochure ont fini par les croire vrais. À la page 8, il est dit : «La commission a en outre fait faire des travaux de recherches par des spécialistes reconnus».

81

Voir article 2. Cette affirmation était fausse; elle reste fausse.

15. Aux pages 13 et 14, la brochure ne mentionne que les avantages de ce qu'elle croit être la solution, sa solution aux problèmes. Or, elle ignore un tout petit détail, les inconvénients. Or, le plus important inconvénient serait inévitablement la hausse en flèche du coût de tous les services. Plus une ville est grande, plus les services municipaux coûtent chers. Selon ce barème, la fusion établirait à 115,00 dollars per capita par an au moins le coût des services municipaux, alors que le coût se chiffre présentement à 76,00 dollars par personne par année seulement.

16. Dans ces conditions, affirmer que «l'unification permettra de réaliser des économies substantielles dont bénéficieront tous les contribuables», c'est faire de la fausse représentation. C'est mentir sciemment. Il est de plus évident que toutes les taxes des quatorze municipalités mises ensemble ne sauraient créer un revenu plus élevé et donner plus d'argent que présentement.

RÉSUMÉ DU RAPPORT DE LA COMMISSION D'ÉTUDE SUR LES PROBLÈMES MUNICIPAUX DE L'ÎLE JÉSUS, TRANSMIS AUX PLUS INSTRUITS.

17. Selon le résumé, la commission «a fait des études approfondies». Mais qui a fait ces études approfondies? À qui ont-elles été présentées? Où ont-elles été déposées? De l'aveu même de M. Longval, tout ça c'est de la blague.

18. «Un relevé des conclusions de chacun des mémoires indique qu'ils favorisent en nombre à peu près égal la création d'une ville unique et le statu quo.»

Un autre mensonge, car la vérité, c'est qu'un seul rapport sur trente-neuf favorise la ville unique.

19. Encore un peu de démagogie. Cette fois, ce sont les maires qui sont présentés comme nuisances publiques. «Il ne fait aucun doute, dit encore la brochure, qu'un groupe de chefs de file de l'île Jésus, notamment les maires, compte parmi les traditionalistes : ils s'opposent à ce qu'on remette en cause toutes les structures pour appliquer le remède jugé efficace.»

Si les membres de la commission avaient quelque peu vérifié le sentiment des résidents de l'île Jésus, ils se seraient promptement rendus compte que les maires et les hommes publics qui s'opposent et combattent la fusion reflètent fidèlement le sentiment de leurs commettants, comme l'a d'ailleurs démontré d'une façon indiscutable le résultat des référendums publics ou privés tenus dans neuf des quatorze villes de l'île. Par ce résultat, les administrateurs et ces maires retardataires (selon la commission) ont reçu un mandat clair et net de lutter énergiquement contre la fusion. On a aussi prêté aux adversaires de la fusion des motifs d'intérêt personnel, mais on s'est bien gardé de faire allusion aux motifs qui animent les «fusionneux» qui se sont attribués des postes clés dans la grande ville avant qu'elle ne soit créée.

20. Du chantage. «Il n'y a pas de demi-mesures : ou elles devront (les municipalités) accepter de nouveaux cadres administratifs ou elles devront se soumettre à des directives émanant d'un pouvoir supérieur qui leur enlèverait toute autogestion, toute autodétermination.» C'est hautement «démocratique» d'imposer un système administratif dont les citoyens, qui seront appelés à en payer le coût, ne veulent pas.

21. Aux pages 3 et 4, même montage en épingle des supposés avantages de la fusion. Pas un traître mot sur les inconvénients, notamment, le point le plus important, la montée en flèche du coût des services per capita.

83

22. La commission rejette l'idée du gouvernement supramunicipal, mais le recommande (pour plus tard) comme solution idéale. Quelle inconséquence illogique. Si ce mode de gouvernement recommandé par presque toutes les municipalités de l'île a, selon la commission, «fourni tant à Montréal qu'à Toronto des preuves éclatantes de son inefficacité, sans oublier (ne manque-t-elle pas de souligner) l'exemple probant de la Corporation interurbaine de l'île Jésus», comment ce mode de gouvernement pourra-t-il être la solution (c'est le mot employé par la commission) idéale dans quelques années pour régler les problèmes intermunicipaux concernant l'ensemble de l'île et deux des six gouvernements municipaux, les quartiers devant être créés pour former la grande ville devant alors redevenir des gouvernements municipaux. La commission prône la création immédiate d'une seule ville, c'est-à-dire la centralisation, mais «elle est d'avis que la solution idéale aux problèmes de l'île Jésus serait la création d'un gouvernement supramunicipal (une faillite partout, selon elle) ayant juridiction sur tous les problèmes concernant l'ensemble de l'île et six gouvernements municipaux ayant juridiction sur un district».

Il est bien permis de se demander ce qui a déterminé la commission à recommander la création d'une seule ville quand elle se déclare convaincue que la solution idéale serait la création d'un gouvernement supramunicipal et qu'elle sait d'une façon certaine que les résidents de l'île Jésus ne veulent pas vivre dans une grande ville. L'immense majorité des municipalités ont, dans leurs mémoires à la commission, réclamé des pouvoirs accrus pour la Corporation interurbaine de l'île Jésus, car elles savent, elles, que son inefficacité provient d'un manque de pouvoirs et des manoeuvres de quelques petits politiciens, mais la commission s'est bien gardée d'exposer quelque peu le projet de gouvernement supramunicipal recommandé par la presque totalité des municipalités. La commission s'est appliquée à chanter les avantages de la grande ville, sans en exposer les inconvénients qui, heureusement, sont connus par l'immense majorité des résidents de l'île qui viennent de la grande ville voisine.

Quoi qu'on dise, les non-instruits de l'île Jésus sont bien instruits sur les avantages et inconvénients de la grande ville, car ils les ont connus avant de s'établir dans les petites villes de l'île Jésus et c'est ce qui explique leur opposition massive au projet de les incorporer dans un grand tout sur lequel ils ne pourront exercer aucun contrôle administratif et dans lequel ils seront considérés tels des numéros comme ils l'étaient auparavant dans la grande ville qu'ils ont quittée.

Cette masse de 180 000 citoyens de l'île Jésus se croit suffisamment adulte pour déterminer elle-même le système administratif qui lui plaît et lui convient et elle conteste à tout gouvernement démocratique le droit, s'il en a le pouvoir, de lui imposer une forme de gouvernement contre son gré.

Les maires et conseillers de la plupart des municipalités de l'île Jésus croient en l'efficacité d'un gouvernement régional pour solutionner les problèmes intermunicipaux des municipalités, comme les conseils de comtés ont toujours solutionné les problèmes interruraux, et insistent pour que ce mode de gouvernement, muni des pouvoirs dont il a besoin, soit loyalement mis à l'épreuve avant «d'embarquer» une population de 180 000 habitants dans une aventure périlleuse dont les auteurs sont incapables d'en juger le coût et les conséquences.

Que penser du contenu de ces deux brochures? C'est un peu difficile à évaluer pour le simple contribuable. D'ailleurs, cela ne donnait absolument rien de s'en faire, car la fusion s'en venait à sens unique envers et contre tous.

Malgré tout, une réunion monstre fut organisée sur le terrain du centre commercial Pont-Viau pour les citoyens opposés à cette fusion précipitée. Les personnes devant prendre la parole pour expliquer ce qui se tramait contre les citoyens étaient : M. Jacques Tétreault alors maire de Pont-Viau et M. Olier Payette, maire de Sainte-Rose. Même M. Réal Caouette, chef créditiste, avait accepté de rehausser le prestige de cette assemblée en acceptant l'invitation d'y assister.

Le dernier *sprint* contre la fusion fut d'organiser un ralliement qui devait se rendre à Québec par la route 2 pour protester contre des mesures aussi antidémocratiques. On demandait le plus grand nombre possible d'automobiles. Des autobus avaient été mis à la disposition des gens qui ne possédaient pas de moyen de transport. Le défilé eut lieu tel que prévu. Personnellement et à mon grand regret, mon travail ne me permettait pas de me rendre à Québec. Cependant, je voulais donner mon opinion. J'ai alors fait parvenir ce télégramme :

13 juillet 1965

Honorable : Jean Lesage, Parlement provincial, Québec

Tiens - à protester - contre - adoption - bill 63 - Moi - et - ma famille sommes - opposés - à - création - Cité - gigantesque - et - sans - âme - sur l'île - Jésus.

Lucien Cloutier

Même si je savais à l'avance que ce télégramme ne changerait pas grand-chose, j'étais heureux de faire ma part. Malgré toutes ces pressions auprès des membres du gouvernement du Québec, la fusion s'est quand même faite. Celle-ci devait se concrétiser le 6 août 1965. Il s'est dégagé de cette fusion un certain réconfort qui, dans de telles circonstances, peut soulager quelque peu le mal fait à la démocratie par le manque de respect envers les citoyens. La ténacité des députés de l'Union nationale dans l'opposition, en chambre, nous procurait une certaine consolation. Ceux-ci ont réussi, non sans peine, à forcer la tenue d'élections municipales pour le 7 novembre 1965. C'est peut-être une mince consolation mais elle était la bienvenue. C'est à ce moment que je suis devenu un Lavallois.

ON SE PRÉPARE POUR LES ÉLECTIONS

Après cette fusion, il fallait se hâter de former un parti municipal pour faire face au Parti du regroupement municipal. Celui-ci avait déjà une longueur d'avance sur nous. Je fus convoqué à une assemblée dans une école de Chomedey pour le choix d'un candidat. Il s'agissait de M. Jacques Tétreault, ex-maire de Pont-Viau. Celui-ci était seul à solliciter la candidature pour notre nouveau parti. Ailleurs, les commentaires allaient bon train, à savoir qui serait candidat pour tel ou tel parti. Le parti pour lequel je militais se présentait sous le nom de «Alliance démocratique Laval». Je fus très surpris de recevoir une lettre de M. Tétreault qui sollicitait mon appui. (Voir page suivante.)

Dans notre district, qui était à ce moment formé de Sainte-Rose, Fabreville et Laval-Ouest, il nous fallait trois candidats, le nombre permis sous la bannière de notre parti. Ce fut M. Armand Cloutier, M. Conrad Trudel et M. J. Émile David qui furent choisis comme candidats. Notre quartier portait le nom de Sainte-Rose.

Question de programme, je crois que les deux principaux partis en avaient un assez réaliste. Je retiendrai seulement quelques points dont celui du transport en commun, une priorité pour moi.

Pour le transport en commun, l'Alliance démocratique Laval proposait ceci : conclure des ententes avec la Commission de transport de Montréal :

Secrétariat: 68 Place Cartier, Laval-des-Rapides, Ville de Laval

JACQUES TETREAULT
Avocat - Lawyer

1 octobre 65.

M. Lucien Cloutier
114B) 60e ave.
Fabreville, P.Q.

Monsieur,

Votre nom nous a été soumis comme étant celui d'une personne influente et très estimée dans votre entourage.

Je prends la liberté de solliciter votre appui et votre
vote pour la campagne municipale du 7 novembre prochain, dans
Ville de Laval.

De mon côté, soyez assuré(e) que je m'efforcerai avec tous
les candidats de mon équipe à faire triompher la cause de la démocratie, de la justice et de la moralité dans l'administration
municipale.

Je suis à votre disposition en tout temps et je vous prie
d'agréer l'expression de mes sentiments distingués.

Bien à vous,

Jacques Tétreault, avocat,
Président.

"UN HOMME PROPRE POUR UNE VILLE NEUVE"
"A Clean Man for a New Town"

a) la transformation de la ligne du tunnel Mont-Royal en «rapid transit» et son intégration au métro;

b) l'ouverture d'une station de métro à Pont-Viau;

c) le prolongement en surface du service de Cartierville à Chomedey. L'Alliance procédera à la mise en service de circuits d'autobus sur l'île Jésus et à l'établissement de services express aux heures de pointe.

Cependant, pas un mot sur l'uniformisation du taux des billets ce qui, selon moi, aurait dû être une priorité. Le gouvernement nous avait imposé la fusion. C'était son devoir de permettre l'uniformisation des prix allant même jusqu'à, s'il le fallait, subventionner le déficit qu'occasionnerait cette uniformisation.

Pour le Regroupement municipal de Laval c'était : *Transport en commun - Un service efficace de transport en commun est une nécessité pour une ville de l'étendue de Laval.* Le RML préconise les mesures suivantes :

a) la municipalisation du transport en commun sur l'île Jésus;

b) une entente avec la Commission de transport de Montréal prévoyant l'élimination du double billet;

c) l'extension de la ligne du métro de la CTM jusqu'à Pont-Viau;

d) le prolongement de la ligne du CN par un tunnel sous la rivière des Prairies jusqu'au coeur de Ville de Laval.

Là non plus, pas un mot sur l'uniformisation du prix des billets.

CANALISATION DES RIVIÈRES

Le RML entend négocier immédiatement avec les autorités fédérales en collaboration avec la ville de Montréal et les ministères des Richesses naturelles et du Tourisme, en vue de réaliser, pour 1967, ce projet déjà amorcé par la commission déjà formée par Laval. Comme je voyage au centre-ville chaque jour, il est normal que ma plus grande préoccupation soit le transport en commun. Le découpage des quartiers était aussi un peu difficile à comprendre. Tout d'abord, ceux-ci étaient trop grands et le porte-à-porte pouvait être trompeur. J'y mettais toute mon énergie mais les candidats, selon leur popularité dans leur district, pouvaient débalancer notre travail parce que chaque candidat se devait de faire campagne en son nom et en celui de ses colistiers. Un candidat connu pouvait débalancer tout notre travail. Par contre, il en était de même pour chacun des partis en lice. Au jour du scrutin, chacun y allait avec le plus d'énergie possible. Le résultat du vote traduisait un peu le sentiment de la population. Neuf des quatorze villes de l'île avaient tenus des référendums. Par ce résultat, les administrateurs et les maires ont reçu un mandat clair et net de lutter énergiquement contre la fusion.

(Extrait de *La Presse*, Montréal, lundi 8 novembre 1965)

«M. Jacques Tétreault a recueilli 17 338 dans 304 des 336 bureaux de votation.

M. Jean-Noël Lavoie 13 447

M. Olier Payette 560

M. Tétreault élu Majorité : 3 891

M. Tétreault a fait élire 10 candidats

M. Lavoie en a fait élire 11

Pourcentage moyen du vote 60 % (un record inégalé dans ce secteur de la province).

Compilation erratique et incomplète du vote à 4h00 ce matin, soit huit heures après la fermeture des bureaux de votation.»

Un résultat serré mais réconfortant.

DES PROBLÈMES MALGRÉ TOUT

Ayant été, je dirais, gâté au temps de l'ex-ville de Fabreville là où j'ai vu le jour, je trouvais ma réhabilitation très difficile dans cette grande ville. Avant cette fusion, étant donné que j'avais été actif une dizaine d'années à toutes les élections municipales, je me sentais drôlement bien dans ma peau connaissant très bien maires et échevins qui se faisaient élire. Qu'ils soient de l'équipe que j'appuyais ou de l'équipe opposée, si un problème surgissait, je me sentais très à l'aise pour téléphoner à un échevin ou encore au maire lui-même. Dans ces années, les problèmes se réglaient très rapidement. Mais il fallait s'y faire.

L'avenir dira quels sont les avantages et les inconvénients. Une chose me tracassait dans la brochure du ministère. Chaque municipalité restera responsable de ses dettes antérieures. Cette réponse était précise. Mais plus loin dans la brochure, le ministère parlait de revenus; il y apporterait une amélioration en uniformisant l'évaluation grâce aux services d'évaluateurs d'une compétence technique reconnue et assurerait le partage de ces revenus sur une base de péréquation. C'est à suivre.

Au moment où la campagne électorale battait son plein, le premier ministre du Canada, M. Lester B. Pearson a aussi dissous le parlement pour en appeler au peuple pour le 8 novembre 1965. Dans un cas semblable, il était préférable de s'en tenir à la campagne municipale de Laval, car mener deux campagnes de front c'est un peu comme courir deux lièvres à la fois et pour celui qui comme moi raffole de politique, Ottawa est très loin dans des moments semblables.

LIBÉRAUX À OTTAWA - PROSPÉRITÉ AU CANADA

Cependant, deux annonces du Parti libéral du Canada attiraient mon attention. Elles se lisaient comme suit : (*Opinions de l'île Jésus*, le mercredi 3 novembre 1965).

«*Libéraux*

à Ottawa

Prospérité au Canada

Qui voudrait retourner aux années de désordre économique du régime Diefenbaker? Au déficit de 3 milliards de dollars, à la crise du dollar canadien, au chômage généralisé, à la léthargie de la production nationale? Rien ne marchait!

Le gouvernement libéral, lui, a équilibré le budget, réduit de 10 pour cent l'impôt sur le revenu personnel, assaini la monnaie, stimulé les exportations vers de nouveaux records. Notre production nationale s'est accrue plus vite que celle de tout autre pays occidental. En deux ans, il s'est créé 500 000 nouveaux emplois. Il n'y a jamais eu si peu de chômage depuis 1956. Maintenant ça marche!

Qui veut revoir les années d'angoisse du régime Diefenbaker?

Personne.

Cette fois, un seul choix.

Votons tous libéral.

Le Parti libéral du Canada.

Dans Laval,
Jean Rochon
C'est notre homme.»

La deuxième :
(*Opinions de l'île Jésus*, le mercredi 3 novembre 1965)

«*Libéraux à Ottawa*

Sécurité au Canada

L'édifice de notre sécurité personnelle et familiale, qui l'a bâti? Le Parti libéral. Nos grandes lois sociales, telles le nouveau régime des pensions de vieillesse, à qui les devons-nous? Au Parti libéral. Qui nous donnera les lois sociales de demain? Le Parti libéral.

Demain, nous aurons un programme élargi d'assistance sociale pour le vieillard, l'infirme, l'aveugle, la mère nécessiteuse, nous aurons, par-dessus tout, le programme libéral d'assurance-santé qui nous aidera tous à défrayer le coût des soins médicaux.

Le Parti libéral demeure le parti de la sécurité sociale. Il l'a prouvé par ses oeuvres. Que nous offrent les autres partis? L'insécurité de leurs promesses :

Cette fois, un seul choix

Votons tous libéral

Parti libéral du Canada»

Fallait-il en rire ou en pleurer? Je sais que les libéraux ont été reconduits au pouvoir mais avec un gouvernement minoritaire.

C'EST L'ANNÉE DE L'UNION NATIONALE

QUÉBEC D'ABORD

M. Jean Lesage, alors premier ministre du Québec, dissout les chambres pour en appeler des élections générales pour le 5 juin 1966. Après avoir rencontré M. Daniel Johnson à la cabane à sucre à Saint-Eustache en 1964, je trouvais que les nouvelles de cette formation politique se faisaient assez rares par les temps qui couraient. C'est seulement après la dissolution des chambres que les dirigeants de l'association de notre comté nous ont prévenus de nous préparer à travailler, que l'Union nationale se dirigeait vers la victoire. Malgré la rareté des nouvelles durant environ deux ans, ici à Laval, beaucoup de gens avaient encore en mémoire la fusion imposée aux Lavallois en 1965.

Mais entre 1962 et 1966, beaucoup d'eau avait coulé sous les ponts. Cette élection, à ce niveau, se tiendrait un dimanche. Je ne sais si c'était un précédent mais pour moi c'en était un. Je reçus alors un avis de convocation par la poste pour assister à la convention de notre comté qui portait aussi le nom de Laval. Il fallait procéder au choix d'un candidat pour faire la lutte à M. Jean-Noël Lavoie qui était le député sortant pour le Parti libéral. Je n'avais malheureusement pas pu prendre part à cette convention. J'étais retenu à mon travail. Ce fut M. Raymond Lagacé qui avait été choisi candidat. Lorsque celui-ci me fut présenté, je lui ai offert mes services pour faire du porte-à-porte avec lui, question de le faire connaître au plus grand nombre d'électeurs possible.

L'Union nationale avait un objectif valable en 1966

Un programme d'action

pour une jeune nation

Québec d'abord

Voici quelques extraits du programme de l'Union nationale : *La nation et l'État.*

94

SITUATION :

1. Les Canadiens français forment une nation. C'est là un fait qui était déjà reconnu au siècle dernier. Après plus de trois cents ans d'évolution, cette nation est devenue adulte et capable d'assumer la responsabilité de son destin sans pour cela vouloir s'entourer de barrières, au contraire.

2. Toute nation a droit à l'autodétermination. Ceci implique qu'elle possède ou qu'elle se donne les instruments nécessaires à son épanouissement, soit : un état national, un territoire national qui soit son principal foyer, une langue nationale qui ait primauté sur les autres.

PROBLÈMES :

C'est dans le Québec où ils sont en majorité, que les Canadiens français peuvent se réaliser pleinement comme nation de culture française. Mais à cause d'une constitution désuète et mal appliquée, le Québec ne possède pas actuellement tous les pouvoirs et instruments qui lui sont nécessaires comme État national des Canadiens français.

SOLUTIONS :

Tout en continuant de donner une pleine mesure de justice à nos compatriotes d'autres cultures et compte tenu des impératifs économiques du contexte nord-américain, l'Union nationale s'engage à:

1. Faire du Québec un véritable État national, ce qui implique une extension de ses pouvoirs et de sa souveraineté, même sur le plan international.

2. Donner au français le statut d'une langue nationale. Il est impérieux de régler dans l'ordre et la justice le problème des frontières du Québec, spécialement du côté du Labrador. Comme prélude à un nouveau pacte entre deux nations égales et fraternelles, convoquer une assemblée constituante mandatée par le peuple québécois en faveur.

A) Réviser et compléter la constitution interne du Québec en y incluant une formule d'amendement qui consacre la souveraineté du peuple québécois et son droit d'être consulté par voie de référendum sur toute matière qui met en cause la maîtrise de son destin;

B) Formuler les exigences du Québec dans la négociation d'un nouveau pacte canadien.

C'était quelques extraits du programme UN 1966. C'était, selon moi, un programme à la mesure des aspirations de la population de la province de Québec.

M. Jean-Noël Lavoie, qui était avantageusement connu en tant que député libéral et aussi président de l'Assemblée nationale, livrait une lutte de tous les instants à l'Union nationale ainsi qu'à M. Raymond Lagacé, le candidat UN. M. Lavoie prévoyait même que la vieille garde nationaliste de droite de l'Union nationale, représentée surtout par MM. Jean-Jacques Bertrand et Maurice Bellemare de même que par les nouvelles recrues de 1966, tenterait une alliance avec les chefs séparatistes.

Voici le texte intégral d'une édition spéciale du *Laval Matin* (Laval, 3 juin 1966)

QUE SERA LE QUÉBEC DE DEMAIN?

LE QUÉBEC CONNAÎTRA SA MINUTE DE VÉRITÉ

LE 5 JUIN!

(J.-Noël Lavoie)

«Laval - Parlant devant un groupe important de militants libéraux, le député sortant et candidat libéral officiel du comté de Laval, pour la présente campagne électorale, M. J.-Noël Lavoie s'est dit convaincu qu'après la défaite de l'Union nationale, M. Daniel Johnson devra prendre inévitablement sa retraite à cause de son manque de leadership.

«C'est alors qu'il a ajouté que l'UN, privée d'un fort pourcentage de votes populaires, sombrera en face de la montée des tiers partis. M. Lavoie a poursuivi en ajoutant qu'il était fermement convaincu que la vieille garde nationaliste de droite de l'UN, représentée surtout par MM. Jean-Jacques Bertrand et Maurice Bellemare, de même que par les nouvelles recrues de 1966, tentera une alliance avec les chefs séparatistes. "D'ailleurs, a-t-il dit, le programme de l'Union nationale et les récents discours de son chef manifestent un signe évident de ce flirt dangereux. Et cela indique une chose on ne peut plus claire : la Loyale Opposition de Sa Majesté serait bientôt séparatiste et indépendantiste."

«Le député sortant et actuel candidat libéral pour le comté de Laval en a alors profité pour décrire la situation qu'une telle chose produira dans la société québécoise. "Que serait le climat du Québec dans une telle conjoncture où une opposition peut-être trop forte et partageant de telles idéologies provoquerait des mouvements de masses, des émeutes, la fuite des capitaux, la dépression économique, le chômage, l'augmentation prohibitive du coût de la vie, l'exode des producteurs; enfin une situation de crise catastrophique... On n'a qu'à regarder du côté de l'Afrique du Nord et du Centre pour se rendre compte des fruits de l'extrémisme irréfléchi et des fléaux qu'il entraîne, a-t-il déclaré. Il a alors rappelé à ses auditeurs un passé pas tellement loin, à savoir, il y a un an ou deux où le Québec était déjà le théâtre de scènes sanglantes."

«M. Lavoie précisa qu'il ne voyait qu'une seule solution pour le moment à ce problème sérieux. C'est qu'à l'occasion du présent scrutin, les électeurs québécois, qu'ils soient libéraux, UN, conservateurs, socialistes ou autres, accordent un vote massif au seul

parti dont le chef, l'Hon. Jean Lesage a pris position claire et précise contre l'idée d'un Québec séparé du reste du Canada. C'est de cette façon seulement que tous ceux qui aspirent à une société dynamique, prospère et stable pourront trouver une réponse certaine à leurs désirs.

«*S'adressant alors aux électeurs qui jusqu'ici n'avaient pas l'habitude de voter en faveur d'un gouvernement libéral, il a très clairement déclaré à ces derniers que "s'ils peuvent trouver difficile de voter pour un parti dont ils n'endossent pas toutes les politiques, ils devaient toutefois comprendre que le prix de leur geste serait bon marché puisqu'il s'agit de voter pour le seul parti qui a les moyens de sauvegarder des biens péniblement accumulés et de l'avenir de leurs enfants.".*

«*M. Lavoie a de plus précisé qu'il souhaitait vivement l'élection d'un gouvernement libéral fort et assez puissant qui puisse ainsi augmenter l'autorité nécessaire au bon ordre social et économique du Québec. La liberté ne pouvant exister que dans le respect de l'autorité.*

«*Il en a alors profité pour faire le bilan des réalisations du gouvernement libéral des dernières six années. Il a conclu que le travail réalisé par les libéraux, au Québec, depuis 1960, offrait à l'électorat la meilleure garantie de la sécurité et de la stabilité à laquelle tous les Québécois aspirent. "Grâce à sa politique bien structurée et bien planifiée, mais qui a besoin tout de même d'être consolidée à la suite de très nombreuses réformes nécessaires, réalisées en très peu de temps à cause du rattrapage qu'il a fallu à tout prix opérer et grâce à sa politique de revendications fiscales, l'équipe libérale présentement en place, accordant les priorités à l'éducation et au développement économique, atteindra le but qu'elle se fixe : un Québec solidifié à caractère et à entité française jouant un rôle économique tonifié dans l'hémisphère nord-américain."*

«Le candidat libéral de Laval a terminé son entretien avec les militants libéraux en faisant part de ses prévisions pour le vote général du 5 juin prochain. Se voulant le plus réaliste possible, M. Lavoie a affirmé que le vote populaire libéral atteindra 54 % légèrement inférieur à celui de 1962 qui fut plus élevé (57 %). Il a de plus ajouté que les voix recueillies par les tiers partis (le R.N. et le RIN) le seront au préjudice de l'Union nationale. Ainsi il en est venu à dire que la somme des votes hybrides indépendantistes pourraient se rapprocher du vote UN. Mais cela n'empêchera pas, à cause de notre système électif a-t-il conclu, que les partis établis se partagent tous les sièges électoraux dans une proportion de 2 contre 1 en faveur du Parti libéral, laissant à peine 2 ou 3 sièges au R.N. et aucun au RIN.»

Le soir de l'élection, une surprise de taille nous attendait en province. L'Union nationale triomphe avec un pourcentage de vote inférieur d'environ 41 % contre 47 % pour les libéraux. Mais, la réalité y était. Un triomphe de justesse. Dans notre comté, M. Jean-Noël Lavoie avait triomphé. C'était prévisible car celui-ci avait une bonne expérience et a toujours été un candidat redoutable. Même si je n'ai pas toujours partagé ses opinions, je dois lui rendre crédit. Ce n'était pour moi qu'une demi-victoire en raison de la défaite de M. Raymond Lagacé. Les prévisions de M. Jean-Noël Lavoie du journal *Laval Matin* du 3 juin, ne se sont donc pas réalisées. L'Union nationale dirigée par M. Daniel Johnson avait su tirer son épingle du jeu. L'équipe libérale dirigée par M. Jean Lesage avait fait beaucoup pour la province en six ans de pouvoir. Le thème *«Maître chez nous»* plaisait à plus d'un Québécois; chaque Québécois parlait avec une certaine fierté de la nationalisation de l'électricité et le régime des rentes du Québec fut une très bonne affaire en soit. Il fallait donner crédit à l'équipe de M. Lesage. Mais cette victoire de l'Union nationale eut pour effet de diviser quelque peu le Parti libéral. Dans l'intervalle, M. Daniel Johnson, alors premier ministre du Québec, se présente à une conférence des premiers ministres provinciaux à Ottawa. Avant que celui-ci ne s'y présente, je n'avais jamais porté attention à ce qui se passait entre ces deux paliers gouvernementaux, un peu comme si le gâteau était mal réparti. Un éditorial ne fit qu'agacer ma curiosité.

(Article de Renaude Lapointe, *La Presse*, Montréal jeudi 15 septembre 1966)

«DU THÉÂTRE À OTTAWA

«*Le premier ministre du Québec réalise cette semaine un rêve longtemps caressé, celui de jouer, sur une scène nationale, le rôle du héros pourfendeur du vilain, dans l'oeuvre dramatique sortie de sa plume et intitulée "Égalité ou Indépendance". Ce qui en rend toutefois l'interprétation difficile, c'est que le protagoniste de cette tragi-comédie parle un langage sentimental et politique alors que les autres acteurs emploient un vocabulaire strictement économique.*

«*Pour les non-initiés, voici le scénario : dix fils, de fortunes inégales, en veulent à leur vieux père autoritaire et un peu brouillon qui tient trop serrés les cordons de sa bourse. Dans ses moments de libéralité, le vieillard voit cependant à verser à chacun une allocation, les plus démunis recevant davantage et vice-versa, ce qui, en termes savants, s'appelle "péréquation". Mais ce "paternalisme", même s'il s'inspire du principe évangélique, n'a pas le don de plaire aux mieux nantis, qui s'estiment lésés et veulent avoir les coudées plus franches. Ni riche, ni pauvre et jouissant d'un traitement spécial parce qu'il n'est pas "comme les autres", le héros se révolte et, à l'instant même où le père s'apprête à arrondir de 85 millions de*

100

dollars son allocation de subsistance et à retraiter sur quelques fronts, il lance pour la galerie : "C'est un hold up... La bourse ou la vie! 100-100-100! Égalité ou Indépendance!" Ce moment palpitant clôt le premier acte.

«Lié par d'imprudentes promesses électorales, M. Johnson a bien joué. Il est encore trop tôt cependant pour le considérer comme chef du troisième parti indépendantiste du Québec car il s'est réservé une large porte de sortie (sortie des artistes) quand, à la question "Quelle échéance fixez-vous pour votre décision concernant l'indépendance?", il a répondu par cette phrase de tout repos : "Celle que le peuple nous fixera".

«Pourquoi faut-il qu'à une conférence sur la fiscalité, le gouvernement du Québec ait jugé bon de se présenter un mémoire "fiscalo-constitutionnel"? Et comment peut-on servir actuellement des ultimatum genre "Égalité ou Indépendance" quand on sait qu'aucun progrès réel dans le champ de la fiscalité ne peut être accompli tant que les recommandations de la commission Carter ne seront pas connues et mises en application? Plusieurs provinces, dont le Québec, ont institué leurs propres commissions d'enquête qui ont fourni des suggestions pertinentes, mais le chaos continuera vraisemblablement de régner tant qu'une synchronisation n'aura pas été opérée entre les projets de réforme provinciaux et le projet de réforme fédéral.

«Précisément, l'expert qui connaît le mieux la situation sur les deux tableaux est l'économiste Robert Bourassa, député libéral de Montréal-Mercier, qui a mis en garde le gouvernement Johnson contre la tentation, pour des raisons doctrinales, de lâcher la proie pour l'ombre. La province de Québec se jouerait un mauvais tour, selon lui, si, pour obtenir la totalité des impôts directs, elle devait abandonner les bénéfices de la péréquation. Ce

sont les provinces plus riches qu'elle, soit l'Ontario, la Colombie-Britanique et la Saskatchewan, qui ont intérêt à rejeter toute péréquation et à réclamer uniquement un élargissement des impôts directs.

«"Je ne sais pas si c'est l'égalité ou l'indépendance que désire l'Union nationale, a-t-il dit, mais si c'est l'égalité, ce gouvernement peut tolérer encore quelque temps la formule actuelle (améliorée) de redistribution des impôts et de péréquation." (On sait que ces paiements de péréquation seront à l'avenir déterminés par le produit national brut de chaque province et non plus par le seul rendement de quelques impôts spécifiques.) Cela ne signifie aucunement qu'il faille renoncer à l'élargissement des champs d'impôts directs qui sont, a précisé M. Bourassa, "les plus proches de la réalité sociale et économique". Des progrès sensibles ont d'ailleurs été enregistrés sur ce plan et ils peuvent s'accroître sans qu'il soit besoin de tout fracasser.

«Fait assez significatif : aucun des experts entourant M. Johnson n'a élevé la voix pour contredire M. Bourassa et pour contester l'exactitude de ses calculs, et le premier ministre lui-même n'a pas non plus réfuté ses arguments.

«En somme, si l'on purge le mémoire Johnson de ce qu'il a de "théâtral", donc d'excessif, on constate qu'il ressemble globalement à celui qu'aurait présenté M. Lesage et qu'il n'est pas tellement éloigné de celui du premier ministre de l'Ontario. Au cours des douze dernières années, explique M. Robarts, le taux annuel moyen d'augmentation des dépenses dont la responsabilité incombe aux provinces et aux municipalités a été d'environ 12 p.c. au regard de 4 p.c. pour le gouvernement fédéral, et les revenus des provinces furent nettement inférieurs à leurs obligations financières. Il n'est que raisonnable, dit-il, que les provinces retirent une part plus grande de

l'impôt sur le revenu des particuliers, qui est le plus productif.

«L'attitude logique pour l'équipe Johnson serait de former un front commun avec l'équipe Robarts et de garder ses [thèses], ses tirades et ses menaces pour les conférences sur la constitution. Allumé trop tôt, le pétard de l'indépendance pourrait lui éclater dans les mains, avant la fin du deuxième acte.»

Je ne savais quoi penser de tout ce remue-ménage, car vous comprendrez qu'à la petite école, nous n'avons rien appris en science politique. C'est à suivre.

L'équipe de M. Jean Lesage, connue sous le nom de «l'équipe du tonnerre», perdait en 1967 les services de M. René Lévesque, un des plus illustres ministres de son cabinet. À partir de ce moment, une évolution profonde et des plus agitées venait de naître. Il était déjà à prévoir que le Québec ne serait plus le même. Lorsque M. Lévesque décide de la formation du Mouvement Souveraineté-association, il publie par la suite un livre Option-Québec. Pour certains libéraux de mon entourage que je croisais assez régulièrement, si celui-ci avait été un héros dans le gouvernement Lesage, il était devenu un zéro, suite à son départ des rangs du Parti libéral. Vous imaginez un peu que l'on pouvait se payer une pinte de bon sang chaque fois qu'il nous était donné d'en croiser un. Je retourne au niveau fédéral; peut-être pour ne pas perdre mes habitudes. Au moment où j'avais fait un bout de chemin avec les créditistes fédéraux dirigés par M. Réal Caouette, un de mes bons amis M. Raymond Gauthier, que j'avais croisé par le passé à d'autres paliers électoraux, était venu me solliciter pour me convaincre d'adhérer au NPD. Celui-ci prévoyait que ce parti en était un d'avenir. Je lui avais demandé de me laisser réfléchir quelque peu. Mais depuis que j'avais milité dans les rangs créditistes, beaucoup d'eau avait coulé sous les ponts. Si je ne m'abuse, certains députés créditistes avaient déserté les rangs du parti pour se joindre au Parti libéral. Ce manège m'avait laissé douter de la sincérité de certains d'entre eux. Personnellement, je suis très allergique à ces changements en cours de route car c'est en quelque sorte bafouer la démocratie. Un tel transfuge n'est admissible que lorsque les électeurs se sont prononcés.

JE JOINS LES RANGS DU NPD

En 1966 j'ai donc communiqué avec M. Raymond Gauthier pour lui laisser savoir que j'étais prêt à faire le saut. Celui-ci s'est mis en communication avec M. Robert Cliche, qui était à ce moment chef du NPD Québec. J'ai reçu ma première carte de membre de cette formation quelques jours plus tard, signée des mains de M. Cliche. Il était avantageusement connu au Québec.

Dans ces années, je dirais que les élections étaient ternes à ce niveau, à tel point que mon entourage ne s'est même pas aperçu de mon changement d'allégeance.

Quelques mois avant que les électeurs ne soient appelés aux urnes par M. Pierre Elliot Trudeau, successeur de M. Lester B. Pearson à la tête du Parti libéral du Canada, M. Donald Boyle, qui avait été choisi candidat du NPD dans mon comté, s'est rendu chez moi en me disant que je lui avais été fortement recommandé comme étant un organisateur influent dans mon entourage. C'était très flatteur. J'étais devenu membre de cette formation en 1966 mais en dehors des périodes électorales je n'étais pas des plus actifs. C'est avec plaisir que je lui avais accordé mon appui, non pas que je me croyais plus influent qu'un autre, mais plutôt parce qu'à ce moment je raffolais de politique. Lorsque les élections furent appelées pour le 25 juin 1968 et que je me suis rendu au comité de M. Boyle à Chomedey, je fus à même de constater que le NPD avait un problème à peu près identique à celui des créditistes que j'avais appuyés auparavant, soit une caisse électorale pratiquement vide. Cette constatation me laissait tout à fait indifférent car les quelques membres que je connaissais dans mon entourage étaient des gens convaincus et travaillaient avec acharnement, sans compter les heures de bénévolat. J'avais quand même réussi à vendre quelques cartes de membre. Nous étions même allés aider M. Robert Cliche dans le comté voisin au nôtre à quelques occasions car nous misions beaucoup sur les chances de celui-ci. Au jour du vote, un manque de représentants pour le NPD, face à l'incapacité de payer ceux-ci et aussi dû au fait que le bénévolat ne plaisait pas à tout le monde, nous amenait à vivre avec ce problème. Par contre, les Partis libéral et conservateur avaient chacun des représentants, ce qui laissait présager une surveillance accrue.

UNE COMÉDIE

Au début de l'après-midi, il semble que certains transmetteurs de «télégraphe communément appelé poteau» s'en donnaient à coeur joie mais attention, cela ne prend pas toujours. Trois d'entre eux se présentèrent sur la 65e Avenue à Fabreville dans une maison privée, là où se tenait un des bureaux de scrutin. Mais mal leur en prit car lorsque le premier se présenta à la table et qu'il cita son nom, rien n'allait plus. En effet, il se trouva par malheur que le nom qui fut cité était celui du beau-frère de la dame qui agissait comme sous-officier rapporteur dans ce bureau. Elle avait agi rapidement en faisant appel à la police mais, hélas, l'individu, de même que ses deux acolytes, ont fui rapidement, bien avant que la police ne puisse intervenir.

Environ 30 minutes après cette tentative de personnification d'électeur, j'avais croisé M. Robert Plante qui était l'organisateur de M. Marcel Roy, candidat libéral. Il m'avait transmis le message d'essayer, si possible, d'observer une surveillance accrue. J'avais aussi, par la suite, croisé deux organisateurs des autres formations, qui se plaignaient du même phénomène dans les alentours car chaque organisateur se connaissait très bien. Mais moi je leur ai fait comprendre que nous n'y pouvions rien car notre représentation était beaucoup trop restreinte pour espérer mettre un frein à ce manège. À la fermeture des bureaux de scrutin, personne que je ne sache n'avait été arrêté. À peine ai-je eu le temps de mettre les pieds à la maison après le décompte, que M. Marcel Roy était déjà déclaré élu. Félicitations au gagnant mais rien de motivant pour un gars comme moi qui s'est dépensé sans compter. À partir de ce moment, je ne voyais plus comment je pourrais me motiver pour continuer à ce niveau. Je ne pouvais cependant dire «fontaine je ne boirai plus de ton eau». Il faut être mêlé intimement à ce milieu pour saisir tout ce qui se trame par en dessous. Mais je ne puis m'enlever de la tête que le facteur le plus nuisible que l'on puisse rencontrer au jour d'élections est certainement l'abstinence de vote qui ouvre la porte toute grande aux fraudeurs.

S'abstenir de voter devrait dire s'abstenir de critiquer. Peu avant cette élection fédérale, au début de juin 1968, j'avais été sollicité par M. Willie Leclerc que j'avais proposé en 1965 comme commissaire d'école. Celui-ci me demandait de le proposer pour un deuxième mandat. C'est avec plaisir que j'ai de nouveau accepté. Il avait su mériter ma confiance dans son premier terme. Il accomplissait son travail consciencieusement et il méritait d'emblée un renouvellement de mandat. Il avait même réussi à obtenir une école dans son district. Le site choisi était assez bien centré ce qui en facilitait le transport et amenait aussi une source d'économie due à la construction de son environnement immédiat. Cette école a porté le nom de Leclerc plusieurs années mais ce nom fut changé, ce qui, selon moi, nous fait oublier en bout de ligne tous ces hommes qui ont marqué l'histoire par leur dévouement à titre de commissaires d'école.

Donc, celui-ci a été élu par acclamation pour un deuxième mandat consécutif alors qu'aucun autre candidat ne s'est manifesté. Ce n'est pas de cette manière que je les aime le plus mais ce sont des dépenses en moins pour la commission scolaire.

Au niveau provincial, c'était le calme plat depuis la victoire de l'Union nationale en 1966, dirigée par M. Daniel Johnson. C'est seulement à la fin août que je reçus un avis de convocation pour assister à une assemblée dans le but de réorganiser l'exécutif de notre comté. Je n'ai pu assister à cette assemblée car j'étais retenu ailleurs. Depuis cet avis de convocation, aucune nouvelle du parti. Pourtant, je savais très bien que la victoire de l'Union nationale de 1966 avait été des plus fragiles avec seulement quelques comtés de plus que le Parti libéral que dirigeait M. Lesage. Cette inaction de l'association de notre comté commençait à me taper drôlement sur les nerfs. Je commençais à croire que mes services étaient requis seulement en période électorale. Je me suis alors dit qu'un jour, quelqu'un aurait des comptes à rendre aux membres, si ce parti voulait survivre. Selon l'expérience que j'avais acquise, aucun parti politique ne peut survivre en négligeant la base. Comme les nouvelles de l'association de notre comté étaient rares, je laissais filer le temps. C'était tout ce que je pouvais faire car après tout, je n'étais pas dans le secret des dieux. La première nouvelle qui me vint de l'Union nationale est lorsque j'appris, par les médias d'information, le décès de M. Daniel Johnson à Manicouagan le 24 septembre 1968. C'était une nouvelle des plus bouleversantes pour la population de notre province. En moins de dix ans, l'Union nationale venait de perdre pour la troisième fois un premier ministre en devoir. C'était renversant.

Deux ans et quelques mois de pouvoir, c'est peu. Nous ne pouvons rien contre le destin. Le décès de M. Johnson laissait un grand vide pour la province et pour l'Union nationale. Mais nous n'y pouvions rien car chacun de nous a un chemin tracé à l'avance. Après seulement deux ans de pouvoir, il est difficile d'accepter un départ aussi prématuré car c'est tout juste le temps qu'il faut à un parti pour s'installer. M. Jean-Jacques Bertrand, qui fut à ce moment désigné par intérim pour occuper le poste de premier ministre du Québec avait une vaste expérience. C'était certainement l'homme tout désigné pour succéder à M. Johnson. Celui-ci se devait d'être en poste jusqu'à ce que le choix d'une date soit arrêté pour la tenue d'un congrès pour le choix d'un nouveau chef en permanence pour l'UN.

Les nouvelles étaient rares depuis le décès de M. Johnson. Tout près d'un an s'est écoulé avant que les premières nouvelles ne nous parviennent. Effectivement, la

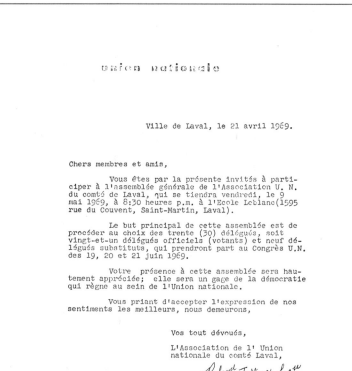

union nationale

Ville de Laval, le 21 avril 1969.

Chers membres et amis,

    Vous êtes par la présente invités à participer à l'assemblée générale de l'Association U. N. du comté de Laval, qui se tiendra vendredi, le 9 mai 1969, à 8:30 heures p.m. à l'Ecole Leblanc(1595 rue du Couvent, Saint-Martin, Laval).

    Le but principal de cette assemblée est de procéder au choix des trente (30) délégués, soit vingt-et-un délégués officiels (votants) et neuf délégués substituts, qui prendront part au Congrès U.N. des 19, 20 et 21 juin 1969.

    Votre présence à cette assemblée sera hautement appréciée; elle sera un gage de la démocratie qui règne au sein de l'Union nationale.

    Vous priant d'accepter l'expression de nos sentiments les meilleurs, nous demeurons,

Vos tout dévoués,

L'Association de l' Union nationale du comté Laval,

par: Roland Couture, Président

RC/dl

association de l'union nationale du comté de

108

tenue d'un congrès fut communiquée aux membres par avis de convocation.

Je me fis un devoir d'assister à cette assemblée. L'école était remplie et l'assistance faisait preuve de beaucoup d'enthousiasme. Au tout début, les dirigeants expliquent les modalités à suivre concernant le choix des délégués. On prévient l'assistance que pour être éligible au poste de délégué et que pour assister au congrès, les membres choisis doivent d'abord être présents à l'assemblée. Sur ce point, tout le monde était d'accord. Par la suite, deux méthodes furent proposées pour procéder au choix des vingt-et-un délégués. La première laissait le champ libre à quiconque de postuler, en autant que leur carte de membre soit en règle et de ce fait, les vingt-et-un postulants qui auraient recueilli le plus de votes devenaient officiellement délégués. La deuxième proposition consistait à répartir le comté en sept secteurs qui choisiraient trois délégués chacun. Après une longue discussion qui ne semblait vouloir mener nulle part, un vote à main levée fut demandé pour connaître le choix de la majorité de l'assemblée. La seconde proposition fut adoptée par la majorité. À mon sens, celle-ci était plus juste. Mais une petite surprise m'attendait. J'avais cru comprendre à ce moment que les secteurs divisés en sept regroupaient membres féminins et masculins ensemble dans leur secteur respectif de l'une des sept sections. Mais il n'en était rien. Cette méthode était valide seulement pour le choix des délégués masculins. Pour le choix des déléguées, l'on proposait aux dames et demoiselles de se regrouper entre elles sans aucune distinction de secteurs et de choisir le nombre de déléguées requis pour les dames ou demoiselles. Donc, deux poids, deux mesures.

Cette décision a eu pour effet de démoraliser bon nombre de membres, fussent-ils féminins ou masculins. Devant cette situation très mal acceptée par la grande majorité de l'assistance, dont moi-même, plusieurs quittèrent la salle. À ce moment, je me suis demandé s'il y avait quelqu'un qui avait avantage à pacter cette convention. J'étais déçu mais peu surpris, car l'association de notre comté avait été trop longtemps inactive ou si elle l'était, c'était en coulisse. Je me doutais bien qu'un jour la marmite exploserait. Selon les renseignements que j'ai pu obtenir quelques jours après cette assemblée, celle-ci se serait terminée très tard, et ce, sans que le choix de délégués ne soit complété. Une deuxième assemblée fut convoquée, mais cette fois je me suis abstenu d'y assister, car, à ce moment, je commençais à réfléchir sérieusement sur la direction de ce parti. Je sais qu'un jour M. Duplessis avait déclaré que les politiciens pouvaient quelque peu tricher les électeurs mais pas les organisateurs.

Suite à ces événements, j'étais songeur et je me demandais ce qui me retenait dans ce parti. J'y militais depuis bientôt dix ans. Les services que j'ai reçus, je crois les avoir rendus fidèlement. Je savais que mon père y était très attaché et je sais qu'il leur a été fidèle jusqu'à sa mort. Je le comprends et j'ai toujours respecté sa décision. Mais les temps ont beaucoup évolué depuis. C'est moins vrai que les enfants votent encore comme le père de famille. À partir de ce moment, je voyais deux choix s'offrir à moi.

Le premier : combattre à l'intérieur du parti. Ceci pouvait s'avérer fort difficile face à certaines instances du parti qui semblaient peu friandes de conseillers. La deuxième, beaucoup plus simple : démissionner du parti.

Sur ce, je reçois cette lettre : (voir page suivante).

Cette lettre fut la goutte qui fit déborder le vase même si je savais qu'elle faisait partie d'une copie envoyée à chaque membre. Alors tant pis, je démissionne.

(Copie de cette lettre de démission)

M. Marcel Masse,

Président du congrès UN 1969

Monsieur, je ne vois pas très bien où vous voyez le succès

11 est, Cremazie
Québec
tél.: 522-6881

CONGRÈS '69
19-20-21 JUIN

Cher membre,

Au nom du Comité Congrès U.N. '69 et en mon nom personnel, je vous remercie très sincèrement pour votre participation à l'assemblée qui a choisi les délégués de votre comté en vue du congrès de juin prochain.

Votre présence a grandement contribué au succès de cette réunion et a montré une fois de plus tout votre dévouement à l'Union nationale.

Nous profitons de l'occasion pour vous faire parvenir votre carte de membre '69 de l'Association de l'Union nationale de votre comté, témoin de votre fidélité à un parti qui se voue aux intérêts de tous les Québécois.

Vous remerciant de votre précieuse collaboration, veuillez accepter l'expression de mes meilleurs sentiments.

le Président,

Marcel MASSE.

Comité Congrès U.N. '69 :

Président
Hon. Marcel MASSE, ministre

Directeurs:
Hon. Edgar CHARBONNEAU, ministre
Dr Philippe DEMERS, député
M. Marcel PLAMONDON, député
M. Maurice T. CUSTEAU
Dr Paul VAILLANCOURT
M. Jean Marc GIGNAC
Mme André CHARTIER
M. John LYNCH-STAUNTON

Secrétaire général
M. Christian VIEN

dont vous faites mention dans votre lettre. Je crois plutôt que ce fut un fiasco en deux occasions.

En ce qui me concerne, je me dois de quitter votre parti sans délai. Je considère qu'il n'y a plus de place pour un homme qui veut plus de démocratie.

Bien à vous,
Lucien Cloutier
3876, St-Maxime, Fabreville, Laval

111

Mais je ne pouvais dire «fontaine je ne boirai plus de ton eau» même après avoir remis ma démission à l'UN. Je me proposais de prendre un très long moment de réflexion avant de faire le saut vers une autre formation, tout au moins au niveau provincial. Je n'ai jamais aimé me faire manipuler mais, par contre, je me posais souvent la question à savoir si la haute direction du parti savait que certaines décisions que je qualifierais d'antidémocratique, se prenaient à l'insu de certains organisateurs. Mais ayant quitté ce parti, je n'avais pourtant plus à me préoccuper de ce qui s'y passait quoique c'était peut-être un peu plus fort que moi. Cependant je me consolais en me disant que la politique n'était pour moi qu'un passe-temps et non mon gagne-pain.

JE CONTINUE À ME TREMPER

Laval a maintenant quatre ans. Un terme est déjà complété pour l'administration de l'Alliance démocratique Laval dirigée par M. Jacques Tétreault.

Que s'était-il passé durant ce premier terme? Tout d'abord j'ai personnellement très vite compris que rien ne serait plus jamais comme avant car, à peine un mois après les élections de 1965, je me retrouvai enfermé dans ma rue durant trois jours, en raison d'une bonne tempête de neige. Même si à ce moment je demeurais dans un cul de sac, jamais auparavant n'avais-je eu de problèmes semblables. Fabreville possédait un service impeccable pour le déneigement. Même s'il fallait comprendre que Laval venait de naître, je comprenais très mal à ce moment. J'avais même demandé l'intervention de M. Armand Cloutier, membre du conseil exécutif. Il m'avait nargué quelque peu en me demandant si ma rue était sur la carte. Je pourrais vous en raconter beaucoup mais, hélas, c'est si beau le progrès. Bref, si la fusion présentait des avantages certains, ses modalités, pour le moins expéditives, posaient à plusieurs niveaux de sérieux problèmes qui ne se résolvent qu'avec du temps et de l'argent. Le problème du transport en commun était demeuré entier; même que les tarifs n'étaient pas encore uniformisés. À ce moment, je me devais de payer 0,55 dollar pour me rendre au métro alors que d'autres ne déboursaient que 0,25 dollar. C'était inadmissible. Nous votons seulement tous les quatre ans mais nous voyageons au travail tous les jours de la semaine.

Dans un article de *La Presse* (29 octobre 1969), le maire Tétreault déclare, face au problème du transport en commun à Laval : *«Une demande, appuyée par la ville, a été faite pour que les deux compagnies de transport qui desservent l'île Jésus puissent échanger des correspondances gratuites et pour que le prix du billet soit uniformisé. La municipalité s'est engagée à payer le déficit qui en résultera. La décision de la Régie des transports qui doit autoriser ces modifications est attendue d'un moment à l'autre.»*.

Ce sont des cas semblables qui tuent petit à petit en vous le feu sacré qui vous anime. Il y en a qui finissent par vous exaspérer.

Alors pour le 2 novembre 1969, les Lavallois et Lavalloises étaient de nouveau appelés aux urnes.

Ce qui différait un peu avec 1965, c'est que M. Jean-Noël Lavoie, qui était député à Québec, avait quitté son poste pour se consacrer exclusivement à Laval. Il avait aussi changé le nom du parti qui s'appelait Regroupement municipal de Laval en 1965 pour porter celui de l'Action Laval en 1969. Une innovation à souligner de cette formation, c'est qu'elle a choisi ses candidats lors de conventions, et ce, dans chaque district de Laval. Même si je n'étais pas un partisan de cette formation, je dois leur rendre crédit car j'ai toujours été un ardent défenseur de la démocratie. En 1965, M. Jean Giosi avait été élu sous la bannière du Regroupement municipal. En 1969, il a laissé le parti de l'Action Laval, dirigé par M. Jean-Noël Lavoie, pour former une nouvelle formation à Laval connue sous le nom du Renouveau municipal dont le thème était : «Laval d'abord».

Je connaissais personnellement M. Giosi. J'avais eu recours à ses services à quelques occasions. Je n'ai jamais osé lui demander le pourquoi de sa désaffiliation avec l'Action Laval. Comme j'avais quelques griefs à l'endroit de l'équipe du maire Tétreault, j'ai alors accordé mon appui à l'équipe de M. Jean Giosi dont le candidat désigné à la mairie pour le Renouveau municipal était médecin, le Dr Jules A. Ménard. J'avais quand même reçu quelques invitations pour aller rencontrer des organisateurs de l'équipe de l'Alliance démocratique du maire Tétreault. J'avais accepté d'aller rencontrer l'ex-maire Dagenais de Fabreville car j'avais beaucoup d'estime pour lui. J'ai cru qu'il était de mon devoir d'aller lui expliquer mon point de vue. On s'est très bien compris. Il n'y avait aucune animosité car suite à un appel téléphonique d'une dame, j'avais même suggéré quelques noms pour faire du porte-à-porte pour la vérification des listes électorales.

Quant au Renouveau, ce parti auquel j'avais accordé mon appui, c'est tout juste si une équipe a pu être complétée pour la mise en nomination. Chose certaine, le Renouveau municipal y a été très franchement au niveau du transport en commun. Comme solution immédiate : subventions aux compagnies existantes pour améliorer les prix dans la ville et améliorer le service. Solution permanente : création d'un système de transport en commun. Mais ce parti a aussi annoncé qu'il ne promettait *«ni métro, ni autoroute, ni pont et n'importe quelle autre réalisation relevant des juridictions fédérale et provinciale. Notre parti,* de dire le candidat à la mairie, *n'a pas de dieux en son sein. Toutefois, il présente une équipe d'hommes capables de réaliser en entier un programme précis.».* C'était franc et réaliste mais si j'avais à critiquer cette campagne électorale, je dirais qu'elle en fut une de salissage comme je n'en avais jamais connue. C'est le genre de campagne que je déteste et que bon nombre de contribuables n'apprécient guère. Mais il a fallu vivre avec. À la fermeture des bureaux de scrutins, il se dessinait une

114

nouvelle victoire pour l'équipe Tétreault. Son équipe a fait élire treize échevins contre huit pour l'Action Laval. Et une surprise... aucun candidat du Renouveau élu. Même M. Jean Giosi, qui était président de ce parti, a subi la défaite. Un de mes frères et moi avions fait une gageure amicale avec deux autres de mes frères. Bons perdants, nous nous sommes exécutés.

UNE DÉCENNIE HISTORIQUE

Ce que la vie peut être éphémère à certains moments de notre existence. Le 26 février 1970, je recevais une lettre d'avocat de Ville de Laval me réclamant 52,77 dollars plus 3,00 dollars pour la lettre pour un compte qui remontait à 1967. Je le devais, c'est vrai, mais je ne l'avais jamais reçu. J'ai trouvé cela assez comique pour en parler à un journaliste du quotidien *La Presse*, qui à son tour a cru bon d'en faire un article, paru dans le journal du 9 mars 1970. L'article se lisait comme suit :

«*LAVAL : FOUILLIS DANS LES ADRESSES*

«*Quel est ce fouillis qui existe encore à l'hôtel de ville de Laval après cinq ans d'existence de la [grande ville], née de la fusion des quatorze anciennes municipalités de l'île Jésus. Le 26 février dernier, un citoyen, M. Lucien Cloutier, recevait une lettre d'avocat lui réclamant 52,77 dollars plus 3,00 dollars pour la lettre pour un compte qui datait de 1967 mais ce contribuable n'a jamais habité à l'adresse mentionnée, soit 919, 60ᵉ Rue à Fabreville. Le seul numéro où ce contribuable a et continue d'habiter est 1148, 60ᵉ Avenue, qui est devenu 3876, Saint-Maxime mais c'est toujours le même endroit. Pourtant, lors de*

la campagne électorale précédant les élections de 1965
à Laval, M. Cloutier avait reçu, à la bonne adresse
s.v.p. une lettre bien aimable du candidat Jacques
Tétreault. Les politiciens sont-ils mieux équipés que les
administrateurs?.»

Comprenez bien que je n'ai pas argumenté, j'ai payé le tout, frais compris. C'était amer à digérer mais cela ne m'empêchait pas de dormir.

LES PIEDS ME BRÛLENT

Lorsque j'ai quitté les rangs de l'UN en 1969, je n'en voulais aucunement aux candidats en lice pour la course à la chefferie. Si j'ai brusquement quitté les rangs de l'UN c'est que je n'approuvais pas la façon de procéder au choix des délégués. Comme nous sommes dans un pays libre, je me sentais tout à fait à l'aise d'agir à ma guise. Je croyais en avoir soupé de la politique à ce niveau. Cependant, je constatai très vite que ce feu sacré en moi n'était pas près de s'éteindre. Étant très connu dans mon quartier, ce n'était certainement pas les voies s'offrant à moi qui manquaient. Chaque dimanche avant-midi après la messe, bon nombre de mordus de la politique comme moi se rendaient à un restaurant voisin près de l'église pour piquer les adversaires. Les discussions étaient animées mais jamais assez pour se quereller. C'est à ce restaurant que je rencontrai pour la première fois un membre en règle du Parti québécois. Celui-ci était au courant que j'avais quitté les rangs de l'UN. Il me demanda poliment si j'étais intéressé à adhérer à leur parti. À ce moment, j'ai décliné cette offre. Je ne me sentais pas près à m'embarquer dans une nouvelle galère sans savoir comment elle se comportait et quel genre de programme serait proposé à la population du Québec. Je lui demandai de me laisser réfléchir quelque temps car je venais de vivre une dure expérience dans les rangs de l'UN.

À plus d'une occasion, je croisai d'autres membres du PQ qui me répétaient leur invitation. Je demeurais indifférent.

Je ne me décidais toujours pas. Ce qui me tracassait quelque peu était d'avoir à expliquer à la clientèle électorale que je fréquentais, le pourquoi du changement d'allégeance; il me fallait justifier ce changement, convaincre les gens de la validité des arguments qui me poussaient à militer dans un autre parti.

Tout au long de ces vingt ans d'activités politiques, j'ai été confronté à des gens au caractère différent; comme j'avais dû changer de formations à d'autres niveaux à quelques occasions, je n'étais pas sans savoir qu'un changement pouvait provoquer des heurts malgré toute la diplomatie dont l'on peut user.

Sincèrement, je ne me sentais pas à court d'arguments car j'avais passablement pris de l'expérience par les années antérieures. Mais je laissais filer le temps sans me soucier de rien. J'avais quand même un oeil ouvert sur tout ce qui se passait dans mon entourage et dans la politique en général.

Lorsque M. Jean-Jacques Bertrand, alors premier ministre du Québec, décréta des élections générales pour le 29 avril 1970, il fallait voir les partis s'atteler rapidement à la tâche. L'on voyait des conventions se tenir à un rythme accéléré au niveau de chacune des formations en place. Je surveillais étroitement ce qui se passerait dans notre comté car ici il se produit quelquefois des choses que l'on ne rencontre pas ailleurs...

J'ASSISTE À UNE SUPPOSÉE «CONVENTION» UN

Un de mes frères, qui était demeuré fidèle à l'UN, m'offrit d'assister à cette convention. Cette invitation ne me souriait guère car j'avais laissé cette formation. Il réussit à me persuader. D'ailleurs, cela ne m'engageait en rien. Celle-ci se tenait le 31 mars dans une salle d'école tout près de chez moi. Environ deux cents personnes y assistaient. L'atmosphère était lourde cependant, car certains prétendaient que cette convention n'était pas tenue légalement. L'on entendait chuchoter que le comité central avait déjà désigné un candidat officiel de son choix. À voir cette foule survoltée et à entendre parler les organisateurs de l'assemblée, j'avais l'impression que l'on nous faisait courir le poisson d'avril une journée à l'avance!

Je sais qu'un candidat avait été choisi en la personne du Dr Jean-Gaston Rivard, de Ville de Laval. Au lendemain de cette convention, l'on pouvait lire le journal La Presse, le mercredi 1er avril 1970, en gros titre :

«DEUX CANDIDATS "OFFICIELS"

«Dans Laval, Bertrand devra trancher un noeud gordien.»

Dans *La Presse* du 3 avril 1970, la question était tranchée :

«Qu'ils le veuillent ou non, les militants de l'Union nationale dans le comté de Laval devront accepter la nomination de M. Réal Gariépy, économiste et commissaire industriel à l'emploi de la ville de Laval, comme candidat dans cette circonscription aux élections générales du 29 avril.»

Suite à ces événements, je trouvais mon frère bien courageux de continuer à militer au sein de l'UN.

JE TESTE LA DÉMOCRATIE DU PQ

Les membres de ce parti semblent des gens tenaces. Je me demande où ils puisent leur énergie mais ils en ont drôlement. Quelques jours avant la convention de cette formation, je rencontre un de leurs membres qui s'empresse de m'inviter à la convention du Parti québécois de mon comté, Laval. Cette convention avait lieu le 2 avril en soirée. Il me demande d'amener tout le monde que je pouvais. Pour rendre la politesse à mon frère qui m'avait invité à la convention de l'UN, je lui propose d'assister à cette convention en l'assurant que selon mes renseignements, celle-là servirait à quelque chose. Bien sûr, je le narguais quelque peu. Mais il déclina poliment mon offre. Cependant, un autre de mes frères avait accepté mon invitation. Même si je savais depuis un bon moment que si je devenais membre de cette formation, au soir de la convention, il me serait impossible d'avoir droit au choix du candidat. Une idée m'était venue à l'esprit au jour de cette convention. Elle était très simple, mais pouvait s'avérer très efficace pour ma satisfaction personnelle. Alors, malgré une très mauvaise température, je me rends à l'école à Chomedey, à cette convention avec mon frère. En arrivant à l'assemblée, je m'empresse de lever ma carte de membre. J'avais hâte que le tout débute pour connaître le déroulement. Je dois dire que l'enthousiasme était grand. Il y avait environ quatre cents personnes qui assistaient à l'assemblée, et ce, malgré l'horrible température.

Au moment où la question du droit de vote fut amenée sur le tapis, j'écoutais religieusement. Je ne sais combien d'autres personnes à part moi ont profité de cette soirée pour adhérer au PQ, mais je sais que je n'étais pas le seul nouveau venu. Quelqu'un se leva dans la salle pour demander que les nouveaux membres aient le droit de vote. Cependant, le même manège fut aussi demandé en sens inverse en déclarant que les règlements établis dans la constitution interdisaient à tout nouveau membre venant juste d'adhérer d'user de son droit de vote dans une convention. Lorsqu'un vote fut pris pour trancher la question, ceux qui s'objectaient à ce que l'on ait droit de vote eurent gain de cause. Si l'on nous avait permis de voter, j'aurais eu de sérieux doutes sur cette formation. Cinq candidats étaient en lice à cette convention. C'était le signe que le PQ était un parti en bonne santé.

Ce fut M. Paul Alain qui avait été choisi candidat PQ dans Laval. Ma curiosité m'avait bien servi, mais je venais de m'embarquer dans une grosse machine. Un jeune parti comme le Parti québécois demandait beaucoup plus de rendement que ce que j'avais connu par le passé.

Pour la troisième fois en trois ans, je m'impliquais à nouveau. Même si je croyais à peu près tout connaître en politique, j'ai été à même de constater qu'il me manquait encore quelques leçons.

JE FAIS CAMPAGNE POUR LE PQ

Ayant été satisfait du déroulement de la convention dans notre comté, je décidai de m'impliquer car en pleine période électorale j'attrapais toujours cette fièvre. Pour tout dire, je ne tenais pas en place. Au départ, je me doutais bien que la lutte ne serait pas facile car M. Jean-Noël Lavoie est revenu à la charge au niveau provincial. Il avait été député du comté de Laval neuf ans et avait laissé momentanément son siège pour s'occuper uniquement de Ville de Laval. Cependant, il n'avait pu battre le maire Tétreault. M. Lavoie était quand même très connu mais, d'une manière ou d'une autre, il fallait respecter son choix. M'étant présenté au comité central du PQ, je constatai que ce parti procédait en empruntant des manières tout a fait nouvelles pour moi. Peut-être fallait-il y aller avec un peu plus de diplomatie que par le passé? Le premier travail qui me fut confié me sembla assez facile. On me remit la liste électorale du bureau de votation auquel je votais en me demandant de faire la vérification de porte en porte et de constater si tous les électeurs étaient bel et bien inscrits sur cette liste. Étant donné que je connaissais très bien mon entourage, c'était comme une routine pour moi.

Ayant constaté que l'énumération du bureau de votation où je devais voter était tout à fait correcte, je fis mon rapport au comité. J'ai appris en faisant ce travail qu'une rue complète avait été oubliée sur le territoire voisin au mien à cause d'une mauvaise distribution du territoire. Connaissant très bien les énumérateurs qui avaient oeuvré pour cette liste, je n'avais aucun doute sur l'honnêteté de leur travail mais cette rue n'était apparue sur aucun plan de distribution. Comme l'erreur est humaine, il ne fallait pas s'en faire outre mesure. Cependant, au comité central du PQ il manquait encore des gens pour compléter le travail. Beaucoup d'individus deviennent membres de formations politiques mais cherchez-les en période électorale... Donc, je prévins le comité que je m'occuperais moi-même de ce district car un de mes frères y demeurait justement et il n'était membre d'aucun parti politique.

J'y allai pour lui offrir, ainsi qu'à trois membres de sa famille, de me rendre au bureau de révision pour les enregistrer sur la liste officielle, leur spécifiant bien que cela ne les engageait en rien et qu'ils demeuraient libres de voter à leur gré. Ils acceptèrent car ils évitaient ainsi de devoir se déplacer eux-mêmes. Avec la même diplomatie, j'offris le même service à huit autres personnes aptes à voter et non enregistrées. Elles acceptèrent également à leur tour. J'étais plutôt satisfait de mes démarches car, selon moi, il valait la peine de se déranger pour douze votants. J'arrive au bureau de révision avec la description de chacune de ces personnes. Ce bureau de révision était situé à environ deux milles de mon domicile. En entrant, j'explique mon cas. On me remet douze formules à remplir, une pour chaque voteur à enregistrer. On exigeait sur ces formules de donner le lien de parenté que je possédais avec ces personnes. Or, pour quatre d'entre elles il n'y eut aucun problème mais pour les huit autres, c'était une toute autre histoire. Je n'avais aucun lien de parenté. Avant de remplir ces huit autres formules, je m'informe car je n'ai pas de temps à perdre. On m'assura cependant qu'en spécifiant qu'il s'agissait d'amis, les formulaires seraient valides. Alors je les complète. Étant très satisfait du travail accompli, je retourne à mon travail.

Je faisais du bénévolat le soir. Au retour de mon travail, une surprise m'attendait. En effet, on avait informé mon épouse par téléphone que les huit voteurs que j'avais enregistrés et qui n'avaient aucun lien de parenté avec moi se devaient de retourner au bureau de révision pour s'enregistrer eux-mêmes s'ils voulaient être éligibles à voter. J'étais déçu. J'ai communiqué avec le président d'élections qui ne fit que me confirmer le fait. J'aurais donné cher pour savoir si les règlements du bureau de révision avaient été mal compris par ceux qui y travaillaient ou si c'était tout simplement un bon tour que l'on me jouait pour se payer ma tête. Je venais de comprendre que j'avais d'autres leçons à apprendre mais que celle-là pourrait me servir plus tard. Ayant tout de même été prévenu à temps, je me permis d'aller prévenir ces personnes de l'erreur et de les persuader d'aller s'enregistrer elles-mêmes.

Tout au long de cette campagne, je croisais des organisateurs de l'UN. Ils auraient bien aimé pouvoir compter sur mes services mais j'ai toujours décliné leurs offres pour des raisons qu'ils connaissaient bien. Je fus même invité à rencontrer le candidat à quelques occasions mais je m'en abstins. Je ne doutais pas de sa valeur mais je luttais pour une cause et pour de nouvelles idées. Lors de cette campagne électorale, mon père avait environ 82 ans. Je lui avais demandé ce qu'il pensait du PQ. Il me répondit : «*Ce parti est certainement aussi bon que les autres mais tu sais, moi, à mon âge, je me sens trop vieux pour essayer une expérience de cette envergure*». Je crois qu'il avait réponse à tout. Je l'ai toujours respecté et aimé.

Cette campagne me procurait beaucoup de plaisir. Pour connaître les derniers développements, il n'y avait rien comme se rendre à ce fameux restaurant. C'était immanquable; en s'y rendant, on était certain de croiser quelques organisateurs de l'UN. Je m'y suis rendu quelques fois. Chacun y allait de ses commentaires et les vives discussions ne faisaient jamais défaut.

À un certain moment, un organisateur de l'UN s'étant approché de moi me glisse à l'oreille d'un ton sarcastique :

«Marches-tu toujours avec tes oeillères?». Mais je pris la parole immédiatement et lui répondis : *«Oh non, je les ai justement enlevées le jour où j'ai démissionné des rangs de l'UN»*. Il semble que la réponse soit venue très vite car aucune autre question n'est venue après celle-ci.

Dans un deuxième temps, après avoir fait le porte-à-porte à savoir si chaque personne apte à voter figurait bel et bien sur les listes, on nous demandait de refaire le même trajet mais cette fois en y faisant un genre de pointage le plus près possible de l'appui que l'on pouvait espérer. Ce travail n'est pas une sinécure. Il en faut de la diplomatie pour l'accomplir. Je me serais très mal vu faire un travail semblable dans un nouveau quartier résidentiel. Vous avez beau user de ruse, il s'en trouvera toujours pour vous dire que le vote est personnel. À ceux-ci, croyez-moi, je laissais une note douteuse. Ce qui nous donnait de l'énergie et du courage est que nous frappions à la porte de membres de temps à autres et ceux-ci nous encourageaient à ne pas lâcher. Après avoir terminé cette campagne électorale, nous en étions rendus au jour des bureaux de votation avancée.

À ce moment, les gens disposaient de deux jours pour se prévaloir de leur droit de vote en autant qu'ils puissent prouver qu'ils seraient absents au jour de l'élection. Les deux dates fixées étaient les 25 et 27 avril. De par mon expérience, on me demanda de couvrir ces deux dates comme représentant bénévole. Pour le 25 tout allait bien, c'était un samedi, mais le 27 c'était impossible. Je ne pouvais me permettre de perdre un jour de travail. C'était pour moi une autre expérience car je n'avais jamais eu l'occasion de travailler dans un tel bureau de scrutin.

À cette époque, il était très difficile de voter dans ces bureaux. Il fallait présenter un excellent motif. Ceux qui désiraient se prévaloir de ce droit devaient se rendre au bureau du président d'élections pour s'enquérir d'une formule, la présenter au sous-officier rapporteur du bureau de votation, devant témoin signataire et enfin se faire assermenter. Ces modalités étaient obligatoires pour tous.

J'ai passé la journée à ce bureau sans rien remarquer d'anormal. Les voteurs n'affluaient pas en très grand nombre. Une dame qui travaillait pour un parti adverse me demanda s'il était vrai que tous les membres du PQ travaillaient bénévolement. Je lui répondis qu'il était sensé en être ainsi et que c'était d'ailleurs mon cas. Elle me fit remarquer qu'il fallait avoir un courage à toute épreuve pour donner des journées entières gratuitement. Mais j'en avais vu bien d'autres avant.

UN RÉSULTAT SURPRENANT

Lorsque les résultats de ces élections commencèrent à nous parvenir, une nette tendance libérale se dégageait. Mais bien malin celui qui aurait pu prévoir un résultat aussi décisif en faveur du Parti libéral dirigé par M. Robert Bourassa. Comme le voulait la coutume, notre comté fut un des premiers déclaré acquis au Parti libéral. Ce n'était rien de nouveau pour moi car, à ce niveau, je n'ai jamais gagné aucune élection. Une de plus ou une de moins à mon palmarès. Où est la différence? Après le décompte final, il fallait bien se rendre à l'évidence et donner crédit à l'équipe de M. Robert Bourassa. La voix du peuple s'était prononcée. Par contre, le PQ sortait bon deuxième avec près de 23 % du vote populaire et sept députés élus. La surprise venait des créditistes avec à peine 11,7 % du vote populaire avec treize représentants élus. Quant à l'Union nationale, elle s'était effacée elle-même en s'éloignant de ses membres. Ce ne fut pas une surprise pour moi. Je crois qu'il faut être très patient en politique. J'ai parcouru des chemins très sinueux en politique mais pas assez pour m'empêcher de dormir. Cette deuxième place du PQ avec le pourcentage de votes recueillis aura certainement pour effet de fouetter l'ardeur des membres à continuer leur travail.

Une très bonne chose que je remarque du PQ c'est que celui-ci se tient près des électeurs, c'est-à-dire que les associations de comté sont très bien structurées. C'est pour moi un contraste avec ce que j'ai vécu auparavant. Personnellement, j'ai toujours été plus actif au moment où les élections étaient décrétées. C'est la piqûre qu'il me faut à chacune d'elles.

NIVEAU SCOLAIRE

En 1971, M. Willie Leclerc, que j'avais proposé à deux occasions comme commissaire d'école et qui à ces deux occasions avait été élu par acclamation, vient me demander de l'appuyer pour un troisième mandat. C'est avec plaisir que j'ai accepté, mais tout au long de ces années auxquelles je prenais une part active aux élections, la population augmentait de manière assez significative. Par ce fait même, il devenait de plus en plus difficile d'exercer un certain contrôle. À ma première expérience à ce niveau en 1949, je pouvais dire que je connaissais la grande majorité des gens aptes à voter, ce qui n'est plus le cas ces années-ci. Ce qui veut dire qu'il faut redoubler d'ardeur pour obtenir un résultat convenable. Année après année, le vaste développement domiciliaire qui avait cours dans notre ville avait tendance à faire diminuer ma participation à certains niveaux électoraux. Le niveau scolaire est certainement le plus difficile à travailler au point de vue électoral car, en somme, il n'y a pas grand-chose à offrir à la clientèle. Certains d'entre vous diront qu'ils ont une voiture et qu'ils aiment mieux se rendre au bureau de votation avec celle-ci. De ce fait, ils ne sont identifiés à aucun candidat. D'autres diront qu'ils n'ont plus d'enfants à l'école et qu'ils ne sont pas intéressés à aller voter. Cependant, quelques-uns trouvent toujours que l'administration coûte trop cher. Comme nous n'y pouvons rien, il faut respecter les opinions de chacun. Ce qui restait à vendre était le bon travail accompli par ce commissaire en place depuis six ans.

«Jamais deux sans trois» n'est pas toujours vrai, car Willie avait passé deux fois par acclamation mais, cette fois, à la fermeture du bureau des mises en nomination, non pas un candidat briguait les suffrages mais bien deux. Une rumeur à l'effet qu'ils seraient deux avait couru quelques jours avant la nomination et elle s'est bel et bien concrétisée. Le fait d'être trois sur les rangs ne nous effrayait pas plus pour autant, car une lutte à trois peut avoir de bons comme de mauvais côtés. C'était pour moi une élection comme les autres. Il s'agissait d'être bon vendeur. Par contre, à certains postes de ce genre il y a des fois où plus vous êtes longtemps en poste, plus il y a de chances de se faire critiquer. Car, par les temps qui courent, les contribuables sont de plus en plus difficiles à satisfaire.

Fait assez bizarre, je suis un peu superstitieux. Un de nos deux adversaires qui faisaient la lutte à mon ami Willie avait organisé une parade quelques jours avant les élections en cours. Cette manoeuvre m'avait donné confiance car chaque fois qu'une manifestation semblable s'était organisée avant le jour du scrutin dans nos parages, les promoteurs s'en étaient toujours sortis perdants. Personnellement, je n'avais rien contre ces parades. Au contraire, au moment où un candidat se devait de mobiliser tous ces organisateurs pour faire une parade remarquée, j'en profitais pour rendre visite à des indécis et j'en gagnais toujours quelques-uns à ma cause.

J'ai toujours cru que des élections se gagnaient par le porte-à-porte. Arrivé au jour du scrutin, j'étais chargé de transporter des voteurs avec mon auto. Un de mes frères en faisait autant avec sa propre voiture. Comme nous l'avions toujours fait dans le passé, nous transportions des voteurs de la plus vieille partie de notre district, là où l'on se sentait à l'aise et le plus connu aussi. Il ne fallait rien négliger. Nous nous complétions très bien mon frère et moi dans ce genre de travail. Il avait une clientèle à transporter et il en était ainsi pour moi. Une entente entre lui et moi au début de la journée était prise de manière à ne pas se présenter deux fois à la même place. Il fallait éviter les pertes de temps. Comme moi, mon frère avait toujours transporté des gens d'un certain âge.

Dans des cas semblables, soit des retraités ou autres, c'était notre secret car nous savions où ceux-ci demeuraient. Cette stratégie semblait porter fruit car certains organisateurs adverses ne semblaient pas du tout d'accord avec notre procédé. L'un d'eux s'était disputé avec mon frère. Il se demandait où nous pouvions bien prendre tous ces voteurs. Mon frère l'avait bien averti de demeurer calme et de se tenir tranquille. Vous savez, l'expérience ne s'achète pas, elle s'acquiert. Je dirais que si certains de ces organisateurs avaient eu des fusils à la place des yeux, mon frère et moi ne serions peut-être plus de ce monde.

Environ une heure avant la fermeture des bureaux de scrutin, je me suis dirigé à notre comité. Il fallait que je me rapporte. Je voulais aussi savoir si le résultat s'annonçait bien selon le pointage que nous détenions. Selon celui qui était en charge, cette élection se voulait chaudement disputée. Il n'y avait rien d'acquis. Il demanda alors à chacun de ceux qui avaient des autos disponibles d'aller faire un dernier *sprint*. Je quittai le comité avec empressement. Une idée venait de me passer par la tête. Elle était simple, mais pouvait s'avérer très efficace dans des circonstances semblables.

Je connaissais deux personnes âgées qui demeuraient dans notre district. Selon ce que je savais, elles exerçaient très rarement leur droit de vote. Tout au long de la journée, je m'étais creusé la tête pour trouver une manière de gagner celles-ci à ma cause. Alors je me rends à ce domicile et je m'empresse de sonner à la porte. La dame me répond. Je lui explique le but de ma visite. Elle me répond qu'elle est seule en ce moment. Tout en discutant, je lui laisse entendre que j'étais presque envoyé par le curé de notre paroisse pour solliciter son vote. Je savais à l'avance qu'elle était très catholique. Je lui déclarai : «*Vous devriez venir voter car M. le curé aimerait mieux que ce soit notre candidat qui triomphe. En ce moment, la lutte est des plus serrées. C'est pour cela que je me suis permis de venir vous solliciter.*». «*Très bien*, me répond-elle, *si c'est le désir de M. le curé que votre candidat triomphe, j'y vais tout de suite.*».

C'était un de mes beaux mensonges car jamais notre curé ne se serait impliqué en politique. Mais je ne m'en faisais pas outre mesure car, selon moi, le mensonge fait partie du bagage des politiciens à quelque niveau que ce soit. C'est souvent avec de petits trucs semblables que l'on réussit le mieux. D'ailleurs, il y a belle lurette que j'avais passé l'âge de toujours dire la vérité dans de telles circonstances.

Mon ami Willie a triomphé de ses deux adversaires mais par une majorité plutôt mince. N'eut été, selon moi, du fait que deux adversaires lui avaient mené la lutte, nous aurions subi la défaite. Il est bien évident que ceux-ci s'étaient partagés le vote des mécontents et nous sommes passés au centre. Il y a un proverbe qui dit : «*Diviser pour régner*». Je crois qu'il n'a jamais dit si vrai qu'à cette occasion. Personnellement, je n'ai jamais sollicité de gens pour personnifier des électeurs. C'était contre mes principes, mais forcer la vérité quelque peu ne m'effrayait pas, car tous les moyens sont bons pour soutirer des votes.

Suite à cette victoire acquise de justesse, je commençais à me poser de sérieuses questions car au moment de faire la sollicitation de porte-à-porte, certains citoyens m'avaient posé des questions que je qualifierais d'embarrassantes comme : «*Est-ce que c'est payant de faire ce travail? Est-ce que ceux-ci t'ont promis un travail quelconque dans la commission scolaire?*». Ma réponse était simple : «*Je fais ce travail comme si c'était un loisir pour moi. C'est mon passe-temps favori.*». Je sais que des gens doutaient de ma parole. Bien sûr qu'il m'est arrivé de profiter de quelques faveurs, mais je crois que c'est tout à fait normal. D'ailleurs, à quoi bon. J'ai un très bon travail à Montréal. Je dois cependant admettre que ceux qui doutaient de ma parole n'avaient pas tout à fait tort. Il peut parfois devenir agaçant pour certaines personnes de toujours voir les mêmes figures venir solliciter des votes à toutes les sauces électorales ou tout au moins retenir des adresses dans ma tête. Je me devais de réfléchir avant de continuer.

UNE CATASTROPHE AU QUÉBEC

Une déclaration choc ne fit que confirmer mon attachement à la politique. Les cheveux me dressèrent sur la tête. Elle se lisait comme suit :

(*Cité Nouvelle*, le 10 juin 1972 - G. Fournier)

«UNE CATASTROPHE AU QUÉBEC

«Voilà, depuis longtemps nous attendions ce moment. Le Parti québécois ne pouvant faire sensation dans la politique provinciale se mêle maintenant d'élections scolaires.

«Comment peut-on concevoir que nos citoyens se laisseront duper par de tels subterfuges. Comment ces gentils messieurs peuvent-ils prendre le monde pour des imbéciles.

«Ne croient-ils pas que les citoyens se rendent compte de leur jeu. Tous les citoyens savent que le seul but de leur présentation n'est pas pour le bien de leurs enfants mais bien plutôt pour "tâter" le terrain en vue d'une élection provinciale future.

«Si le citoyen laisse de telles manigances passer, il sera le seul demain à pouvoir se blâmer d'une telle négligence. Il sera aussi le seul à recevoir le blâme de ses enfants car bien que nous ne puissions juger la compétence en politique provinciale de ce parti, il est un fait certain et c'est celui que leur compétence administrative scolaire est minime sinon nulle.

«Messieurs du Parti québécois vous êtes jeunes, forts et intelligents, alors prenez une leçon des plus âgés (autres partis) et faites comme eux, retirez-vous, n'essayez pas de tâter le pouls politique sur le dos de nos enfants et de cette façon nous vous en serons reconnaissants car vous aurez évité au Québec la pire catastrophe de l'histoire de notre belle province.»

Je n'ai jamais mêlé les couleurs politiques aux niveaux municipal et scolaire. J'ai toujours appuyé des hommes sans pour autant tenir compte de leurs allégeances politiques, même que j'en connaissais quelques-uns qui détestaient assez le PQ pour s'en confesser. Le sang me bouillait dans les veines. C'est peut-être la piqûre qu'il me fallait pour continuer de plus belle. J'étais devenu un membre du PQ en 1970 et j'entendais bien continuer d'y oeuvrer envers et contre tous. J'avais suivi de très près la naissance du Parti québécois. Je considérais que ce parti était né un peu comme l'Union nationale, avec des mécontents d'autres formations sauf que M. Duplessis, qui dirigeait l'Union nationale, n'avait aucunement parlé de souveraineté mais seulement d'autonomie provinciale alors qu'au Parti québécois, s'étaient jointes des tendances considérées comme indépendantistes au moment où le RIN s'est dissous, dont la plupart des membres se sont joints au nouveau parti. Mais comme j'avais une confiance inébranlable envers M. René Lévesque, je ne m'en faisais pas outre mesure. Une pensée à retenir est la suivante :

«Plutôt que de nous tourner vers le passé avec amertume ou vers l'avenir avec crainte, sachons regarder autour de nous en toute lucidité.»

J.T.

En 1972, j'ai complètement ignoré le niveau fédéral. Je n'y trouvais plus mon compte. L'équipe dirigée par M. Pierre Elliot Trudeau avait le vent dans les voiles. Je ne voyais pas la nécessité de dépenser de l'énergie pour rien. En 1973, M. Robert Bourassa décréta des élections pour le 29 octobre. Ce fut un peu surprenant car personnellement, je croyais que l'équipe de M. Bourassa avait été élue suffisamment forte en 1970 pour administrer la province quatre ou cinq ans. C'était son choix même si l'on pouvait croire à un choix dispendieux après seulement trois ans de pouvoir. Mais comme la décision lui appartenait, il nous fallait la respecter.

J'ai personnellement accompli le même travail qu'en 1970, mais cette fois je me suis bien gardé de ne pas faire la même erreur, c'est-à-dire que je n'ai pas offert mes services à des personnes n'ayant aucun lien de parenté avec moi pour aller les faire enregistrer au bureau de révision. Ceux que je croisais et qui n'étaient pas enregistrés, je les invitais poliment à se rendre eux-mêmes au bureau de révision. J'avais encore en mémoire ce qui m'était arrivé à l'élection précédente à ce niveau.

Cette campagne fut sans contredit la campagne de la peur. Je dirais que beaucoup de salive s'est dépensée pour faire peur à la population. Cette tactique fut réussie presqu'à cent pour cent. Au moment des résultats j'avais peine à comprendre. Comme si les Québécois et les Québécoises avaient tous déposé leurs oeufs dans le même panier. Je me posais la question suivante : «*Comment en 1973, avec l'information qui nous parvenait, était-il possible d'en faire autant?*». L'équipe de M. Robert Bourassa recueillait cent deux sièges sur cent dix, alors que le PQ en récoltait six. Je n'avais jamais rien vu de semblable depuis que je m'occupais de politique.

Le grand perdant était l'UN qui s'effaçait complètement. C'était renversant, mais je me suis souvenu qu'un jour mon père m'avait déclaré que plus un gouvernement est élu fort, plus il a de difficulté à contrôler, car il a trop de gens à récompenser et qu'un gouvernement trop fort pouvait commettre des erreurs impardonnables. Bien sûr mon père était de la vieille école, mais il avait du flair et était très expérimenté. Il connaissait très bien le fonctionnement du système politique. Il m'avait aussi raconté que dès ses débuts en politique, il n'était pas rare de voir seulement des bouts de chemin asphaltés. Il aurait fallu que tout le monde soit du bon côté pour obtenir des rues complètes, ce qui était impossible. Si je me base sur ces années où les deux partis traditionnels étaient libéraux ou UN et s'accaparaient le pouvoir pendant plusieurs années consécutives, il y a des gens qui ont dû mordre la poussière en quantité industrielle. Bonne chance au gouvernement de M. Bourassa. C'est ce que je leur souhaitais.

Au même moment où la campagne électorale provinciale battait son plein, nous, à Ville de Laval, étions aussi en pleine campagne électorale. Alors que le deuxième terme de l'administration du maire Tétreault tirait à sa fin, une rumeur circulait à l'effet que M. Lucien Paiement, qui siégeait à ce moment au comité exécutif du maire Tétreault, s'apprêtait à laisser celui-ci pour se présenter à la mairie de Laval. De jour en jour cette rumeur semblait se confirmer. Personnellement, cette possibilité ne me surprenait aucunement. Elle ne créait aucun précédent, car ce même phénomène s'était déjà produit dans d'autres villes, dont l'ex-ville de Fabreville en 1959. Qu'est-ce qui poussait M. Paiement à agir ainsi? C'est probablement un secret bien gardé.

Laval avait déjà huit ans d'existence. Il y avait eu plusieurs améliorations d'apportées, mais l'on pouvait aussi dire qu'il en restait encore beaucoup à faire, que les cicatrices des ex-villes précédant la fusion n'étaient pas tout à fait guéries. Lorsque la nouvelle fut officiellement confirmée à l'effet que le Dr Lucien Paiement ferait la lutte à M. Tétreault, je me posais la question à savoir si je devais prendre part à cette campagne. J'avais quelques griefs contre l'équipe Tétreault et comme M. Paiement avait tout de même siégé huit ans à ses côtés, je pris la décision de m'abstenir. Mais M. Raymond Rouleau, à qui j'avais déjà accordé mon appui par le passé au niveau scolaire, avait été sollicité par l'équipe Tétreault pour se présenter à l'échevinage dans mon district. Il avait accepté de poser sa candidature et, par le fait même, il m'avait sollicité pour lui accorder mon appui. Le connaissant bien, car il m'avait rendu service à quelques occasions, j'ai accepté. C'était plutôt un appui personnel et mitigé. Je dirais que je n'avais plus ce feu sacré qui m'animait, mais il est vrai aussi qu'à ce moment, je menais deux campagnes de front : provinciale et municipale. Le proverbe qui dit qu'à courir deux lièvres à la fois on risque de les perdre tous les deux s'est avéré vrai à cette occasion.

L'équipe Paiement a triomphé, ne laissant place qu'à un seul membre de l'équipe Tétreault. Il fallait cependant respecter le verdict de la population lavalloise. Une seule question se posait suite à ce résultat : «*Est-ce que l'équipe Tétreault avait si mal administré durant huit ans à l'hôtel de ville?*». Difficile d'y répondre. J'en connaissais pourtant quelques-uns qui avaient rendu de nombreux services à la population. Un, entre autres, était M. Guy Brochu. Hélas, n'est-ce pas lors de ces occasions que l'on peut le mieux évaluer nos vrais amis? Peu importe. Il fallait féliciter l'équipe Paiement et lui souhaiter le meilleur succès possible pour les quatre années à venir.

LA PREMIÈRE VICTOIRE DU PQ

En 1976, M. Robert Bourassa décréta des élections générales pour le 15 novembre. Je ne comprenais pas plus que lorsqu'il en avait décrété en 1973. En quelques années il affrontait l'électorat pour une deuxième fois, mais cette fois-ci avec une majorité jamais égalée au Parlement. C'était à n'y rien comprendre. Il faut cependant admettre qu'entre 1973 et 1976, beaucoup d'eau avait coulé sous les ponts de la belle province. Je dirais que les électeurs semblaient de mieux en mieux renseignés et moins dominés ou atterrés par la peur.

Ce qui m'a le plus frappé à cette élection, c'est de voir le nombre de personnages hautement connus qui ont joint les rangs du Parti québécois. Deux, entre autres, qui s'étaient joints au parti m'avaient fait chaud au coeur. Il s'agissait de M. Pierre-Marc Johnson et M. Jean-François Bertrand, deux fils de familles illustres dont le père avait conduit les destinées de la province en tant que premier ministre. Ceux-ci auraient tout aussi bien pu se présenter sous une autre bannière et réussir, comme l'a fait le frère de Pierre-Marc Johnson, M. Daniel Johnson, qui a choisi le Parti libéral et qui s'est aussi fait élire. Mais en politique il faut respecter les choix de chacun. Ces deux premiers ministres de l'époque, MM. Daniel Johnson et Jean-Jacques Bertrand, avaient une vaste expérience de la politique, même si certaines personnes laissaient entendre qu'ils étaient de l'école de M. Maurice Duplessis. Il faut bien comprendre que celui-ci n'a pas fait seulement de mauvaises choses lorsqu'il administrait la province. Il a tout de même été dix-neuf ans au pouvoir.

En outre, M. Daniel Johnson, lors de son passage à Ottawa à une conférence fédérale/provinciale, avait exigé solennellement «*Égalité ou Indépendance*». Son successeur, M. Jean-Jacques Bertrand, même s'il s'y était présenté avec moins de conviction, dut à son tour en revenir quasi bredouille. N'est-il pas navrant à la longue de voir nos premiers ministres faire la navette entre Ottawa et Québec pour percevoir une part équitable du butin qui nous appartenait? Alors pour en revenir à l'élection en cours, le Parti québécois a su s'entourer d'une équipe des plus dynamiques, épaulée par des candidats qui furent déjà députés dans d'autres formations politiques. Des candidats qui avaient servi quelques-uns de nos ex-premiers ministres à titre de conseillers aux affaires intergouvernementales, aux finances, etc.

Si des hommes comme M. René Lévesque, qui fut jadis un des ministres les plus influents du cabinet Lesage, a cru bon lui aussi de laisser le Parti libéral pour former le PQ, c'est que vraiment il y a belle lurette que quelque chose ne tourne pas rond entre nos deux paliers gouvernementaux. Il est impensable que tous ces gens qui se sont joints au PQ l'aient fait pour le plaisir de la chose. C'est plutôt pour la cause. Il y a une chose qui est certaine : vivre dans l'espérance c'est beau, mais, hélas, parfois l'on y meurt; n'est-ce pas messieurs les centralisateurs d'Ottawa?

L'électorat du Québec se retrouvait devant trois choix : le Parti libéral avec du réchauffé, l'Union nationale qui était quelque peu sortie de ses cendres et le Parti québécois avec un programme prometteur et bien structuré.

C'est curieux ce que l'on peut entendre de la part de nos adversaires lorsque l'on fait du porte-à-porte communément appelé par certains «travailler sur le terrain». La traite que l'on se fait payer est que nous sommes des séparatistes déguisés. Nous voulons détruire le Canada ce qui engendrera la misère, même la famine, la perte d'emplois, le déplacement des industries qui quitteront le Québec, et quoi encore... Mais ces remarques me laissaient totalement indifférent. J'avais la conscience tranquille. Cependant, au soir de l'élection, c'était une toute autre histoire. À la surprise générale, le PQ est porté au pouvoir avec soixante-dix comtés, vingt-sept au Parti libéral, onze à l'Union nationale, un au CR et un au IND. Mais à partir de ce moment, des voix s'élevèrent. L'on entend dire au PQ par les adversaires : «*Vous avez été élu pour administrer la province et non pour la séparer*». C'est comique comme la température peut changer vite, n'est-ce pas? Non, le Parti québécois n'a pas été élu pour séparer le Québec du Canada unilatéralement. C'est un parti trop démocratique pour faire une chose semblable.

Même s'il faut considérer que le Québec n'a peut-être jamais eu un parti aussi difficile à contrôler, parce que ce parti comporte des gens de la classe modérée à la classe dite de purs et durs, ce n'est pas par hasard que le Parti québécois avait inclus la tenue d'un référendum à son programme dans son premier terme. C'est un signe de démocratie de tout bon parti politique même que c'était du nouveau pour nous.

À partir de cette victoire, il fallait conclure que le temps où les membres d'une famille votaient comme le chef était révolu. Personnellement, cette victoire m'emballait même si je n'ai pas gagné dans mon comté. Mais je me disais que M. Robert Bourassa a certainement pu s'apercevoir à quel point la gloire pouvait être éphémère; élu à l'élection précédente avec une majorité quasi incroyable, et cette fois défait dans son comté. Ce n'était toutefois pas un précédent car d'autres ont déjà subi le même sort dont M. Adélard Godbout. La preuve est maintenant faite que l'électorat est de moins en moins attaché aux partis traditionnels...

Les générations changent. Ce que mon père avait raison lorsqu'il m'avait dit : *«Un gouvernement trop fort peut s'empêtrer».* À ce que je sache nous n'avons pas à avoir peur de ce gouvernement, car tant que nous continuons à payer des impôts à Ottawa, c'est un signe qu'il n'y a encore rien de changé et Dieu sait si l'on en paie.

Le Parti québécois n'a pas mis grand temps à commencer le travail. Une bonne première, c'est dans le domaine des caisses électorales; selon moi, un grand pas a été accompli vers la démocratie. À la longue, cela diminuera les folles dépenses électorales. L'ancien système laissait certainement à désirer. Les *«emplisseurs»* de caisses électorales, comme on les appelait, s'en donnaient à coeur joie. Certains partis politiques, mal nantis au départ, ne pouvaient espérer de gros succès. Un dicton dit : *«L'argent ne fait pas le bonheur»*, mais cela aide et beaucoup.

Une autre loi, celle sur la langue française; même si cette loi fut controversée, qu'y avait-il de plus normal dans une province à majorité française comme la nôtre. J'ai voyagé en Ontario à quelques reprises et malgré tout, je maîtrise très mal la langue anglaise. J'ai dû me débrouiller pour me faire comprendre et je trouvais cela normal. Est-ce que c'est de ma faute si j'ai fait mes études dans une petite école de rang où l'institutrice devait enseigner à quarante élèves répartis sur sept classes? De plus, on nous dispensait une heure d'anglais par semaine malgré un horaire des plus chargés. Je ne peux en vouloir à ces institutrices. Je dois louer leur courage. Alors ici au Québec, ce n'est pas à moi de payer des cours d'anglais pour parler avec les gens qui ne veulent pas apprendre le français. Ce serait le monde à l'envers n'est-ce pas? Il y en a même qui vont jusqu'à pleurer sur l'épaule des politiciens d'Ottawa.

Vint le cas de l'assurance-automobile; au départ, les compagnies d'assurances se sentirent visées, menacées. Aujourd'hui, plus un mot! Certes, la loi n'est pas parfaite mais quelle amélioration. Auparavant, on pouvait être impliqué dans une collision avec un conducteur qui n'avait aucune assurance, ce qui provoquait des procès interminables et dispendieux. Ce n'est plus le cas aujourd'hui. Et quoi encore. Ces améliorations furent apportées dans l'espace d'environ deux ans. C'était de très bon augure pour l'avenir.

LAVAL, 1977

C'est un premier terme qui se termine pour l'équipe du maire Paiement à Laval. Tout au long de ce premier mandat, je suivais dans les médias d'information tout ce qui s'y passait mais sans grand enthousiasme. Je ne voyais vraiment pas beaucoup d'amélioration. Dans le domaine du transport en commun, je croyais qu'une nouvelle administration en aurait fait une priorité mais cela ne semblait pas être le cas. Par contre, il fallait aussi dire que le transport était à ce moment administré par une commission indépendante de l'administration municipale. Tout ce que les contribuables de Laval avaient à faire était d'éponger une partie du déficit du transport. Cependant, les administrations de notre ville se plaignaient de cette situation illogique et avec raison. Doit-on payer un compte sans y avoir droit de regard? C'est un non-sens. Alors au jour de la mise en nomination, une équipe s'est présentée contre l'équipe Paiement sous la bannière de l'Action démocratique Laval. Chose assez bizarre, je n'ai reçu d'invitation d'aucune part pour m'impliquer. Dans un cas semblable, mieux vaut s'abstenir.

Le soir de l'élection, l'équipe Paiement triomphait de manière encore plus significative qu'à l'élection précédente en ne laissant aucune place à l'opposition. Le seul candidat qui avait résisté au naufrage en 1973, M. Bruno Faucher, a aussi essuyé la défaite.

Selon moi, une victoire de cette envergure ne présageait rien de trop prometteur car toute administration se devrait d'avoir une bonne opposition. Mais, lorsque l'on s'implique dans ce milieu, chaque équipe y va pour le gros lot, ce qui peut aussi vouloir dire un balayage. Il est tout à fait normal de travailler en ce sens même si ce sont les contribuables qui peuvent en souffrir. On ne peut appuyer une équipe et dire aux gens : «*Vous savez, il faudrait de l'opposition à l'hôtel de Ville*». Ce serait irréaliste. De cette élection, il se dégageait quand même une certaine consolation car certains élus ont promis de tenir l'opposition en dedans du pouvoir. Seul l'avenir nous dira si c'est efficace. C'est à suivre.

UNE DÉCENNIE D'ÉLECTIONS À LA CHAÎNE

Cette décennie commence pour moi en m'impliquant au référendum tenu par le Parti québécois le 20 mai 1980. C'était un rendez-vous des plus mémorables auquel je ne voulais pas manquer de prendre part. L'envol de cette campagne a débuté le 21 octobre 1979 devant 7 000 personnes. Par la suite, je reçus une invitation pour aller rencontrer M. Pierre-Marc Johnson le 11 février 1980. Celui-ci était alors ministre du Travail et de la Main-d'œuvre sous le gouvernement Lévesque. Je me suis rendu à cette rencontre. M. Johnson nous a expliqué les objectifs visés par le Parti québécois. Ceux-ci se voulaient simples et démocratiques. Il nous demandait au départ, quel était le pourcentage de Québécois et Québécoises qui aimeraient avoir un changement en profondeur face au gouvernement centralisateur d'Ottawa.

Comme celui-ci nous le laissait entendre, lorsque vous allez négocier et que vous êtes fortement appuyé par la population, c'est beaucoup plus facile de faire face à son vis-à-vis en lui laissant savoir qu'il y a une volonté de changement. J'ai beaucoup apprécié l'exposé de M. Johnson. Un jour j'avais lu quelque part certains extraits concernant la Sûreté du Québec face au gouvernement d'Ottawa. Intrigué au plus haut point, je pris sur moi d'écrire au ministère de la Justice du Québec dirigé alors par Me Marc-André Bédard. Je me disais qu'avec de la documentation, je pourrais accomplir un meilleur travail. Je n'étais pas pour écrire à chaque ministère, car cela aurait été un non-sens. Je reçus alors la documentation que je convoitais. Elle était datée du 5 mai 1980 et m'en apprenait plus que je n'aurais voulu en savoir. Elle me confirmait hors de tout doute une inégalité flagrante entre les provinces sous la gouverne d'Ottawa. Même si je trouvais que cette documentation me parvenait quelque peu en retard car la campagne référendaire tirait à sa fin, je me disais qu'il valait mieux tard que jamais.

Cette documentation reçue étant très volumineuse, je ne vois pas la nécessité d'en reproduire davantage. Celle-ci n'est qu'un élément entre nos paliers gouvernementaux, mais je le trouve significatif. (Voir lettre du ministère de la Justice pages 140 et 141 et un communiqué de presse du même ministère aux pages 142 et 143).

Ce qui n'était pas de bon augure pour la tenue du référendum c'est que le 22 mai 1979 M. Joe Clark, qui était alors chef du Parti conservateur du Canada, avait conduit ses troupes à la victoire mais avec un gouvernement minoritaire. La lune de miel devait être courte puisque le 13 décembre 1979, le gouvernement de M. Clark fut défait à la Chambre des communes à la suite d'une censure déposée par les libéraux sur le budget de M. Crosbie, alors ministre des Finances. Au lendemain, soit le 14 décembre, M. Clark dut dissoudre les chambres. Il commanda de nouvelles élections pour le 18 février 1980.

Lors de ces élections, M. Pierre Elliot Trudeau reprend le pouvoir en enlevant cent quarante-six sièges pour les libéraux contre cent trois conservateurs et trente-deux NPD. M. Clark aurait peut-être fait preuve de plus de souplesse

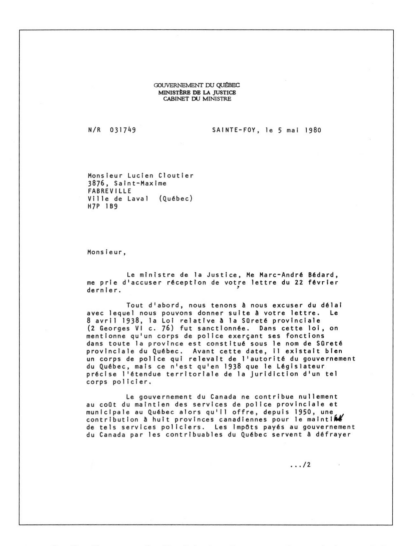

GOUVERNEMENT DU QUÉBEC
MINISTÈRE DE LA JUSTICE
CABINET DU MINISTRE

N/R 031749   SAINTE-FOY, le 5 mai 1980

Monsieur Lucien Cloutier
3876, Saint-Maxime
FABREVILLE
Ville de Laval   (Québec)
H7P 1B9

Monsieur,

          Le ministre de la Justice, Me Marc-André Bédard,
me prie d'accuser réception de votre lettre du 22 février
dernier.

          Tout d'abord, nous tenons à nous excuser du délai
avec lequel nous pouvons donner suite à votre lettre. Le
8 avril 1938, la Loi relative à la Sûreté provinciale
(2 Georges VI c. 76) fut sanctionnée. Dans cette loi, on
mentionne qu'un corps de police exerçant ses fonctions
dans toute la province est constitué sous le nom de Sûreté
provinciale du Québec. Avant cette date, il existait bien
un corps de police qui relevait de l'autorité du gouvernement
du Québec, mais ce n'est qu'en 1938 que le Législateur
précise l'étendue territoriale de la juridiction d'un tel
corps policier.

          Le gouvernement du Canada ne contribue nullement
au coût du maintien des services de police provinciale et
municipale au Québec alors qu'il offre, depuis 1950, une
contribution à huit provinces canadiennes pour le maintien
de tels services policiers. Les impôts payés au gouvernement
du Canada par les contribuables du Québec servent à défrayer

                                                  .../2

pour le Québec, mais il n'était plus premier ministre. M.
Trudeau était reconnu pour son intransigeance mais il avait
été réélu. Dans la brochure que le directeur général des
élections du Québec nous a fait parvenir sur les adhérents du
NON, M. Trudeau avait déclaré en page neuf : «*Pour
renforcer l'esprit d'unité et favoriser l'éclosion du
renouveau, mon gouvernement s'engage à interpréter un*

2/...

Monsieur Lucien Cloutier
Le 5 mai 1980

une partie des coûts du maintien des services de police
dans ces huit provinces, et ce, sans qu'aucun dégrèvement
d'impôt ne soit accordé au Québec. C'est la raison pour
laquelle le gouvernement du Québec réclamait en 1978 au
gouvernement du Canada près d'un milliard de dollars,
somme que le gouvernement du Canada ne nous a pas encore
versée à ce jour.

Puisque ce sujet vous intéresse, je vous fais
parvenir ci-joint un résumé du mémoire que le Québec a
présenté au gouvernement du Canada le 4 avril 1978.

J'espère que le tout sera à votre entière
satisfaction et vous prie d'agréer, monsieur, l'expression
de nos meilleurs sentiments.

Le Chef de cabinet,

JEAN-CLAUDE SCRAIRE

p.j.

"NON" à la souveraineté-association comme un oui au renouvellement de la fédération canadienne et à mobiliser en conséquence toutes les ressources dont il dispose pour négocier ce renouvellement dans le respect et la justice (...)».(Discours du Trône, Ottawa, le lundi 14 avril 1980)

«(...) Nous voulons le maintien du lien fédéral canadien car nous considérons que cette option est nettement plus

suite page 144

141

GOUVERNEMENT DU QUÉBEC
MINISTÈRE DE LA JUSTICE
CABINET DU MINISTRE

COMMUNIQUÉ DE PRESSE
(pour diffusion après 11 heures le 4 avril 1978)

Pour le maintien des forces policières
PRÈS D'UN MILLIARD DÛ AU QUÉBEC PAR LE CANADA

Avec l'exercice financier qui débute, le Gouvernement du Canada devra près d'un milliard de dollars au Gouvernement du Québec pour le maintien des forces de police. En effet, pour le nouvel exercice financier 1978-79, une somme de plus de 130 millions s'ajoutera au montant de 807 millions dû au Québec pour les exercices financiers déjà écoulés et le Gouvernement du Québec entend bien obtenir du Gouvernement du Canada la compensation financière qui lui revient en droit et en équité.

C'est ce qu'a déclaré aujourd'hui au cours d'une conférence de presse le ministre de la Justice du Québec, monsieur Marc-André Bédard alors qu'il rendait public un volumineux mémoire adressé au Gouvernement fédéral portant sur les exercices financiers déjà écoulés.

Le mémoire, qui trace l'historique de ce contentieux, précise en effet, que dès 1905, une première entente intervenait entre le Gouvernement du Canada et deux de ses provinces afin qu'il leur accorde une assistance financière en fournissant un service de police et en défrayant une quote-part du coût de ces services. Au cours des années, d'autres provinces se sont ajoutées, si bien que depuis 1950, huit provinces canadiennes et plusieurs municipalités situées dans ces provinces, au lieu de maintenir une force de police provinciale comme au Québec et en Ontario, ont choisi de conclure des conventions avec le Gouvernement du Canada.

Ce dernier paie en effet, une quote-part du coût du maintien de divisions de la Gendarmerie Royale du Canada qui exerce le rôle de police provinciale dans les provinces contractantes ainsi qu'une quote-part du coût du maintien d'unités de la GRC qui jouent le rôle de service de police municipale dans les municipalités contractantes alors qu'aucune compensation ou équivalence fiscale n'est accordée par le Gouvernement du Canada au Québec pour le maintien d'une force de police provinciale et de service de police municipale.

Devant cette situation injuste, le Gouvernement du Québec au cours du mois de décembre 1973, produisait une réclamation détaillée au Gouvernement du Canada pour réclamer l'équivalent de ce qu'il en aurait coûté à ce Gouvernement s'il avait participé pendant les exercices financiers 1966-67 à 1973-74 inclusivement aux coûts du maintien d'un service de police provinciale et de services de police municipale au Québec, comme il le fait dans huit provinces canadiennes.

Suite à la production de cette réclamation, le Gouvernement du Québec par une lettre du Solliciteur général du Canada datée du 9 septembre 1974, se voyait refuser le remboursement de cette réclamation.

Non seulement le paiement de cette réclamation était-il refusé, mais le Solliciteur général du Canada indiquait en plus qu'il "s'expliquait difficilement que le Gouvernement du Québec puisse participer aux discussions et négociations qui précèderont tout renouvellement des contrats de la GRC avec les autres provinces pour la période commençant le 1er avril 1976".

De fait, à la suite de leur expiration, de nouvelles conventions sont intervenues entre le Gouvernement du Canada et celui des huit provinces contractantes ainsi qu'avec certaines municipalités de ces provinces, et le Québec n'a pas été invité à participer aux discussions et négociations qui ont précédé ces renouvellements de conventions.

Le Gouvernement du Québec décida alors, au cours du mois de juin 1977, de produire une nouvelle demande pour réclamer l'équivalent de ce qu'il en aurait coûté au Gouvernement du Canada pour les exercices financiers écoulés depuis la production de sa première réclamation.

Comme ces réclamations n'ont pas été acquittées depuis, c'est avec une extrême vigueur que le Gouvernement du Québec a décidé de revenir à la charge pour obtenir justice, cette situation ne pouvant plus durer.

En effet, alors que le Gouvernement du Canada ne contribue nullement au coût du maintien des services de police provinciale et municipale au Québec, il offre une contribution à huit provinces canadiennes pour le maintien de tels services; bien plus, les impôts payés au Gouvernement du Canada par les contribuables du Québec servent à défrayer une partie des coûts du maintien de services de police dans ces huit provinces contractantes et ce, sans qu'aucun dégrèvement d'impôt ne soit accordé au Québec.

En terminant l'exposé de son mémoire, monsieur Bédard rappelle que la juridiction du Gouvernement du Québec en matière de police est incontestable sur le plan constitutionnel et que l'administration de la justice étant de juridiction provinciale, le Gouvernement du Québec n'a nullement l'intention d'abandonner le moindre parcelle de sa juridiction dans ce domaine. Cependant, il entend bien obtenir justice et recevoir une compensation équivalente à ce qu'il en aurait coûté au Gouvernement du Canada si ce dernier avait contribué depuis 1966 aux paiements du coût du maintien des forces policières au Québec comme il le fait depuis 1950 pour huit provinces.

-30-

SOURCE: Jean-Robert Nadeau
Québec, (418) 643-4210

intéressante pour le Québec. Mais nous voulons que le système fédéral canadien soit modernisé, rajeuni et remodelé de manière à tenir compte des nombreux changements survenus au Canada et surtout au Québec (...)» (Claude Ryan, *CHOISIR LE QUÉBEC ET LE CANADA*, février 1979.)

QUELQUES EXTRAITS DES ADHÉRENTS DU OUI

VIVRE D'ÉGAL À ÉGAL

«Le peuple québécois, depuis toujours, veut l'égalité. Tous les rapports, études et commissions d'enquête le répètent depuis vingt ans : il n'y aura de solution aux éternelles querelles entre Québec et Ottawa que lorsqu'on aura reconnu que le Canada est composé de deux nations. Les gouvernements québécois des trente dernières années ont revendiqué en vain cette égalité, sous une forme ou une autre. Que ce soit le "Rendez-nous notre butin" de Maurice Duplessis, le "Maître chez nous" de Jean Lesage, "L'Égalité ou Indépendance" de Daniel Johnson, tous réclamaient pour le Québec des pouvoirs qui correspondent à son rôle particulier à l'égard de notre nation. Mais tous ces efforts ont été vains. Dans un régime fédéral, le Québec ne pourra jamais être autre chose qu'une "province comme les autres". C'est pourquoi, si nous voulons vivre d'égal à égal avec le reste du Canada, il faut transformer le mode d'association qui nous lie à nos partenaires canadiens. Aucun changement de statut politique résultant de ces négociations ne sera réalisé sans l'accord de la population lors d'un référendum.

«Le gouvernement ne vous demande pas de chèque en blanc et il s'engage à vous faire rapport à la suite des négociations. Cet engagement est fondamental. C'est pourquoi le gouvernement a voulu l'inscrire dans le texte même de la question. Ainsi vous avez l'assurance absolue de pouvoir vous prononcer à nouveau sur les résultats du mandat que vous aurez donné et vous pourrez alors juger, en toute connaissance de cause, du futur statut politique du

Suite page 187

ALBUM

Groupe réuni pour la bénédiction de la croix. Vers 1944.

UN PEU D'HISTOIRE DE CETTE ÉCOLE OÙ J'AI FAIT MES ÉTUDES

Cette école était bâtie sur un coin de terre que mon père avait cédé ou vendu, je ne peux préciser. C'est en 1917 que cette école avait ouvert ses portes. En 1987, avec un groupe d'ex-consoeurs et confrères de classe, j'eus l'honneur d'organiser les retrouvailles Montrougeau. Quel succès! Environ 250 personnes sont venues se remémorer leurs années d'enfance. Par surcroît, sept enseignantes et enseignants étaient de la partie. Ceux-ci avaient oeuvré à tour de rôle dans cette école. Nous avons eu l'honneur d'avoir parmi nous la première institutrice qui a inauguré cette école, Mme Alice Charbonneau-Maisonneuve. Elle a raconté un fait assez cocasse. Lorsque l'ouverture de l'école a eu lieu, il n'y avait pas de puits pour s'approvisionner en eau potable. Il fallait que les écoliers les plus âgés se rendent à la grange de mon père (Emery Cloutier) à quelques arpents de l'école. Un jour, les écoliers chargés de ce travail avaient tout simplement décidé d'arroser les vaches de mon père qui se trouvaient dans un champ le long du chemin qui menait à l'école, quitte à retourner à la pompe pour s'y approvisionner à nouveau. Selon ce que l'on m'a raconté, mon père n'avait pas tellement apprécié la chose. Il s'en serait plaint à son frère Damien mais son épouse (tante Blanche) aurait pris la parole pour répondre à mon père que s'il n'était pas satisfait, il n'avait qu'à creuser un puits. On ne saura probablement jamais s'il s'était exécuté mais tout de même, à la deuxième année d'existence de l'école, un puits avait été creusé et l'eau y était entrée. Au moment où j'ai personnellement fréquenté cette école, les principaux critères d'un bon écolier étaient de dire le chapelet tous les midis, le verbe, la dictée, l'arithmétique tous les jours, une heure d'anglais, une heure de dessin par semaine et pour ne pas trop s'ennuyer les fins de semaine, faire les devoirs à l'encre et aussi écrire le sermon que le prêtre nous faisait le dimanche à la messe.

146

M. ALEXANDRE TASCHEREAU (Libéral)
Premier ministre du Québec du 9 juillet 1928 au 11 juin 1936.

M. MAURICE DUPLESSIS (Union nationale)
Premier ministre du Québec du 26 août 1936 au 8 novembre 1939
et du 30 août 1944 au 11 septembre 1959.

M. ADÉLARD GODBOUT (PLQ)
Premier ministre du Québec du 8 octobre 1939 au 30 août 1944,
celui qui a entrecoupé la carrière de M. Maurice Duplessis.

M. LOUIS STEPHEN ST-LAURENT
(Lib.) Premier ministre du Canada
du 15 novembre 1948 au 21 juin 1957.

M. JOHN G. DIEFENBAKER (Cons.)
Premier ministre du Canada
du 21 juin 1957 au 22 avril 1963.

M. LESTER B. PEARSON (LIB.)
Premier ministre du Canada
du 22 avril 1963 au 20 avril 1968.

M. PIERRE ELLIOT TRUDEAU (LIB.)
Premier ministre du Canada du 20 avril 1968 au 4 juin 1979
et du 3 mars 1980 au 30 juin 1984.

151

Cette photo représente le groupe qui surveille la scène scolaire. Je fais partie du groupe assis sur le haut, côté droit.

Photo prise en 1960, lorsque j'ai déserté la cour des travaux publics pour me faire embaucher à la construction du pont Champlain.

À la cabane à sucre en 1964. De gauche à droite : Lucien Cloutier, Daniel Johnson, Fernand Cloutier et Edgar Charbonneau (député UN du comté de Ste-Marie, Montréal).

Caricature représentant le maire Dagenais sur un tracteur.
Tiré du journal *La résistance* en 1959.

M. JEAN LESAGE (PLQ)
Premier ministre du Québec du 5 juillet 1960 au 16 juin 1966,
celui qui a délogé l'UN, au pouvoir depuis seize ans.

M. PAUL SAUVÉ (UN)
Premier ministre du Québec
du 11 sept. 1959 au 2 janvier 1960.

M. ANTONIO BARRETTE (UN)
Premier ministre du Québec
du 8 janvier 1960 au 5 juillet 1960.

156

M. DANIEL JOHNSON (UN)
Premier ministre du Québec du 16 juin 1966 au 26 septembre 1968.

157

Le dernier conseil de ville de Fabreville
avant la fusion des quatorze municipalités.

Souvenir de la première campagne électorale de Laval en 1965, offert par le
Regroupement municipal de Laval.

158

À gauche : **M. JEAN GIOSI**, le dernier maire de Fabreville.
À droite : son prédécesseur l'ex-maire **LUCIEN DAGENAIS.**

M. JACQUES TÉTREAULT
Premier maire de Laval, élu au suffrage universel le dimanche 7 novembre 1965.

Les membres de la dernière commission scolaire Montrougeau avant la fusion.
Au bas de la photo, nous apercevons l'école que ces derniers ont fait construire.

M. JEAN-NOËL LAVOIE
Premier maire de Laval à sa fondation en 1965.
Il était aussi député (PLQ) et a aussi été président
de la Chambre à l'Assemblée nationale.

M. RODRIGUE BOURDAGE
Celui-ci était député Conservateur au moment de ma
première implication au niveau fédéral.

M. RÉAL CAOUETTE
Chef du Parti créditiste, dans les années glorieuses de cette formation, qui avait
accepté, en 1965, de se joindre au groupe contre la fusion précipitée dans
quatorze municipalités de l'île Jésus.

163

M. JEAN-JACQUES BERTRAND (UN)
Premier ministre du Québec du 2 octobre 1968 au 12 mai 1970

Une gageure respectée entre quatre frères, élection municipale de 1969.
Sur la photo, de gauche à droite : **Jean Marchand, Fernand Bourassa** et **Jean Giosi** (président du Renouveau). Debout à l'arrière : **Hervé Cloutier** et **Lucien Cloutier** (perdant). Assis : **Fernand Cloutier** et **Jean Cloutier** (gagnant).

M. ROBERT BOURASSA (PLQ)
Premier ministre du Québec du 12 mai 1970 au 15 novembre 1976
et du 12 décembre 1985 au mois de décembre 1993

M. CHARLES JOSEPH CLARK (CONS.)
Premier ministre du Canada
du 4 juin 1979 au 3 mars 1980.

M. MARCEL ROY (LIB.)
Député de Laval à Ottawa
du 25 juin 1968 au 17 septembre 1984.

167

M. CLAUDE CHARRON
Ministre du Cabinet Lévesque avec **Robert Guy**, du département de la composition au journal *La Presse*, et **M. Fernand Daoust**, président de la FTQ, nous ont entretenus sur l'enjeu du référendum.

Dr LUCIEN PAIEMENT
Le deuxième maire de Laval de novembre 1973 au 1er novembre 1981.

M. RENÉ LÉVESQUE (PQ)
Premier ministre du Québec du 15 novembre 1976 au 29 septembre 1985.

M. MICHEL LEDUC (PQ)
Député du comté de Fabre
du 13 avril 1981 au 12 décembre 1985.

Le "CRAN" de LUCIEN c'est être ÉCHEVIN

Un tour d'un collègue de travail, lors de l'élection municipale de 1981, lorsque j'ai été candidat, me présentant à la taverne là où je prenais le dîner avec des confrères de travail. Quelle ne fut pas ma surprise, à mon arrivée, de voir des napperons avec mon effigie sur toutes les tables.

L'ARMOIRIE DES CLOUTIER
Un souvenir datant de 1984, soulignant le 350e anniversaire de nos premiers ancêtres, ceux-là même qui ont foulé le sol québécois à Beauport (région de Québec).

L'Association des Cloutier d'Amérique a son propre fanion. Bravo! Son dévoilement a eu lieu le 1er mai 1994 lors de la tenue du brunch annuel de l'Association, au restaurant Le Dîner à Fabreville. Félicitations aux concepteurs de ce fanion.

M. CLAUDE ULYSSE LEFEVRE
Maire de Laval du 1er novembre 1981 au 5 juin 1989.

173

M. JOHN NAPIER TURNER (LIB.)
Premier ministre du Canada du 30 juin 1984 au 17 septembre 1984.

M. MARTIN BRIAN MULRONEY (CONS.)
Premier ministre du Canada du 17 septembre 1984 au mois de juin 1993.

M. GUY RICARD (PC)
Député de Laval-Ouest
depuis le 17 septembre 1984.

Photo de la maison paternelle,
prise lors d'une élection partielle au
niveau municipal à Laval en 1984.
De gauche à droite : **M. Robert
Plante** (candidat), **M. Lucien
Cloutier** ainsi que **M. Claude
Ulysse Lefevre**, maire de Laval.

M. VICTOR CHARTIER
Âgé de 89 ans, M. Chartier participait pour la première fois de sa vie à une course à la chefferie du Parti québécois, grâce au vote universel de chacun des membres en 1985.

Un plaisir de poser avec
M. Pierre-Marc Johnson
en 1985, lors de la course à la chefferie du Parti québécois.

M. PIERRE-MARC JOHNSON
devient chef du Parti québécois.
Premier ministre du Québec
du 3 octobre 1985 au 12 décembre 1985

M. JEAN JOLY (PLQ)
du 12 décembre 1985 au ...

M. GILLES VAILLANCOURT
Cinquième maire de Laval, du 8 juin 1989 à ce jour.

Photo souvenir de ma dernière rencontre avec le P.R.O. des Lavallois en 1991. De gauche à droite : **M. Marcel Brien, M. Robert Plan**te (échevin), **Lucien Cloutier, M. Gilles Vaillancourt** (maire de Laval) ainsi que **Marcel Presseau.**

M. JEAN-PAUL CLOUTIER
Élu député de l'Union nationale à l'Assemblé législative dans la circonscription
de Montmagny aux élections de 1962. Réélu en 1966. Élu à l'Assemblée
nationale en 1970. Ministre de la Santé et ministre de la Famille et du Bien-Être
social, dans les cabinets Johnson et Bertrand, du 16 juin 1966 au 12 mai 1970.
Défait dans la circonscription de Montmagny-L'Islet en 1973.

M. FRANÇOIS CLOUTIER
Élu député libéral à l'Assemblée nationale dans la circonscription d'Ahuntsic
aux élections de 1970. Réélu dans la circonscription de l'Acadie en 1973.
Ne s'est pas présenté en 1976. Dans le cabinet Bourassa, il fut titulaire
des ministères suivants: Affaires culturelles, du 12 mai 1970 au 2 février 1972
et du 21 février au 13 novembre 1973; Immigration, du 29 octobre 1970
au 15 février 1972; Éducation, du 2 février 1972 au 31 juillet 1975;
Affaires intergouvernementales, du 31 juillet 1975 au 12 octobre 1976.
Vice-président de l'Agence de coopération culturelle et technique en 1976.
Délégué général du Québec à Paris et conseiller spécial du
Conseil exécutif en 1976 et 1977.

Une rencontre mémorable avec **M. Brian Mulroney**,
premier ministre du Canada en 1990.

UN HOMME DES PLUS SYMPATHIQUES
Notre président et éditeur, **M. Roger D. Landry.**
Lorsque l'occasion se présente, celui-ci prend le temps de venir jaser quelque peu avec moi. Il aime à être bien informé si tout va bien, autant à l'extérieur qu'à l'intérieur des édifices du journal. De temps à autre, nous parlons également de politique, même si nous différons d'opinion à certaines occasions. Un grand respect mutuel existe entre nous deux. Nous avons même misé amicalement sur le résultat de certaines élections.

La retraite approche pour moi. Je ne garderai que des souvenirs inoubliables d'avoir pu travailler pour le plus grand quotidien français d'Amérique qu'est le journal *La Presse*.

Ici, je suis à préparer ma retraite. Je fabrique du compost, dans un très beau coin du Québec, le canton de Ripon, situé dans l'Outaouais.

Mme KIM CAMPBELL
Élue pour le Crédit social à la
législature de la Colombie-
Britannique en 1986, sous la
gouverne de l'ex-premier ministre
Bill Bennett. Élue sous la gouverne
du Parti conservateur de M.
Mulroney au scrutin fédéral de 1988
dans Vancouver Centre. Nommée
ministre d'État aux Affaires
indiennes en 1989. Ministre de la
Justice de 1990 à 1992. Ministre de
la Défense nationale et des anciens
combattants. Devient premier
ministre du Canada le 13 juin 1993
et ce, jusqu'au 25 octobre 1993.

M. JEAN CHRÉTIEN (PLC)
Premier ministre du Canada
depuis le 25 octobre 1993.

185

M. LUCIEN BOUCHARD
Élu chef du Bloc québécois
le 25 octobre 1993.

M. DANIEL JOHNSON (PLQ)
Premier ministre du Québec, élu le 15 décembre 1993.

M. MICHEL DUPUIS (PLC)
Député du comté Laval-Ouest, élu le 25 octobre 1993. Il occupe maintenant le poste de ministre du Patrimoine.

Suite de la page 144

Québec. Le présent référendum fait partie d'une démarche démocratique qui ne pourra se poursuivre qu'avec votre accord et celui de la majorité de la population exprimé lors d'un deuxième référendum. D'ici là, il n'y aura aucun changement quant au statut politique du Québec.

«En conséquence, accordez-vous au gouvernement du Québec le mandat de négocier l'entente proposée entre le Québec et le Canada?»

Personnellement, cette question était claire dans mon esprit. C'est sans réserve que j'ai appuyé le camp du OUI. Notre député d'alors, M. Jean-Noël Lavoie, nous avait lui aussi fait parvenir un document contestant le OUI au Parti québécois. Celui-ci s'intitulait *«Assemblée nationale du Québec, avril 1980».*

«Le projet du Parti québécois c'est de créer un nouveau pays indépendant, politiquement séparé du reste du Canada. Nous refusons de lui donner le mandat de réaliser cet objectif.

«C'est pourquoi le député de Laval, Jean-Noël Lavoie, répondra NON au référendum.

«Le Québec, c'est notre patrie. Le Canada c'est notre pays. Un système de mise en commun de la richesse très développé. Grâce à la péréquation, le Québec a reçu 11 milliards de dollars de plus qu'il n'a versé en impôts du fédéral entre 1972 et 1978, dont 3,6 milliards de dollars pour 1978 seulement. En outre, les avantages dont le Québec a bénéficié grâce aux richesses pétrolières de l'Alberta se chiffrent à près de 8 milliards de dollars pour la période de 1970 à 1979. NON aux hausses d'impôts. Trop de Québécois croient qu'en payant tous leurs impôts à Québec, ceux-ci diminueraient. C'est faux. Pour obtenir la même qualité de services qu'actuellement, il faudrait inévitablement payer des impôts plus élevés ou laisser le gouvernement nous endetter davantage, mais cela, le PQ ne le dit pas.

«Le fait français au Canada, qui autrefois s'épanouissait au Québec seulement, a fait des progrès considérables depuis l'adoption de la loi fédérale sur les langues en 1969 et il continuera d'en faire. Mon NON est Québécois.»

C'était l'opinion de M. Jean-Noël Lavoie. Il fallait la respecter. Mais ce qui était difficile à comprendre à ce moment est pourquoi le gouvernement fédéral ne nous a-t-il pas déposé de chiffres pour nous prouver la rentabilité du fédéralisme pour notre province. M. Trudeau, à ce moment premier ministre du Canada, aurait eu avantage à le faire plutôt que dire qu'un non voulait dire oui à la négociation.

Mais, bon nombre de Québécois sont demeurés perplexes. Si le fédéralisme est rentable, il n'a jamais été expliqué. Le gouvernement du Parti québécois avait pris une bonne initiative lorsqu'il a décidé que l'assemblée nationale tiendrait un débat télévisé de trente-cinq heures. C'était, selon moi, de bon augure tout au moins pour les gens qui auront la chance de le regarder.

Au journal *La Presse* où je travaille, une demande avait été faite par les syndicats à M. Roger Lemelin qui était à ce moment président et éditeur. On demandait la permission de recevoir le premier ministre du Québec, M. René Lévesque, ou un de ses ministres à l'intérieur des locaux du journal, question de bien nous renseigner sur l'enjeu du référendum. Malheureusement, cette permission nous fut refusée. Comme il n'y a rien de trop beau pour la classe ouvrière, certains officiers des syndicats vinrent me demander si je croyais possible la tenue d'une réunion dans la ruelle des Fortifications entre les deux édifices du journal. Si cette demande me fut adressée c'est que je suis reconnu comme étant un homme de cour car je travaille à la réception des marchandises et j'oeuvre pratiquement toujours à l'extérieur. J'obtins alors une permission du directeur des immeubles pour la tenue d'une assemblée sur l'heure du midi.

M. René Lévesque n'avait pu se déplacer lui-même car il avait un horaire des plus chargés. Par contre, il fit confirmer la présence de M. Claude Charron, alors ministre et député du comté de St-Jacques, qui avait accepté de venir le remplacer. La date retenue avait été le 13 mai 1980. Les préparatifs avaient été assez vite faits. M. Charron est arrivé accompagné de M. Fernand Daoust qui était à ce moment secrétaire de la FTQ et M. Robert Guy, du journal, qui agissait comme maître de cérémonie. Lorsque ceux-ci eurent pris place sur l'estrade d'honneur, je soulevai celle-ci de quelques pieds avec un chariot élévateur et le tour était joué. Cette assemblée fut bien réussie compte tenu du temps mis à notre disposition. Elle demeurera mémorable pour moi.

Plus le jour référendaire approchait et plus j'étais convaincu qu'un changement en profondeur s'imposait. Les gens bien renseignés savaient très bien que les gouvernements qui s'étaient succédés à Ottawa n'avaient jamais trop choyé le Québec. J'avais lu quelque part : «*Pour la démocratie des hommes sont morts! Le Québécois lui n'a qu'à voter. Rien de plus vrai*».

Prendre part à cette campagne référendaire ressemblait quelque peu à de la routine pour moi. J'étais d'ailleurs très familier avec le système de porte-à-porte. On me remit une liste d'un bureau de votation qui contenait à peine cent vingt-quatre noms. C'était certainement pour moi une liste des plus restreintes qui m'avait été remise, mais c'était satisfaisant, car je pourrais mieux roder cette liste. J'étais familier avec environ la moitié des noms apparaissant sur cette liste, mais comme j'étais dans mon entourage immédiat le travail s'accomplissait très bien. Il fallait cependant agir avec plus de discrétion qu'à l'accoutumée. À chaque demeure, quelques questions, quelques vérifications de noms, à savoir s'ils étaient conformes avec ma liste. La manière dont j'étais reçu à chacune de ces portes me portait à avoir une très bonne opinion sur la tendance du vote. Qu'est-ce que l'on ne pouvait pas entendre en faisant du porte-à-porte! Une dame me dit : «*Il ne faut pas que vous soyez peureux pour faire ce travail»*, *«Mais Madame, nous sommes en pays démocratique. De quoi aurais-je peur? Personne, que je sache, n'est forcé d'appuyer mon option?».*

Au cours de cette campagne référendaire, j'avais pris la chance de faire parvenir une invitation à M. René Lévesque afin de le recevoir à la maison paternelle si son temps le lui permettait. Je lui faisais miroiter le fait que nous étions une famille assez connue et que ce serait un honneur de le recevoir dans la maison paternelle qui renferme au-delà d'un demi-siècle de souvenirs. Je m'étais dit : *«Quelle que soit la réponse, je la respecterai».* Il fallait comprendre à quel point celui-ci était surchargé de travail. Même si le camp du OUI ne faisait pas l'unanimité dans ma famille, cela ne créait aucun problème. Lorsque je reçus une réponse du cabinet de M. Lévesque, je compris très bien que c'était le temps qui lui manquait. (Voir letttre page suivante.)

Dans l'intervalle, je continuais mon travail de porte-à-porte. Un monsieur m'a déclaré qu'il ne voulait rien savoir d'un référendum. C'était son droit exclusif de penser ainsi. Au jour du référendum, pour savoir si le pointage que j'avais fait était assez précis, j'ai agi comme représentant dans le bureau de votation auquel j'avais fait le pointage. C'était du bénévolat mais particulièrement intéressant. Le bureau qui comptait cent vingt-quatre voteurs donnait une participation fort élevée; le résultat final se situait comme suit : soixante pour l'option du OUI, cinquante-quatre pour celle du NON, un bulletin rejeté, ce qui voulait dire que seulement neuf personnes ne s'étaient pas prévalues de leur droit de vote. C'était une très bonne participation mais ce résultat me laissait présager la défaite car mon pointage pour le OUI m'avait donné une meilleure marque que celle qui fut enregistrée dans ce bureau. Au moment de retourner chez moi après le décompte final, les résultats qui nous parvenaient de la télévision donnaient déjà le comité du NON en avance, ce qui ne faisait que confirmer l'intuition que j'avais eue après le décompte.

Gouvernement du Québec
Cabinet du Premier ministre

Le 3 avril 1980

Monsieur Lucien Cloutier
3876, rue St-Maxime
Fabreville, Québec
H7P 1B9

Monsieur Cloutier,

Le Premier Ministre, M. René Lévesque,
a pris connaissance de votre lettre du 27 mars dernier pour laquelle
il m'a demandé de vous remercier vivement.

Le Premier Ministre est très sensible à
votre invitation à rencontrer les membres de votre famille. Malheureusement, compte tenu d'un emploi du temps très chargé pour les
mois qui viennent, il lui est impossible de répondre positivement à
votre demande. Soyez cependant assuré que si l'occasion lui est per-
mise, M. Lévesque se fera une joie de communiquer avec vous et de
vous rendre visite.

Je vous prie d'agréer, Monsieur Cloutier,
l'expression de mes sentiments les meilleurs.

Marie Huot
Chargée des relations publiques

Réf. 2920 10 02

Le résultat final avait donné la victoire au comité du
non. Mais certains politiciens avaient laissé entendre qu'un
non voulait dire oui à la négociation et que certains membres
du gouvernement fédéral étaient même prêts à mettre leur
tête sur le billot. Ce 20 mai 1980 demeurera mémorable. Il
aura donné la frousse à plus d'un fédéraliste inconditionnel. Il
aura aussi déçu beaucoup de gens, mais comme le

référendum a été tenu dans les règles les plus démocratiques, il fallait se rendre à l'évidence et attendre la livraison de la marchandise promise comme l'a déclaré M. René Lévesque au soir du résultat.

LA RÉÉLECTION DU PQ EN 1981

Le Parti québécois avait été élu en 1976 en promettant qu'il serait un bon gouvernement et qu'il respecterait les règles de la démocratie. Qui pourrait affirmer que ces règles n'ont pas été respectées? Personne. Comme le premier terme du Parti québécois s'achevait et que celui-ci avait perdu le vote du référendum promis, les libéraux, alors dirigés par M. Claude Ryan, réclamaient des élections à grands cris tout en laissant entendre qu'ils avaient le vent dans les voiles suite au résultat référendaire de mai 1980. Mais le vent en leur faveur ne semblait pas aussi agité qu'ils le croyaient.

Au moment où M. René Lévesque a fait appel au peuple pour le 13 avril 1981, la question qui se posait était à savoir si le peuple du Québec était prêt à confier un deuxième mandat à ce gouvernement qui venait de perdre son référendum. Les plaies que le jour référendaire avait pu ouvrir semblaient s'être cicatrisées. Comme il fallait vivre avec le présent et non le passé, il fallait retrousser nos manches et relever le défi pour faire réélire le PQ qui avait fait ses marques dans un premier mandat. Ce parti méritait d'emblée un deuxième mandat. Il avait fait beaucoup depuis 1976 mais il restait beaucoup à faire.

Dans le comté où je demeure, il y avait eu un nouveau découpage effectué après les élections de 1976. Après en avoir pris connaissance, on pouvait espérer le succès tant attendu depuis belle lurette. Ce que l'on pouvait espérer de ce nouveau découpage est qu'en 1976, notre comté portait le nom de Laval mais en 1981 il était devenu le comté de Fabre. Cependant, la partie qui nous donnait le plus de fil à tordre, soit Chomedey, ne faisait pas partie du nouveau comté de Fabre. À partir de ce moment, le travail s'effectuait beaucoup mieux. La partie de Chomedey, qui fut amputée de Laval, est demeurée avec le nom du comté de Chomedey. Dans notre nouvelle découpure du comté de Fabre, ce fut M. Michel Leduc qui fut choisi candidat du Parti québécois. Suite à cette convention, le conseil du PQ de notre comté était à la recherche d'un comité pour accomplir le travail le plus adéquatement possible. Je m'étais fait un plaisir d'offrir mon sous-sol gratuitement pour la circonstance. Cette offre fut acceptée et j'en étais heureux.

Après un travail des plus soutenus nous avons connu la victoire dans ce comté. Si je ne m'abuse, le Parti québécois récoltait quatre-vingts sièges alors que le Parti libéral en récoltait quarante-deux. Personnellement, je n'avais jamais été trop gâté à ce niveau car j'en étais à ma première victoire en sept élections (21 ans). Je dois avouer que cette performance dans mon comté ne représentait pas une moyenne trop forte pour mes propres statistiques. Au soir de cette victoire, c'était l'euphorie parmi la foule dans la salle. Pour ceux qui avaient prétendu que le PQ avait pris le pouvoir par accident en 1976, ils ont dû en prendre pour leur rhume. Si les gens ont eu peur au jour du référendum en 1980, ils n'étaient plus apeurés en 1981. J'étais emballé.

UN DÉFI PALPITANT

Je faisais de la sollicitation de porte en porte pour les autres depuis trente ans, à tous les niveaux électoraux. Au soir de la réélection du Parti québécois, le 13 avril 1981, alors que nous étions réunis pour marquer la victoire, une dame s'est approchée de moi pour m'offrir une carte de membre d'une nouvelle formation politique à Laval qui avait vu le jour sous le nom de CRAN (Citoyens regroupés pour une action nouvelle). Selon les informations que celle-ci m'avait transmises, il n'y avait aucun doute que ce parti se voulait l'un des plus démocratiques que Laval n'ait jamais connus. Mais comme je terminais ce même soir la campagne électorale avec le Parti québécois et que celle-ci avait été des plus difficiles et avait demandé beaucoup de déplacements, je demandai à cette dame de me permettre quelques jours de repos et de réflexion. Mais plus j'y pensais et plus j'avais le goût de m'impliquer.

Une idée folle de me porter candidat m'était venue à l'esprit. Personnellement, je n'étais pas des plus satisfaits de la manière dont notre ville était administrée par l'équipe Paiement. Là où je désapprouvais le plus l'administration Paiement, c'est au moment où elle voulut faire l'acquisition de la carrière Lagacé. Je me posais la question à savoir combien il faudrait que la ville investisse d'argent avant d'en voir la rentabilité. S'il n'y avait plus eu de terrains vacants à Laval, cela aurait été une toute autre histoire, mais tel n'était pas le cas. C'est bien beau le carré Laval, mais il y avait beaucoup d'autres priorités pour moi. Qui plus est, un jour l'ex-maire Paiement, alors qu'il était encore au pouvoir, avait déclaré que ceux qui n'étaient pas satisfaits de son administration pouvaient se présenter aux élections. C'était la voie la plus démocratique. Sur ce, il fallait lui donner raison. Personnellement, je me disais que je devais tenter ma chance; si je ne connaissais pas le succès, j'aurais acquis une nouvelle expérience qui me permettrait de réaliser un des plus beaux rêves de ma vie.

Qui un jour n'a pas pensé que l'on ne pourrait être mieux servi que par soi-même? Ce qui m'emballait au plus haut point, c'est qu'un nouveau découpage de districts serait mis en vigueur pour ces élections qui approchaient. Celles-ci devaient avoir lieu le 1er novembre 1981. Ce nouveau découpage se voulait une nette amélioration sur celui qui existait auparavant, il divisait notre district en trois quartiers distincts. À ce moment, c'était beaucoup plus attrayant pour ceux qui voulaient tenter leur chance.

Quelques jours après avoir été sollicité par cette dame, je suis entré en communication avec l'information de l'hôtel de ville de Laval. Je voulais avoir des renseignements sur ces nouvelles lois électorales et sur les nouveaux découpages de districts. On me laissa entendre que pour être bien renseigné je ferais mieux de me référer au Complexe Desjardins à Montréal. Là je pourrais me procurer un livre qui me donnerait tous les renseignements désirés. Je m'y suis effectivement rendu et j'ai pu acquérir ce livre qui s'intitulait: *Loi sur les élections dans certaines municipalités*. Il datait de septembre 1980. En prenant connaissance de celui-ci, j'ai constaté que mon déplacement en valait le coup. Par la suite, je me suis permis d'aller consulter quelques bons vieux routiers de la politique que j'avais côtoyés dans les années 1950-1960, afin de savoir comment ils verraient ma candidature comme échevin.

Entre autres, M. Marcel Bolduc me conseillait fortement de ne pas me présenter comme candidat indépendant. C'était ma première intention mais j'étais hésitant face à son conseil. Cela aurait certainement été le plus court chemin et peut-être le moins dispendieux, mais hélas! Dans l'intervalle, j'avais aussi entendu parler d'une autre formation politique à Laval connue sous le nom du P.R.O. des Lavallois. Je connaissais un type qui était voisin de l'un des dirigeants de cette nouvelle formation. Je lui ai demandé s'il voulait bien me rendre le service de s'enquérir auprès de son voisin des normes requises pour être candidat de cette formation. Il a donc pris mon nom, mon adresse et mon numéro de téléphone en me promettant de remettre le tout à son voisin en mains propres. De plus, il lui demanderait d'entrer en communication avec moi le plus tôt possible. J'ai attendu environ deux semaines mais les nouvelles ne sont jamais venues.

195

Je reçois un appel téléphonique d'un M. Robert Valade. Quelqu'un lui avait refilé mon nom et mon numéro de téléphone. Cet homme était à ce moment vice-président du parti du CRAN, le même parti dont la dame m'avait entretenu auparavant. Il désirait venir discuter avec moi. J'ai accepté de le recevoir. Lorsqu'il est arrivé chez moi, il m'a d'abord déclaré que le CRAN avait été fondé le 29 novembre 1980, qu'il était composé d'un comité d'au moins cinq membres, que pour devenir membre de cette formation il fallait débourser 3,00 dollars et que chaque district électoral devait aussi former un comité identique de cinq membres. Il ajouta que pour poser sa candidature il fallait subir une convention. Ces renseignements correspondaient à ceux que la dame m'avait donnés.

Ces objectifs rencontraient très bien mes vues. Cependant, avant que M. Valade ne se présente chez moi, j'avais eu vent que le CRAN et le P.R.O. avaient eu une rencontre pour discuter de la possibilité de se fusionner pour ne former qu'une seule opposition contre l'équipe Paiement. Je lui ai demandé si ces faits étaient véridiques. Il m'a répondu dans l'affirmative. «*Alors pourquoi cette fusion ne s'est-elle pas réalisée? Cela aurait été beaucoup plus efficace.*» lui ai-je déclaré. Il m'a tout simplement répondu qu'il y en avait qui cherchait à tirer sur les couvertures et qui plus est, que certains dirigeants du P.R.O. n'admettaient tout simplement pas le choix de candidats par la tenue de convention, que cet exercice ne donne pas toujours les meilleurs candidats. C'est un point de vue mais il est inadmissible pour moi car j'ai toujours été un ardent partisan de la démocratie. À ce moment, je considérais que le CRAN avait bien agi en refusant de s'affilier avec le P.R.O. Après trois heures de discussion avec celui-ci, je pris la décision d'adhérer au CRAN.

M. Valade m'a alors convié à une réunion qui se tenait deux jours plus tard pour me présenter M. Bernard Roy qui était président du parti. Le soir venu, je me suis présenté à cette réunion après que M. Roy m'ait été présenté, je me suis empressé de lui demander comment il voyait la classe ouvrière dans le parti. Il me répondit qu'il y avait place pour toutes les classes dans le CRAN et que ce n'était pas le comité central qui désignait les candidats mais bien les membres de chaque district. Il n'en fallait pas plus pour me convaincre. J'étais certain d'avoir pris la bonne décision. Je suis retourné chez moi et je me suis engagé à fond. Nous étions, à ce moment, à six mois des élections. J'ai alors débuté le travail qui s'imposait.

Dans un premier temps, il fallait faire de la sollicitation de porte en porte pour faire adhérer le plus grand nombre possible de citoyens pour pouvoir espérer une bonne représentation au sein du parti dans mon district. Le travail s'accomplissait bien, mais il demandait beaucoup d'heures de travail et de déplacement. Quelques jours après avoir adhéré au CRAN, j'ai revu le type auquel j'avais demandé de me mettre en communication avec un des dirigeants du P.R.O. des Lavallois. Cette fois, je lui ai demandé de me rendre service à nouveau et de dire à son voisin de laisser tomber pour le P.R.O., car j'avais adhéré au CRAN. Il me fit la promesse de livrer mon message. Au moment de mon adhésion au parti du CRAN, cette formation ne comptait qu'une vingtaine de membres dans mon district, mais, ironie du sort, je n'en connaissais aucun.

Ce parti politique avait une méthode de financement des plus strictes, d'après la constitution :

«*TITRE IX - LA GESTION FINANCIÈRE*

«*64. Seul un électeur de la ville de Laval peut verser une contribution au parti, laquelle ne peut dépasser au cours d'une même année civile, la somme de cinq cents dollars (500 $). Cette contribution doit être versée par l'électeur lui-même et à même ses propres biens. Cet* *article est automatiquement amendé par un amendement à l'article correspondant de la Loi sur les élections dans certaines municipalités.*

«65. Toute contribution en argent de cent dollars (100 $) ou plus doit être faite au moyen d'un chèque ou autre ordre de paiement signé par l'électeur et tiré sur une banque à charte ou une caisse d'épargne et de crédit où l'électeur a un compte ouvert à son propre nom. Cet article est automatiquement amendé par un amendement à l'article correspondant de la Loi sur les élections dans certaines municipalités.

«66. L'agent officiel du parti, les délégués de l'agent officiel et les personnes désignées par écrit par l'agent officiel ou par les délégués ne peuvent accepter des contributions qui comportent des engagements à l'encontre du programme du parti ou qui comportent des engagements visant à favoriser des modifications au programme.

«67. Le Conseil général décide de la répartition entre les instances du parti des cotisations annuelles et des contributions perçues.»

C'était une méthode de financement des plus démocratiques. Je m'étais fait donner une autorisation écrite par notre agent officiel, M. Gilles Boucher, pour amasser des fonds. Je ne connaissais pas ce travail. J'ai pu constater qu'il n'était pas des plus faciles. J'avais réussi à recueillir quelques centaines de dollars mais aucun don n'avait dépassé les cinquante dollars (50 $). La vente de cartes de membres aidait aussi à défrayer les dépenses de l'élection en cours.

J'avais même organisé un «blitz» dans mon district pour vendre le plus de cartes de membre possible. Ce fut assez bien réussi. Si l'on se fiait à ce que l'on pouvait lire dans les journaux concernant notre formation politique, le CRAN, les articles parus avaient tendance à nous démoraliser quelque peu. En voici un :

(Éditorial de Jean Séguin, *Courrier Laval*, le 3 juin 1981)

«AVEC LA FAIBLESSE IDÉOLOGIQUE DU CRAN:

*L'ÉQUIPE PAIEMENT ET LE P.R.O. POURRAIENT SE
PARTAGER LE PROCHAIN SCRUTIN!*

*«La semaine dernière, le P.R.O. des Lavallois (le Parti
du ralliement officiel des Lavallois) présentait à la
population et à la presse son nouveau chef, Me Claude
Lefebvre, lequel devait dévoiler ou enfin tracer les
grandes lignes de ce que sera le programme électoral
du P.R.O.*

*«Dans son allocution, le nouveau chef du P.R.O. a
souligné que trois points fondamentaux retenaient
l'attention de sa formation politique; c'est-à-dire
proposer à la population de Laval une «ville qui soit : à
la mesure de nos aspirations, à la mesure de nos
besoins, à la mesure de notre capacité de payer.*

*«Plus loin, il précisait davantage le contenu du
programme du P.R.O. en ce qui a trait au
développement économique de Laval, au transport en
commun, au développement urbain et à la vocation
champêtre de Laval.*

*«Il s'agissait d'un discours bien élaboré et d'une
certaine profondeur qui contrastait nettement avec ce à
quoi les différents partis d'opposition nous ont habitués
depuis quelques années.*

*«À la lumière de ces faits, on peut donc dire qu'à cinq
mois des élections municipales, le P.R.O. des Lavallois
semble avoir pris une avance assez nette sur l'autre
parti d'opposition, le CRAN (Citoyens regroupés pour
une action nouvelle) qui n'a pas réussi jusqu'à
maintenant (pour ce qu'on en sait) à élaborer les lignes
directrices d'un programme électoral et d'actions
cohérent.*

«En effet, depuis quelques mois, le CRAN s'est surtout attardé à dénoncer tout ce qui bougeait à l'extérieur de cette formation (le Carré Laval, L'équipe Paiement et le budget municipal, les journalistes, etc.) alors qu'aucune mesure positive n'a été proposée concernant le développement de Laval. On semblait davantage se nourrir d'un certain négativisme et d'un fatalisme certain qui tous deux nous font revivre, par similitude, les beaux jours de la défunte A.D.L.

«Du côté du P.R.O., on semble avoir fonctionné avec beaucoup plus de sérieux en définissant des grandes orientations, en développant un militantisme, en organisant une campagne de financement et en s'équipant de firmes de sondages et de marketing.»

«Par ce fait même, il ne serait donc pas surprenant que lors des prochaines élections municipales, les Lavallois puissent assister à une lutte à deux partis, le CRAN semblant se disqualifier lui-même.»

Le comité central du parti avait choisi la date du 13 juin 1981 pour tenir une journée d'orientation pour préparer les bases de notre programme politique. La fin de cette journée avait aussi confirmé M. Bernard Roy comme candidat à la mairie. Il fut choisi à l'unanimité.

Cette journée s'est terminée par un magnifique souper servi par les candidats, suivi d'une soirée dansante. Cette journée nous avait permis d'établir les grandes lignes d'un programme qui se comparait avantageusement à celui de nos adversaires.

Les thèmes principaux étaient : l'amélioration des parcs, un meilleur entretien des rues, le gel des taxes foncières pour les années 1982-1983, le développement de la vie de quartier, un réseau de pistes cyclables, un métro à Laval.

Suite à cette journée d'orientation, la campagne électorale s'est mise en marche même si les candidats des districts n'étaient pas encore passés à l'investiture. Celle-ci a débuté le 10 août 1981 pour se terminer le 16 septembre 1981.

L'investiture dans mon district était prévue pour le 31 août 1981. La vente des cartes de membre allait assez bien, car au niveau municipal, la plupart des gens qui adhèrent à une formation politique le font plus pour vous que pour un parti politique. Mais tout au moins dans le CRAN, il y avait une chose de positive. Les gens qui y adhèrent peuvent au moins choisir le candidat de leur choix et pour celui qui comme moi désirait la candidature, je n'avais à me mettre à genoux devant personne. C'était beaucoup et je ne pouvais en dire autant pour certaines autres formations à ce niveau. Il y avait quand même quelque chose qui me fatiguait durant cette campagne. Le travail s'accomplissait mal à un certain moment parce que l'on entendait parler de fusion entre le P.R.O. et le CRAN. À peine quelques jours après avoir adhéré au CRAN, M. Bernard Roy a dû faire une mise au point le 30 avril 1981.

PAS QUESTION DE FUSION ENTRE LE CRAN ET LE P.R.O.

(Article de Jean-Paul Charbonneau, *La Presse*, le jeudi 20 août 1981)

«Par respect pour les citoyens lavallois et les membres de son parti et conformément à une résolution en ce sens prise l'automne dernier, le président du CRAN de Laval (Citoyens regroupés pour une action nouvelle) M. Bernard Roy a déclaré aujourd'hui qu'il n'est nullement question d'une quelconque fusion entre le CRAN et le P.R.O., cette autre formation politique d'opposition qui constitue en quelque sorte une résurrection d'anciens échevins P.R.O.-Paiement. Cette déclaration fait suite à une réunion régulière des membres de la commission politique et du conseil du CRAN tenue hier soir et vient donc confirmer une

201

nouvelle publiée aujourd'hui par le quotidien La Presse et selon laquelle une fusion pourrait se faire jour éventuellement entre le CRAN et l'autre formation politique lavalloise».

LAVAL : LE P.R.O. ET LE CRAN DISCUTENT FUSION

«Les exécutifs du Parti du ralliement officiel des Lavallois et des Citoyens regroupés pour une action nouvelle - deux mouvements d'opposition à l'administration actuelle de Laval - poursuivent leurs pourparlers dans le but d'en arriver à une fusion en prévision des élections du 1er novembre.

«C'est ce qu'a déclaré hier le candidat à la mairie du P.R.O., Claude Lefebvre. "S'il y a une fusion, dit-il, elle devra se faire au plus tard au début de septembre. Car il faut penser à la publicité, principalement à celle que nous faisons présentement sur les panneaux-réclames."

«Joint au téléphone, le président du CRAN et candidat à la mairie, Bernard Roy, a affirmé qu'aucun mandat n'avait été donné à l'exécutif pour discuter de fusion. "Aucune entente n'est possible. Il n'est pas dit qu'en hommes pratiques on ne tentera pas autre chose. On laisse la porte ouverte aux membres du P.R.O. qui voudront joindre les rangs du CRAN", affirme M. Roy.

«Lors de l'entrevue, M. Lefebvre a mentionné qu'advenant une fusion du P.R.O. et du CRAN, il n'était pas assuré qu'il soit le candidat à la mairie.

«À Laval, plusieurs observateurs de la politique municipale sont d'avis que pour connaître du succès aux élections, les deux partis d'opposition devraient faire front commun.

CAMPAGNE DE FINANCEMENT

«Le P.R.O. a lancé hier sa campagne de financement et il tentera d'amasser 50 000 dollars d'ici à la fin de

septembre. Elle se fera à la grandeur des vingt-quatre districts électoraux de Laval avec l'aide de centaines de personnes bénévoles.

«Cette campagne, affirme le P.R.O., se fera dans le respect de la loi concernant les élections dans certaines municipalités.

«Lors du lancement, M. Lefebvre a déclaré que "pour avoir une administration municipale démocratique, il faut la mériter et pour la mériter, il faut y travailler. Les citoyens de Laval ne doivent pas être représentés par des conseillers municipaux qui n'ont pas le courage de parler et de défendre leurs droits. La campagne de financement permettra aux citoyens qui ne militent pas au sein du P.R.O. de participer à la démocratisation de la vie municipale à Laval".»

Ces rumeurs tapaient sur les nerfs. Je savais que j'avais un très long chemin à parcourir, mais le jeu en valait la chandelle. Il faut même se dire que plusieurs sont appelés mais peu son élus. Alors il fallait continuer la campagne comme si de rien n'était. Arrivé à la date d'investiture dans mon district, soit le 31 août, nous dépassions quelque peu les deux cents membres en règle dans mon district. Environ une centaine se sont déplacés pour assister à l'investiture. Étant donné qu'aucun de ces membres n'avait postulé contre moi pour avoir l'investiture et selon certains membres du comité central qui était sur place, c'était une très bonne assistance si l'on considère que j'avais franchi cette rampe sans aucune opposition. C'était pour moi une très bonne étape de franchie. J'avais hâte de connaître mes adversaires. Au moment où j'ai appris l'identité de mes adversaires, soit M. Gérald Jodoin pour l'équipe Paiement et M. Guy Ricard pour le P.R.O. des Lavallois, je constatai que je ne connaissais ni l'un ni l'autre de ces candidats. Tout ce que je souhaitais c'est que la campagne électorale se déroule proprement.

Suite aux rumeurs qui avaient circulé concernant la possibilité de fusion entre le CRAN et le P.R.O., certains candidats de notre formation avaient demandé des explications à M. Bernard Roy lors d'une rencontre que nous tenions entre les candidats à chaque semaine. Je ne sais de quel parti émanait la proposition, du CRAN ou du P.R.O. mais selon les informations que l'on nous a transmises, certains candidats du CRAN à l'est de la ville se seraient désistés au profit de certains candidats du P.R.O., alors qu'à l'ouest de la ville l'inverse se serait produit; ce serait des candidats du P.R.O. qui se seraient retirés en faveur de certains candidats du CRAN. C'était à toute fin pratique impensable.

Il se dépensait beaucoup trop d'énergie de part et d'autre pour en arriver à un tel compromis. Même si je demeure à l'ouest, j'étais complètement opposé à cette mesure. Il en était de même pour chacun des candidats. Qui d'entre les candidats aurait eu à se désister après trois ou quatre mois de travail pour obtenir l'investiture de notre parti? Non. Il valait mieux rester unis, quitte à subir une défaite honorable.

Un des problèmes que nous vivions était que l'argent n'entrait pas dans la caisse électorale. Il n'y avait pas seulement cela qui entrait en ligne de compte, mais pour mener une campagne convenable, il en fallait. C'était un financement des plus démocratiques. Je ne voulais pas dévier de la ligne de conduite du parti. Au départ, il y avait une prise de photos pour chacun des candidats. Chacun de nous dut en défrayer le coût. C'était minime avec ce que la suite nous réservait. On nous proposait des panneaux-réclames pour chacun des districts. Il nous fallait aussi en défrayer le coût ce qui était acceptable même si chaque candidat devait en faire l'installation. Personnellement, j'en avais commandé quatre. Il y a toujours un mais, alors le thème premier qui devait apparaître sur ces panneaux-réclames devait s'intituler : «Le développement de la vie de quartier». C'était réaliste mais au moment même où ces panneaux-réclames étaient prêts à nous être livrés, je reçus une communication à l'effet que la livraison serait retardée de quelques jours. Une décision émanant du comité central du CRAN nous informait que le thème principal serait changé pour parler de la venue possible du métro à Laval et de pistes cyclables.

Cette décision était loin de plaire aux candidats. Si quelques-uns avaient été avertis au préalable, ce n'était pas mon cas. Le fait d'en défrayer le coût aurait dû permettre aux candidats de choisir les thèmes qui devaient apparaître sur ceux-ci. Cela reflétait le gros bon sens. Personnellement, j'ai toujours été favorable à la venue du métro à Laval mais pas à n'importe quel prix. Selon l'équipe de bénévoles qui travaillait à mon élection, un gros changement d'attitude de la part des gens s'était fait remarquer même si nous leur expliquions qu'il y aurait une étude sur les coûts et qu'elle serait suivie d'un référendum avant de prendre quelque décision que ce soit.

Nos adversaires s'en donnaient à coeur joie en répandant des chiffres à tort et à travers. Donc, ce fameux thème était comme un boulet attaché à nos pieds.

Il y a des gens bizarres. C'est en faisant le porte-à-porte qu'on peut le constater. À un certain moment, j'ai frappé à une porte. Je portais un écusson du CRAN sur mon veston. Un monsieur m'ouvre la porte et me déclare tout de suite en voyant mon écusson : «*Oh! vous faites partie de l'équipe qui prône la venue du métro à Laval. Je n'en veux pas. J'ai mon automobile à la porte.*». Il m'a refermé la porte au nez sans que j'aie pu placer un mot. Un autre me déclare : «*Ne trouvez-vous pas que les taxes sont déjà assez élevées à Laval sans parler de la venue du métro?*».

Pour tout dire, ces opinions ne m'empêchaient pas de dormir même si elles ne rapportaient pas beaucoup de votes. Par chance qu'il n'en était pas de même à chaque porte.

À un certain moment de la campagne électorale en cours, j'apprends que quelqu'un s'apprête à dénoncer notre parti comme en étant un à la remorque de l'une des deux formations en place. Je n'en voulais rien croire mais quelqu'un dans le comité central du CRAN semblait très soucieux de cette possibilité. Cette dénonciation n'a jamais eu lieu. M'étant présenté un soir à une réunion alors que j'avais omis de porter un veston, je fus pris à partie de ne plus me représenter dans une réunion sans le port d'un veston. Le sang me bouillait dans les veines. Je me demandais bien dans quel bateau je m'étais embarqué mais comme celui-ci était loin de la rive, il n'était pas question de reculer.

La grosse surprise est qu'il a fallu faire un emprunt à la caisse Laval Centre sise au 1599, boulevard Saint-Martin, Laval. «*Le Parti des citoyens regroupés pour une action nouvelle (CRAN de Laval) en vue d'un emprunt qu'il contracte aux fins d'une campagne électorale en conformité avec l'article 61 de la Loi sur les élections dans certaines municipalités (chapitre 63, 1978). Attendu que le Parti des citoyens regroupés pour une action nouvelle (CRAN de Laval) requiert des fonds pour financer une campagne électorale au cours de l'automne 1981, jusqu'au 1er novembre 1981.*»

Possiblement que nous n'étions pas le premier parti à agir de la sorte mais personnellement, je n'avais été initié à une telle éventualité. Il fallut que je me rende à l'évidence étant donné que la loi nous permettait des cautions de seulement cinq cents dollars (500 $) par personne. Je dus faire appel à des proches dans ma parenté pour quelques cautions. Je tenais à me rendre au bout de cette aventure peu importe le prix. Le jour de la mise en nomination, il y avait salle comble à l'hôtel de ville. L'ambiance était bonne mais quelque peu lourde pour le CRAN, ce parti pour lequel je militais. Notre parti avait dû laisser le district 14 vacant, faute de candidat. C'était difficilement acceptable pour un parti qui avait presque un an d'existence. C'est la direction du parti qui avait manqué car chacun des candidats en avait plein les bras dans son district respectif. Un fait comique se produisit dans la salle: à un certain moment, un cri se fit entendre. Quelqu'un lança : «*Le Carré Laval sera la fosse septique de l'équipe Paiement*».

Après la clôture des mises en nomination, il ne nous restait qu'à retourner dans nos districts respectifs pour entreprendre le *sprint* final de cette campagne électorale. Nous étions à deux semaines du scrutin. Nous avions préparé et présenté une liste de noms au président du scrutin soit comme sous-officier rapporteur ou comme greffier. Cependant, aucun des noms ne fut retenu. À partir du moment où la confirmation parvint au comité central du CRAN, il a fallu communiquer avec des gens que nous avions appointés pour leur dire que la chance ne nous avait pas favorisés sur ce point et que malheureusement aucun nom n'avait été retenu. À partir de ce moment, il a fallu leur dire que le seul travail disponible était celui de représentant mais que contrairement à la demande initiale, ce travail n'était pas rémunéré. Notre parti n'en avait pas les moyens. Ce travail était certainement beaucoup moins invitant. Je suis bien placé pour en parler pour l'avoir accompli à plus d'une occasion. Certains ont décliné l'offre. Je respectais ce choix. S'asseoir une dizaine d'heures autour d'une table pour une journée entière ce n'est pas une sinécure.

Arrivé à la toute veille du scrutin, je prends connaissance d'un document publié par le Parti du ralliement officiel (P.R.O.) des Lavallois (Volume 16) :

«*Un vote pour le CRAN c'est un vote pour Paiement!*»

C'était écrit en gros caractères. J'étais quelque peu froissé car selon moi ce document pouvait porter à confusion pour certains citoyens qui devaient se rendre à un bureau de votation le lendemain. Ce qui m'était difficile à comprendre c'est pourquoi le P.R.O. a-t-il attendu à la toute veille du scrutin pour livrer ce document?

À neuf jours du scrutin, la proportion d'indécis était très élevée et il était clair que ceux qui voteraient pour le CRAN voteraient indirectement pour Paiement. Il fallait se rendre à l'évidence. Ce montage avait été bien orchestré mais que pouvions-nous y faire? À la fin de la soirée, je fais une tournée à savoir si les photos publicitaires que nous avions installées étaient toujours en place. Je constate qu'une grosse partie avait été détruite. Par surcroît, ma publicité avait aussi été détruite sur un panneau-réclame aux abords de l'église de ma paroisse pour y être remplacée par de la publicité du P.R.O. des Lavallois. J'avais peine à croire à de tels procédés. Qu'est-ce que ce jeu peut bien apporter en bout de ligne à ceux qui s'y adonnent. Pour le jour du scrutin, j'avais quand même réussi à faire couvrir un peu plus de la moitié des bureaux de scrutin par des gens bénévoles à titre de représentants. En faisant la tournée de ces bureaux, je trouvais que le vote se déplaçait lentement. Selon moi, ce n'était pas de bon augure car, d'après mon expérience passée, lorsqu'un changement d'administration se prépare, la participation est plus élevée. Au moment de mon investiture, j'avais demandé aux gens une participation forte, que ce soit pour ou contre moi. Environ une heure avant la fermeture des bureaux de scrutin, je me suis rendu une dernière fois à l'école où j'avais exercé mon droit de vote le matin. C'était mon entourage immédiat. Je fais le tour de chacun des bureaux en place et selon les informations que l'on me communique, la participation n'atteint pas 50 %. J'étais très déçu. Face à cette réalité, je me suis douté que je connaîtrais la défaite. Que pouvais-je espérer de mieux si plus de la moitié des gens de mon entourage immédiat ne se prévalaient pas de leur droit de vote?

Effectivement, mon intuition ne m'avait pas trompé. L'équipe complète du CRAN subissait la défaite.

Selon la Loi électorale sur les élections dans certaines municipalités, le trésorier rembourse, à même le fond général de la municipalité, un montant égal à 50 % des dépenses électorales encourues et acquittées conformément à la présente section, à l'agent officiel d'un candidat indépendant qui a été élu ou a obtenu au moins 20 % des votes donnés lors de l'élection à la charge de maire ou de conseiller, selon le cas. Le candidat à la mairie, M. Bernard Roy, se voyait privé de son droit à un remboursement par peu. En effet, celui-ci obtint 19,89 % pour les candidats à l'échevinage, onze candidats du CRAN ayant obtenu au-delà de 20 % des votes exprimés avaient droit à un remboursement de 50 % des dépenses personnelles. J'avais une petite consolation dans la défaite; seulement deux candidats du CRAN se classaient avant moi en pourcentage de vote. M. Réal Jobin, du district Laval-sur-le-Lac, se classait premier au vote populaire avec 33,14 %, M. Gilles Rioux, du district Renaud, se classait en deuxième rang avec 30,41 %. Moi, je me classais au troisième rang avec 30,20 %. Pour le candidat à la mairie, il est bien évident que le facteur premier du manque de quelques centaines de votes pour atteindre 20 %, pour un remboursement de 50 % des dépenses, est directement attribuable au district laissé vacant.

N'eut été de la centralisation de la campagne électorale sur la venue du métro à Laval, il y avait pour le CRAN une possibilité de faire élire peut-être trois ou quatre candidats. Cela aurait été suffisant pour détenir la balance du pouvoir. Tout d'abord à l'ouest, dans le district Laval-sur-le-Lac, là où le train passe chaque jour pour faire la navette vers le centre-ville de Montréal, M. Réal Jobin, qui n'a été défait que par seulement cent trente-trois voix, aurait connu la victoire, n'eut été que les gens de ce district ont eu peur de la venue possible du métro parce qu'ils sont à proximité de ce train.

Dans mon district, un peu le même phénomène s'était produit. J'étais classé troisième avec une marge de cent soixante-dix-huit voix par rapport au gagnant, sauf les abstentions dans mon entourage, un facteur qui a aussi joué contre moi. Au moins deux des personnes qui m'avaient déconseillé de me présenter comme candidat indépendant se sont liées contre moi. Une de ces personnes était l'organisateur en chef de M. Gérald Jodoin pour l'équipe Paiement. Celui-ci est un type assez influent mais son candidat a dû s'avouer vaincu avec trente-trois voix qui le séparaient du gagnant.

En politique, il faut respecter les choix de chacun. C'est la démocratie qui le veut ainsi, même si parfois cela fait mal. Il faut aussi donner crédit au P.R.O. des Lavallois qui a mené une campagne beaucoup plus sérieuse et intensive que la nôtre. D'après un sondage de Sorécom, 65 % des Lavallois appuyaient le Parti du ralliement officiel des Lavallois quant au développement de la vie de quartier. Le transport en commun se situait à 25,4 % d'insatisfaction. C'est donc dire que si notre parti avait gardé le thème initial de la vie de quartier le résultat aurait peut-être été différent.

Quelques autres de nos candidats avaient subi la défaite par des marges d'environ trois cents votes; ce n'est pas beaucoup considérant l'erreur d'avoir changé les thèmes. (Les résultats en chiffres de ces élections ont été tirés du *Contact Laval* du mercredi 4 novembre 1981.)

Je trouvais que les dirigeants centraux du CRAN étaient quelque peu gourmands. En effet, M. Gilles Boucher, qui agissait comme agent officiel du CRAN, est arrivé chez moi pour me demander si je consentirais à verser le remboursement de mes dépenses personnelles, auxquelles j'avais droit (50 % du montant dépensé), au parti du CRAN. J'ai accepté. Ces dépenses se chiffraient à 894,09 dollars, ce qui donnait droit à un remboursement de la moitié de cette somme. Ce n'était pas un montant exorbitant mais tout de même j'espère que chaque candidat qui avait droit à un remboursement en a fait autant. Je n'ai pu vérifier mais c'était la moindre des choses. Malgré certaines erreurs de parcours qui ont pu survenir au cours de la campagne électorale, je voulais demeurer solidaire avec le parti jusqu'à ce que celui-ci ait payé ses dettes. Je dirai cependant que j'avais hâte d'en finir.

UNE MARCHE SUR LA COLLINE PARLEMENTAIRE

À peine vingt jours après cette élection pour laquelle j'avais subi la défaite le 1er novembre 1981, je fus invité par le local d'union auquel j'appartiens, soit le Syndicat international des communications graphiques, local 555, Montréal. Il s'agissait de prendre part à une manifestation sur la colline parlementaire à Ottawa contre les taux d'intérêts élevés et les politiques économiques du gouvernement Trudeau. À ce moment, les taux d'intérêt oscillaient quelque peu au-delà de 20 %. Cette manifestation s'est déroulée le 21 novembre 1981. C'est sans hésitation que j'ai accepté cette invitation car j'ai toujours été solidaire avec les classes ouvrières pour des cas semblables. Notre local d'union avait même mis un autobus à la disposition des membres. Ce qui est déplorable, c'est qu'il n'y a pas assez de membres qui répondent à ces invitations. Dans des moments semblables, beaucoup aiment critiquer mais n'aiment pas se montrer solidaires face à la vraie force des syndicats. C'est très malheureux. J'étais le seul représentant du groupe pour lequel je travaillais. Il manquait même quelques personnes pour que l'autobus soit complet. C'était une belle occasion de faire réfléchir le gouvernement Trudeau. Considérant que la température n'était pas des plus clémentes en ce jour, je dois dire que ce fut un véritable succès; au-delà de 100 000 personnes, selon les chiffres que l'on nous a fournis.

Il était à espérer que le gouvernement Trudeau prenne cette manifestation sur la colline parlementaire en considération.

LES SOUBRESAUTS DU CRAN

Suite à cette démarche sur la colline parlementaire à Ottawa, c'était le calme plat; aucune élection en perspective. Il était peut-être temps de prendre un peu de repos.

Par contre, je savais que tôt ou tard je recevrais des nouvelles concernant le CRAN, ce parti municipal pour lequel j'avais été candidat le 1er novembre 1981.

Nous n'avions connu aucun succès mais je savais aussi que nous avions quelques dettes en souffrance. C'est le 20 janvier 1982 que je reçus les premières nouvelles.

Les grandes lignes de ce communiqué se lisaient comme suit : «*Ne croyez surtout pas que notre silence constitue un acte d'abandon car nous avons toujours dit collectivement que le CRAN resterait, quels que soient les résultats électoraux. La Loi du financement des partis politiques a été bafouée, et naïfs avons-nous été de croire que cette loi pourrait changer le comportement des partis politiques ou des "équipes municipales" en 1981. Néanmoins, nous devons maintenant faire face comme parti à nos obligations financières. Le CRAN, pour se constituer, pour s'animer et se réaliser comme parti, a dû commettre des déboursés, qui devraient être collectivement payés par ses membres.*».

Suite à cette lettre, j'avais de sérieuses réserves concernant l'avenir de ce parti. Personnellement, je le considérais mort à sa naissance, dû au fait qu'aucun candidat n'avait connu le succès en 1981. J'aurais bien aimé savoir qui aurait été en mesure de solliciter des gens pour leur faire renouveler leur carte de membre et en plus leur demander des contributions volontaires. Penser de cette façon, c'était rêver en couleurs. Personnellement, j'avais fait de la sollicitation pour ce parti durant six mois consécutifs et j'en avais assez.

Peu de temps après ce premier communiqué, je reçus une demande de remboursement de la caisse populaire Laval

Centre pour payer les cautions dont j'avais pris la responsabilité. Comme j'avais bien hâte d'en finir avec ces dettes, c'est le 22 novembre 1982 que je suis allé payer les cautions qui relevaient de ma responsabilité, soit à peine un jour ou deux après avoir reçu l'avis. J'avais même reçu une lettre de félicitations de la caisse populaire Laval Centre.

«Par la présente, nous voulons vous remercier pour la diligence avec laquelle vous vous êtes acquitté de vos engagements. Si tous manifestaient le même zèle vis-à-vis ses engagements, la confiance serait d'un commerce agréable.

Remerciements sincères,

Veuillez agréer, monsieur Cloutier, l'expression de mes salutations les plus distinguées,

André C. Favron

Directeur,

Le Centre financier de Laval»

À partir de ce moment et suite à cette lettre de félicitations, je croyais en avoir terminé avec ce parti politique. J'ai toujours respecté mes engagements et je crois aussi que c'est la meilleure manière de vivre. Comme ma mère disait toujours : *«Qui paye ses dettes s'enrichit»*. C'est avec ce principe que j'ai grandi et j'entends bien continuer sur cette voie jusqu'à ce que Dieu me prête vie. Comme l'on dit toujours, pas de nouvelles, bonnes nouvelles, mais attention, c'est le 30 décembre 1983 que j'ai reçu d'autres nouvelles du CRAN.

Selon cette lettre, on nous demandait d'acquitter à la caisse populaire Laval Centre les cautions que nous avions sous notre responsabilité. Une somme de 10 000 dollars était maintenant due à la caisse populaire Laval Centre garantie par hypothèque consentie par le soussigné sur un de ses terrains. Cette lettre était aussi accompagnée de voeux de Bonne Année et signée amicalement par Bernard G. Roy.

213

Je ne comprenais pas exactement ce qui se passait. Je ne me sentais plus lié à cette dette envers la caisse populaire Laval Centre. J'avais acquitté ma dette envers celle-ci. Si je comprenais bien, certains n'avaient pas répondu avec promptitude comme je l'avais fait personnellement. Cependant, les meilleurs voeux de Bonne Année m'ont fait un grand bien pour mon moral.

Un nouveau rappel parvient :

«Laval, le 18 janvier 1984

Cher ami,

Je suis informé par la caisse populaire Laval Centre que jusqu'à ce jour aucune somme n'a encore été versée par ceux ou celles qui ont souscrit un acte de cautionnement pour que le CRAN puisse régler finalement une dette limitée à 10 000 dollars en faveur de Lithoscribe imprimerie.

Je vous saurais gré d'acquitter cette somme car les intérêts s'ajoutent quotidiennement et qu'il me faudra "avec plaisir" acquitter ceux-ci le 31 mars prochain, la somme totale n'a pas été payée.

Votre collaboration la plus étroite est donc requise.

Amicalement

Bernard G. Roy»

À partir de ce moment je comprenais de moins en moins. J'avais en ma possession des reçus en bonne et due forme de la caisse populaire Laval Centre. Donc, pour moi, cette lettre faisait déborder le vase. Je suis entré en communication avec M. Roy qui, à ce moment, m'a convoqué à une réunion à laquelle chacun des candidats devait assister. Le soir venu, je m'y suis présenté mais comme à l'habitude, quelques-uns brillaient par leur absence. C'était simple; on nous demandait à nouveau de faire un effort et de débourser encore. Cependant, l'histoire ne nous disait pas si ce nouveau déboursé était dû parce que ceux d'entre nous qui avaient signé des cautions à la caisse populaire Laval Centre n'avaient pas respecté cet engagement. Je n'ai pas osé questionner sur cette possibilité. Alors, pour être solidaire et ne pas être en reste avec ceux qui s'étaient déplacés pour assister à cette rencontre, j'ai pris la décision de fournir un autre montant de cinq cents dollars. C'est à ce moment-là que j'ai compris combien il pouvait être plaisant d'être candidat à l'échevinage. Je tenais tout de même à garder mon nom intact, comme c'est toujours le cas aujourd'hui. J'aurai donc été solidaire de ce parti jusqu'à la toute fin. Je peux donc marcher la tête haute. J'y ai appris une très bonne leçon et une expérience inestimable. Je suis sorti quelque peu ébranlé du côté financier car je suis de la classe ouvrière.

Toutefois, je ne garde pas de mauvais souvenirs de cette aventure. Loin de là. Le fait d'avoir vendu des cartes de membre et que ce serait eux qui choisiraient les candidats m'a fait très chaud au coeur. Je me pose même la question à savoir si j'aurais pu vivre cette aventure avec l'une des deux autres formations. Je ne le saurai jamais mais une chose est certaine, je n'aurais pas aimé être obligé de ramper devant qui que ce soit pour obtenir une investiture quelconque. Je sais très bien qu'avec l'équipe Paiement, n'entrait pas qui voulait à titre de candidat. Je sais même que M. Guy Ricard a eu des rencontres avec des membres de l'équipe Paiement avant d'adhérer et d'être candidat du P.R.O. des Lavallois. Je n'ai jamais su pourquoi il ne fut pas candidat de l'équipe Paiement mais ce n'était pas de mon ressort. J'avais aussi appris que l'un des candidats défaits à l'investiture du CRAN a choisi d'aller vers le P.R.O. et si je ne m'abuse, celui-ci a été candidat. Faudrait-il en déduire qu'il était plus facile de se présenter sous la bannière du P.R.O. en 1981? Ce n'est pas à moi d'en juger. Tout compte fait, suite à cette campagne, je suis persuadé que j'aurais pratiquement eu un aussi bon score comme candidat indépendant et cela aurait été beaucoup moins dommageable pour mon portefeuille. Cependant, dans une formation municipale, je suis forcé d'admettre que le CRAN avait un financement des plus démocratiques. Toutefois, je ne connais pas les sources de financement des autres formations municipales et d'ailleurs je n'ai jamais posé de questions à quiconque à ce sujet. Les plaies ne sont pas encore guéries.

Comme je suis un incorruptible, je n'ai pas laissé la politique pour autant.

J'aimerais terminer cette aventure par de belles paroles. Ce fut une des plus belles expériences de ma vie mais à quel prix lorsque vous ne vous y attendez pas. «*Si ce parti doit survivre, me suis-je dit, ce sera sans moi.*» Je quitterai aussitôt les dettes payées.

Je n'ai pas à savoir comment les autres formations ont financé leur campagne électorale. Tout ce que je peux dire c'est que si notre parti avait connu quelques succès, personne n'aurait pu dire que nous leur devions quoi que ce soit, tout au moins pas dans mon district.

L'ASSOCIATION DES CLOUTIER D'AMÉRIQUE

L'année 1984 marquait le 350e anniversaire de tous les Cloutier d'Amérique. L'histoire nous dit que ceux-ci sont d'une seule souche. Zacharie Cloutier, notre ancêtre, en provenance de Mortagne dans la Perche (France) débarqua à Québec le 4 juin 1634, en compagnie de son épouse Xainte Dupont et de leurs cinq enfants, Zacharie, Jean, Anne, Charles et Louise. Après quelque temps, ils s'installèrent dans «Le fief de la clouterie» situé sur le territoire aujourd'hui appelé Beauport. Leur descendance se compte maintenant par dizaine de milliers en Amérique.

L'Association des Cloutier d'Amérique a donc été formée afin de fêter de façon magistrale, durant l'été 1984 (saison déjà fort en évidence avec la venue des Grands Voiliers), ce 350e anniversaire par un grand rassemblement de tous les Cloutier (ou Clouthier) à l'endroit où vécurent nos ancêtres et où se retrouvent nos racines québécoises. Ce rassemblement permettra des retrouvailles qui marqueront, sans aucun doute, une date mémorable dans les albums de famille de tous les participants et dans le grand livre d'histoire de tous les participants et dans le grand livre d'histoire de tous les Cloutier d'Amérique (armoiries p.172).

L'année 1984 marquait aussi l'arrivée en Amérique de plusieurs de nos ancêtres québécois. Du mois de mai à la fin du mois d'août 1984, de grandes festivités étaient prévues pour commémorer le 350e anniversaire de la ville de Beauport, jumelée à la ville de Trois-Rivières pour la même occasion. Ces festivités étaient précédées, en 1983, du 375e anniversaire de la ville de Québec.

Cette manifestation se tenait à Beauport, en banlieue de la ville de Québec, les 20, 21 et 22 juillet 1984.

Quelle formidable idée pour ceux qui y ont pensé et qui ont organisé ce rassemblement. Il faut les en remercier et les féliciter chaleureusement. Combien de travail et quel courage. Il aura sûrement fallu quelques années pour réussir à retracer chacun des Cloutier dispersés çà et là en Amérique.

Personnellement, ma famille et moi avons été choyés. Un de mes neveux, Richard Cloutier, s'est même déplacé pour aller établir un itinéraire pour notre famille connue sous le nom de «*Le Clan Emery*».

Richard s'est rendu à Beauport pour y faire des réservations afin de nous loger pour cette fin de semaine. Il nous a aussi proposé une visite sur la Côte de Beaupré mais c'est spécialement au Château Richer, sur les terres qui ont vu grandir nos tous premiers ancêtres, que Richard tenait à ce que l'on se rende. Quelle sensation que de fouler le sol de nos premiers ancêtres. Visiter l'église et tout à côté, le lieu où ils reposent. Par la suite, faire la rencontre de Cloutier de chacune des provinces du Canada, des États-Unis et que sais-je encore. Cela est curieux de rencontrer des Cloutier qui ne parlent pas français mais c'est très compréhensible pour ceux qui ne sont pas natifs du Québec. Ce n'était pas vraiment la place pour parler de politique. J'ai reconnu, parmi la foule, M. Jean-Paul Cloutier qui avait été député et ministre durant les bonnes années de l'Union nationale. Je lui demandai en blague comment il pouvait se faire que d'autres Cloutier se soient présentés pour le Parti libéral. Il me répondit d'un air moqueur que ceux-là iraient probablement en enfer. C'était une réponse aussi blagueuse que la question mais remplie d'humour.

Mon neveu Richard ne s'est pas arrêté là. Il a même fait des recherches pour retracer l'histoire et la généalogie des Cloutier. Les membres de ma famille ainsi que moi-même sommes natifs de l'île Jésus, Ville de Laval. Aujourd'hui Richard nous apprend par ses recherches que ce fut Jean Cloutier, second fils de Zacharie, qui s'établit sur l'île Jésus vers 1760. Pour tout dire Richard, tu nous as fait passer une des plus belles fins de semaine de notre vie. Nous ne l'oublierons jamais et au nom du *Clan Emery*, comme tu le dis si bien, MERCI.

Emery, c'était mon père. C'est lui qui m'a communiqué cet engouement pour la politique. J'y aurai vécu de beaux moments au feu de l'action mais aussi des moments sombres. Je dirai cependant que je n'aurai jamais dévié du chemin tracé par mon père, qui était un homme formidable. Cloutier qui lirez cet ouvrage, un salut particulier à chacun de vous.

À toi Richard, mille fois merci.

Lucien Cloutier

Il m'aurait été difficile de ne pas faire mention de cette fin de semaine historique.

UN PEU COMME L'ENFANT PRODIGUE

J'avais quitté les rangs du Parti conservateur vers 1965, quelque temps après que M. John G. Diefenbaker eût perdu le pouvoir aux mains de M. Lester B. Pearson, chef du Parti libéral du Canada. Mais il faut dire qu'il s'était passé beaucoup d'événements depuis ce temps. Il y a d'abord eu le référendum du Québec en 1980, suivi du rapatriement de la constitution et puis l'arrivée de M. Brian Mulroney à la tête du Parti conservateur, alors qu'il a succédé à M. Joe Clark. Tout d'abord, certains membres du gouvernement Trudeau avaient laissé entendre qu'un NON voudrait dire OUI. Mais je trouvais que ce gouvernement mettait beaucoup de temps à livrer la marchandise promise. Pour moi, il était temps de chasser ce gouvernement du pouvoir. Peu de Québécois avaient digéré la manière dont s'était déroulé le rapatriement de la constitution qui avait été surnommé «*La nuit des longs couteaux*». C'est à partir du moment où M. Brian Mulroney a été élu chef du Parti conservateur que j'ai pris la décision de réintégrer les rangs.

Si les Canadiens autant que les Québécois voulaient le renversement du régime des libéraux, il ne fallait pas trop se diviser. Comme beaucoup de Québécois, j'étais très heureux que M. Mulroney devienne chef du Parti conservateur. Celui-ci est un Canadien français natif de notre province. C'était beaucoup pour moi. Par pure coïncidence, c'est mon épouse qui a croisé quelqu'un du Parti conservateur et qui s'est vue offrir une carte de membre. Elle en a levé une pour elle et en a profité pour en lever une pour moi. Elle savais que j'aimais la politique démesurément. J'étais très heureux de cette initiative de sa part.

La vie crée parfois de curieuses coïncidences. En effet, je me suis rendu à la convention qui devait choisir un candidat pour notre comté. Ce fut M. Guy Ricard qui fut choisi. J'avais eu la chance de le connaître car ce fut lui qui avait été élu échevin du P.R.O. des Lavallois sur le même siège que j'avais postulé en novembre 1981. Toutefois, je ne lui en voulais aucunement, j'avais même été lui offrir mes félicitations le soir de cette victoire. Celui-ci était d'ailleurs l'unique candidat lors de cette convention. Je prends pour acquis que c'était beaucoup pour lui car par le passé, j'avais déjà assisté à des conventions déchirantes ayant pour effet de démoraliser les membres. À partir du moment où celui-ci a été déclaré candidat officiel, je lui ai accordé mon appui sans réserve. C'est même avec plaisir que j'ai fait du porte-à-porte à ses côtés dans mon entourage.

À quelques reprises, alors que je faisais du porte-à-porte en sa faveur, certaines personnes me demandaient comment il pouvait être possible pour un homme comme moi de travailler pour un type qui m'avait fait subir la défaite trois ans auparavant. Il me fallait leur expliquer que la politique avait beaucoup évolué depuis quelques années et qu'il n'y a aucune comparaison possible entre une élection fédérale et municipale. Il y a toute une marge. Quelques-uns un peu plus malins me laissaient entendre que j'aidais peut-être Guy Ricard pour créer ma propre ouverture à l'échevinage alors que celui-ci devra laisser son poste vacant à l'hôtel de ville. Soyez assurés qu'au moment où j'avais accordé mon appui à M. Ricard, je n'avais aucune arrière-pensée et, d'ailleurs, j'ai toujours fait les élections une à la fois et chaque chose en son temps. Il fallait sortir les libéraux du pouvoir et là était ma préoccupation majeure. Une chose était certaine au départ, M. Ricard avait une longue côte à remonter pour vaincre M. Marcel Roy qui était en poste depuis seize ans et qui, par surcroît, avait toujours été victorieux par des majorités écrasantes.

Mais au moment de faire de la sollicitation de porte en porte, je sentais qu'il se dessinait un courant. Certaines personnes laissaient entendre que ce niveau électoral ne les intéressaient pas beaucoup mais que cette fois-ci elles se déplaceraient. Selon mon expérience, c'était bon signe. Pour ceux qui, comme moi, étaient quelque peu frustrés depuis la défaite référendaire de 1980, le changement se vendait bien. J'en connaissais plusieurs pour avoir moi-même pris part à la campagne référendaire. J'attachais une attention assez particulière à ceux qui, tout comme moi, se souvenaient très bien.

Au moment où cette campagne battait son plein, je reçus un appel téléphonique de M. Gérald Jodoin. Alors qu'il faisait partie de l'équipe Paiement, ce dernier avait subi la défaite contre Guy Ricard au moment même où je subissais la défaite à l'échevinage. M. Jodoin m'a alors confirmé qu'il avait pris la décision de se porter à nouveau candidat pour le poste laissé vacant par M. Ricard, qui venait de quitter pour oeuvrer sur la scène fédérale. M. Jodoin me demanda alors si je lui accorderais mon appui. Je lui ai alors laissé entendre que je faisais les élections une à la fois et qu'il n'était pas dans mes habitudes de courir deux lièvres en même temps. Je prendrais position une fois l'élection en cours terminée. Comme je connaissais bien mon entourage, M. Ricard m'avait demandé si je pouvais le représenter dans un bureau de votation. J'avais accepté, et ce, bénévolement.

À peine deux heures après la fermeture des bureaux de scrutin, au moment où je quittais l'école dans laquelle j'avais oeuvré au cours de la journée, je croise un de mes amis à la porte de l'école. Il attendait son épouse qui avait agi comme sous-officier rapporteur. Il me déclare : «*Cette fois-ci tu n'auras pas travaillé pour rien car je viens d'apprendre par la radio que Guy Ricard est déclaré élu*». Je n'en croyais pas mes oreilles. Il y avait belle lurette que je n'avais pas vu un revirement semblable. J'avais donc misé gagnant à ce niveau. Ma dernière victoire remontait aux années de M. John Difienbaker. Dans le journal du Parti conservateur d'octobre 1984, on pouvait lire :

«MULRONEY CONDUIT LE PARTI
CONSERVATEUR À UNE VICTOIRE ÉCRASANTE

«Un vent nouveau a soufflé sur le Canada le 4 septembre dernier lorsque la population canadienne a exprimé sans équivoque sa volonté de changer et a élu un gouvernement PC fortement majoritaire. En décidant d'accorder un mandat on ne peut plus clair à une équipe neuve, les électrices et les électeurs du Canada ont permis à Brian Malroney et à son parti de remporter une victoire écrasante. Une nouvelle page de l'histoire politique canadienne a été tournée. En effet, le Parti progressiste-conservateur a fait élire un nombre record de députés d'un même parti au parlement, soit 211 sur 282. Au Québec, la dynastie libérale a été renversée et le PC a récolté 58 députés sur une possibilité de 75. En 1980, les libéraux avaient remporté 74 des 75 circonscriptions.»

Cette victoire me comblait. Elle était au-delà de mes espérances. Il restera maintenant au Parti conservateur de se mettre à la tâche. Il est inutile de dire que les Canadiens attendent beaucoup de ce nouveau gouvernement. Seul l'avenir nous dira si le choix aura été bon, mais, selon moi, nous ne pouvons pas grand-chose.

UN APPUI PERSONNEL

Suite à l'élection du 4 septembre 1984 de M. Guy Ricard comme député conservateur à Ottawa, la ville de Laval se devait de tenir une élection partielle pour combler le poste d'échevin laissé vacant. Pour le P.R.O. des Lavallois, ce serait une première chance de renouer avec la population depuis la prise du pouvoir en 1981. Personnellement, je n'avais aucune ambition à me présenter sous la bannière du P.R.O. des Lavallois. D'ailleurs, j'avais oeuvré contre ce parti en 1981. Je savais aussi que ce parti avait des membres qui étaient intéressés à la candidature. Je crois que cela aurait été mal placé de ma part de m'avancer. Mais, suite à la performance que j'avais donnée en 1981, l'idée me trottait quelque peu de sonder mon entourage à savoir comment ma candidature serait perçue comme candidat indépendant. Ceci était dû au fait que le CRAN, ce parti auquel je m'étais présenté en 1981, m'avait procuré une belle aventure mais trop dispendieuse et trop mal planifiée à mon goût.

Au moment où le maire de Laval, M. Claude Lefebvre, a fixé au 11 novembre la tenue d'élections partielles, c'est à une vitesse vertigineuse qu'un branle-bas s'est engagé, à la recherche du candidat idéal pour le P.R.O. des Lavallois. Alors que j'étais absent de mon domicile, M. Robert Plante était passé chez moi. Quelques jours plus tard, je fus surpris de recevoir un appel téléphonique de la part de M. Gilles Boucher, celui qui avait agi comme représentant officiel du parti du CRAN en 1981. Il désirait venir me rencontrer. Comme je n'y voyais aucune objection, j'ai acquiescé à sa demande. Lorsqu'il s'est présenté chez moi, il m'a demandé si la candidature du P.R.O. m'intéressait. Je comprenais très mal que ce soit l'ex-membre du CRAN qui se déplace pour venir m'offrir cette possibilité. Je me disais que si le P.R.O. avait eu besoin de mes services il aurait pu me contacter directement. Je demande à M. Boucher comment se fait-il que ce soit lui qui fasse des démarches en ce sens. Il me fit remarquer que depuis le départ de M. Ronald Bussy du P.R.O., il y avait eu un certain rapprochement entre les formations du P.R.O. et du CRAN. J'ai quand même beaucoup apprécié sa visite mais j'ai décliné l'offre.

Suite à cette rencontre, c'est M. Robert Plante qui est venu me voir. Il m'a laissé entendre que la candidature du P.R.O. lui avait été offerte, que celle-ci l'intéressait peut-être mais qu'il lui serait pratiquement impossible de s'y présenter si je prenais la décision de poser ma candidature à titre de candidat indépendant. En effet, lui et moi fréquentions pratiquement la même clientèle de gens aptes à voter. Sur ce point, il avait parfaitement raison. Je le connaissais depuis près de vingt-cinq ans. Nous étions, l'un autant que l'autre, très actifs en politique même si aux niveaux fédéral et provincial nous avons toujours été des adversaires. Cependant, nous avons toujours été de bons amis et nous nous sommes toujours très respectés. Je dois dire qu'au niveau municipal, lui comme moi ne tenons pas compte des allégeances politiques des gens et c'est normal. J'ai beaucoup apprécié cette courtoisie et lui ai promis qu'il serait le premier informé dès que j'aurais pris une décision.

Suite à cette discussion et à la demande de Gilles Boucher, j'ai à nouveau contacté M. Robert Plante. Je l'ai invité à venir chez moi pour discuter à nouveau. Il est revenu. M. Gilles Boucher et moi-même étions de la partie. Après avoir discuté des orientations politiques qu'il envisageait si je prenais la décision de l'appuyer, Gilles Boucher a demandé à Robert Plante ce qu'il penserait de ma candidature dans le P.R.O. et s'il m'accorderait son appui si j'acceptais la candidature. Il semblait peu enclin à une telle éventualité. C'était très compréhensible car je savais mieux que quiconque que Robert avait été sollicité par un membre bien en vue dans le P.R.O. des Lavallois.

J'ai fait beaucoup d'élections mais je n'avais jamais autant vu de consultations en si peu de temps. Je reçus un appel téléphonique de l'ex-maire de Laval, M. Lucien Paiement. Il désirait venir faire un brin de conversation avec moi. Comme ma porte a toujours été ouverte, c'est avec plaisir que j'ai accepté de le recevoir. Il est arrivé chez moi le soir même. Il était en compagnie de M. Raymond Fortin qui était à ce moment échevin. Au départ, je dois admettre qu'il ne venait pas chez moi pour m'offrir la candidature du poste d'échevin car M. Gérald Jodoin était déjà choisi. Il m'a demandé si j'accepterais de faire partie de la commission politique pour laquelle il était en train de travailler. Je pourrais seconder M. Gérald Jodoin si le coeur m'en disait. Nous avons discuté de plusieurs sujets mais j'ai cru comprendre que le Carré Laval lui tenait beaucoup à coeur. Il voyait plusieurs hommes d'affaires investir et, selon lui, ce serait rentable. Pour tout dire, c'est la première fois que je le rencontrais. Nous avons eu une discussion des plus amicales. Je crois que son idée d'une commission politique était très bonne en soi mais je n'ai pas voulu prendre d'engagements. Il comprenait très bien ma position et la respectait.

UNE VISITE EN VILLE

Une grande surprise m'attendait alors que je venais de laisser mon travail pour l'heure du midi et que j'étais attablé dans une taverne avec quelques confrères de travail. En effet, je vois apparaître M. Bernard Roy, président du CRAN. Il était accompagné de M. Michel Marchand qui avait été candidat du CRAN en 1981 au même moment que moi. Il y avait aussi une demoiselle dont le nom m'échappe mais qui avait agi comme aviseure légale dans mon district au jour du scrutin de 1981. Seul M. Roy a pris la parole. Il semblait avoir eu vent de mon intention de me présenter à nouveau échevin. J'étais estomaqué de cette visite alors je leur ai demandé de bien vouloir me suivre dans un restaurant voisin. J'avais honte devant mes confrères. Cela ne les concernait pas d'ailleurs. Alors, attablé dans ce restaurant, M. Bernard Roy me demande s'il était vrai que je voulais me présenter et pourquoi. *«Tu sais, le CRAN n'a aucun moyen en ce moment.»* Alors je lui ai laissé entendre que le CRAN n'existait plus pour moi et que si j'avais une décision à prendre je n'aurais certainement pas à demander conseil à d'ex-membres de ce parti. De plus, celui-ci savait pertinemment bien combien il m'en avait coûté de mes poches en 1981 pour vivre cette aventure. Je croyais qu'il me dirait : *«S'il y a d'ex-membres du CRAN qui veulent t'appuyer, ils sont libres».* Non. Il m'a plutôt demandé de bien réfléchir avant de prendre une décision et qu'il serait malheureux pour moi de subir une nouvelle défaite ou de me

225

faire écraser. Je n'en croyais pas mes oreilles, ce même homme de qui j'avais reçu une lettre datée du 26 janvier 1984 (ci-dessous) qui disait : «*Je garderai toujours en mémoire l'effort que vous avez fait afin que, sans vouloir en faire une promesse, cela puisse vous être remis un jour au centuple*».

Que s'était-il donc passé entre 1981 et 1984 pour que celui-ci vienne me déranger à mon travail. Je l'ai trouvé de très mauvais goût. Il y a certainement quelque chose que je

---

CRAN
DE LAVAL

Citoyens Regroupés pour une Action Nouvelle.

Laval, le 26 janvier 1984

Monsieur Lucien Cloutier
3876, St-Maxime
Laval, QC
H7P 1B9

SUJET: Lithoscribe. (paiement).

Cher ami,

    Je tiens à vous remercier très sincèrement pour la solidarité que vous avez manifestée tant à l'égard du Parti mais surtout à l'égard des ex-candidats à l'élection municipale de 1981, et cela d'une manière conjointe et solidaire.

    Je retiendrai toujours en mémoire l'effort que vous avez commis afin que sans vouloir en faire une promesse que cela puisse vous être remis un jour au centuple.

    En vous remerciant infiniment, je demeure,

Votre serviteur et ami,

Bernard G. Roy

BGR/ad

235, 59e avenue, (L-D-R), Laval, Qc. H7V 3R1, Tél.: 688-4266

226

ne sais pas. Peu importe, cette visite n'aura aucune influence sur ma décision. Je ne dois plus rien à Bernard Roy ou au CRAN, qu'on me fiche la paix. Cependant, chapeau aux deux personnes qui l'accompagnaient pour ne pas être intervenues dans cette discussion. Quel contraste avec Gilles Boucher, ce premier ex-membre du CRAN qui m'avait contacté. Tout d'abord, il a su établir un dialogue entre la direction du P.R.O. et moi-même. À un certain moment, il s'est de nouveau mis en communication avec moi pour me demander si j'accepterais d'aller rencontrer le maire Lefebvre à son bureau à l'hôtel de ville. À ce moment, je lui ai demandé s'il lui serait possible d'organiser la rencontre mais que ce soit plutôt le maire qui vienne chez moi. Il ferait son possible, me dit-il, et il me rappellerait dans un bref délai car le temps était très limité. J'avais hâte d'en finir. Il communiqua de nouveau avec moi le lendemain pour me dire qu'il avait fait des démarches mais que malheureusement M. Lefebvre était retenu à l'hôtel de ville par ses occupations. Par contre, il serait très heureux si j'acceptais d'aller le rencontrer à l'hôtel de ville. Le temps étant limité, la rencontre devrait avoir lieu au plus tard le lendemain après-midi car le surlendemain, le candidat choisi par le P.R.O. devait être annoncé lors d'une conférence de presse à l'Hôtel Sheraton. Pour Gilles Boucher, je n'avais rien à perdre car, me disait-il, «*Si cette rencontre ne se passe pas à ton goût et que tu décides de poser ta candidature comme candidat indépendant, je te supporterai*». Dans ces conditions, je n'avais rien à perdre. J'ai accepté. À la rencontre étaient présents le maire Claude Lefebvre, MM. Gilles Vaillancourt, Robert Plante, Gilles Boucher et moi-même.

C'était la première fois que je rencontrais M. Lefebvre ainsi que M. Vaillancourt. Après les présentations d'usage, M. Lefebvre me déclara qu'il avait hâte de faire ma connaissance. «*Tu sais, en 1981 tu as livré une très belle lutte. On était loin de croire que ton district serait facile à prendre*». J'étais fier d'entendre ces belles paroles. Je voyais en cet homme quelqu'un de sympathique. À un certain moment, il m'a déclaré : *«Nous avions quelque peu pensé à toi comme candidat du P.R.O. mais lorsque j'ai entendu dire que tu avais reçu la visite de l'ex-maire Paiement chez toi, à partir de ce moment le choix s'est arrêté sur Robert Plante».* Sur ce, je lui ai dit que mes portes ont toujours été grandes ouvertes à qui ce soit et que de toute façon cette candidature ne m'avait jamais vraiment intéressé car selon moi, le P.R.O. n'avait pas encore fait ses preuves au complet en trois ans de pouvoir. Je lui ai aussi laissé entendre que j'avais vécu une aventure des plus enrichissantes en 1981. Des vingt-et-un membres que nous étions dans mon district six mois avant l'élection, nous étions deux cent soixante-six membres en règle à quelques jours du scrutin de novembre 1981. J'ai par la même occasion connu la déception de la défaite mais aussi la fierté d'avoir mené une lutte honnête.

En fait, je lui ai laissé entendre que j'avais été plus marqué par le mode de scrutin, la faible participation des citoyens et surtout par l'émotion qui se dégageait de la part de mes partisans. Ces trois faits m'ont plus affecté que de perdre car je ne suis pas un assoiffé de pouvoir mais plutôt de démocratie.

Je suis à peu près convaincu que le tout était décidé bien avant cette rencontre car si vraiment le P.R.O. avait eu besoin de mes services, il se serait donné la peine de me contacter. Peu importe, je n'étais pas déçu. J'étais fier du choix de Robert Plante. Avant de quitter, j'ai promis au maire de donner la réponse à Robert le lendemain. Comme la nuit porte conseil, le lendemain j'ai effectivement accordé mon appui à Robert Plante qui est un travailleur infatigable. Nous avions toujours travaillé ensemble au niveau des loisirs de notre paroisse. Je sais que le choix à la candidature de Robert Plante ne faisait pas l'unanimité au sein du comité local du P.R.O. mais comme mon appui était directement lié à la candidature de Robert à titre d'ami personnel, je n'avais rien à voir avec ces différends, d'ailleurs je ne devais absolument rien au P.R.O. Lorsqu'on travaille à une élection municipale, la chance de succès est toujours meilleure du côté du pouvoir pour la simple raison que nous pouvons régler des problèmes pendant la campagne électorale, même si certains ne se règlent pas facilement.

Lorsque cette campagne électorale s'est mise en marche, j'ai voulu expliquer clairement ma position aux ex-membres du CRAN de 1981, avec les consentements du maire et de Robert Plante. J'ai organisé quatre rencontres dans mon sous-sol, soit pour les 18 et 25 octobre ainsi que les 1er et 8 novembre 1984. À chacune de ces rencontres, le maire et Robert Plante étaient présents. Ces quatre soirées furent un véritable succès.

Il m'est arrivé une aventure au cours de cette campagne électorale qui restera gravée dans ma mémoire. Alors que je faisais la distribution d'une édition spéciale, le ralliement du P.R.O., un gros chien s'est avancé dans la rue pour venir me mordre. Il ne semblait pas aimer les colporteurs. Alors, au moment où il s'est approché de moi, je lui ai mis le paquet de circulaires que je tenais dans la gueule. Avant qu'il ne réussisse à se défaire des circulaires, j'ai eu le temps de faire un bout de chemin. Il a quand même réussi à me rejoindre et à me mordre légèrement avant que son maître n'intervienne. J'ai dû me rendre à la clinique pour recevoir une injection contre la rage.

À mon retour, je me rends dans un restaurant pour prendre un café. Le restaurant était situé face au comité. Le maire était sur place ainsi que quelques organisateurs. Je raconte mon aventure. Le maire prend la parole pour me dire: *«Tu as beaucoup de CRAN; tu as agi comme un vrai PRO».* *«Ce n'est pas le pire car dans ce branle-bas, je n'ai pas eu le temps de demander au maître de ce chien s'il votait de notre côté».*

À vrai dire, ce fut une de mes premières peurs depuis que je fais du porte-à-porte. Aucun autre incident ne s'est produit durant cette campagne. Le soir du vote, nous observions un triomphe des plus appréciables pour Robert Plante. Il ne lui restait qu'à faire ses preuves.

UNE PREMIÈRE AU QUÉBEC

LA COURSE À LA CHEFFERIE DU PARTI QUÉBÉCOIS SUITE À LA DÉMISSION DE M. RENÉ LÉVESQUE COMME CHEF DU PQ

(29 septembre 1985)

La décision de la direction du parti que le choix d'un nouveau chef soit fait par la tenue d'un vote universel de tous les membres était une décision des plus innovatrices et des plus emballantes. Cette innovation donnait une dimension nouvelle à la politique dans notre province. Personnellement, j'ai fait beaucoup de politique mais peut-être que je n'aurais jamais eu la chance de participer à une convention de ma vie sans que cette méthode des plus démocratiques soit adoptée. Et combien de personnes comme moi n'auraient jamais eu la chance de prendre une part active à un événement des plus emballants et, qui plus est, à la portée de chaque membre.

Cette méthode de fonctionnement plaçait chacun des candidats sur un même pied d'égalité pour le départ.

Il faut se rappeler combien de fois le système du choix des délégués fut sévèrement critiqué par le passé soit par des candidats, des membres ou des associations de comtés, et ce, tant au niveau fédéral que provincial. À partir de ce choix de conventions par chacun des membres, aucun des candidats qui aspiraient à la succession de M. René Lévesque ne pouvait croire à la victoire acquise à l'avance. Au départ, un financement des mieux contrôlés avait été établi. Il ne devait pas excéder 400 000 dollars par candidat. Dans un deuxième temps, l'influence des ministres et des députés ne voudrait pas nécessairement dire que chacun des membres d'une même circonscription opterait pour le même candidat.

Un premier tour de scrutin était prévu pour le 29 septembre 1985. S'il s'avérait nécessaire d'en tenir un deuxième, il aurait lieu le 6 octobre 1985.

À la clôture des mises en nomination, il y avait six candidats qui brigueraient les suffrages pour succéder à René

Lévesque à la direction du Parti québécois : Mmes Francine Lalonde et Pauline Marois et MM. Guy Bertrand, Luc Gagnon, Jean Garon, Pierre-Marc Johnson. Il y avait eu aussi M. Bernard Landry qui avait pris le départ mais qui s'était désisté en cours de route. Pour tout dire, ce n'était pas le choix qui manquait. C'était un signe d'un parti en santé. Il y avait beaucoup de potentiel parmi ces candidats. Chacun d'eux avait de très bonnes idées et les membres n'avaient que l'embarras du choix.

Ce qui faisait sérieux, au départ de ce congrès, c'est que chacun de ceux qui désiraient se porter candidat à la chefferie se devait d'avoir la signature d'au moins deux cent cinquante membres.

Peut-être que quelques-uns pouvaient être avantagés au départ parce qu'ils avaient détenu des ministères mais il n'y avait rien d'acquis pour aucun des candidats. Pour bien expliquer leurs positions, dix assemblées régionales furent organisées. Chaque candidat participera à ces assemblées et aura droit à dix-huit minutes pour vendre et exposer son programme aux militants péquistes.

Personnellement, j'ai opté pour M. Pierre-Marc Johnson, et ce, pour plus d'une raison. La première est que j'avais travaillé pour son père alors que celui-ci avait su donner un second souffle à l'Union nationale en 1966. J'avais, à ce moment, recruté plusieurs nouveaux membres. J'avais eu la chance de lui parler lors d'une partie de sucre en 1964, mais disons qu'à ce moment-là, la sollicitation était plus facile. Je connaissais très bien mon entourage et je savais à quelle porte frapper. Malgré tout, je n'aurais jamais cru que M. Daniel Johnson réussisse à mener l'Union nationale au pouvoir après les dures épreuves que ce parti avait connues lors du décès de M. Maurice Duplessis en septembre 1959, suivi de M. Paul Sauvé au début de janvier 1960. Pour ce qui est de Pierre-Marc Johnson, j'ai eu la chance de le rencontrer quelques mois avant la tenue du référendum de 1980. Il me rappelait un peu l'image de son père : simple, calme avec la stature d'un chef, ardent défenseur des règles de la démocratie et doué d'une mémoire surprenante.

Je n'avais rien contre les autres candidats, mais comme j'ai toujours aimé jouer franc-jeu, je ne me cachais pas. Je m'affichais publiquement même si certains membres de mon comté n'étaient pas de mon avis. Mais en démocratie tout est permis, même de différer d'opinion. C'est assez surprenant à quel point les cartes de nouveaux adhérents se vendaient bien. Il est bien évident que chaque adhérent que je sollicitais n'était pas nécessairement pour Pierre-Marc Johnson, mais comme je ne travaillais pas uniquement pour un homme mais pour un parti et aussi pour une cause, il fallait respecter le choix de chacun.

Lors de cette course, j'ai eu le plaisir d'aller discuter avec un des citoyens les plus âgés de mon comté, M. Victor Chartier. À ce moment, il était âgé de 89 ans. Je savais aussi qu'il était un membre en règle du Parti québécois. Je le connaissais pratiquement depuis mes débuts en politique, vers 1950. Il venait passer la saison estivale dans notre coin avec sa famille. Par ironie du sort, son chalet était construit sur le lot d'un coin de terre que mon père avait vendu avant ma naissance. Ce coin est situé à Fabreville. Il a porté le nom de Sainte-Rose Ouest auparavant pour devenir une partie de Laval. À ce moment, ce site portait le nom de plage des Îles. Je lui ai vendu de la glace pendant quelques années, à ses débuts dans notre coin. Vous comprendrez aussi que j'étais, par le passé, allé solliciter son appui à plus d'une occasion, tant pour le niveau municipal que pour le niveau scolaire. Par la suite, il est venu vivre ici à l'année. J'avais même eu l'occasion de travailler chez lui à plusieurs reprises sur sa terrasse. Par contre, je n'avais jamais vraiment pris le temps de m'asseoir avec lui pour qu'il me raconte un peu son passé.

Parfois, on peut apprendre des choses assez intéressantes et je crois que cela lui faisait plaisir de s'ouvrir quelque peu à moi. Tout d'abord, il m'a raconté qu'il était né en 1896 à Saint-Casimir, comté de Portneuf. M. Chartier était un capitaine de bateau. Il naviguait sur les Grands Lacs. En 1924, il a échoué. Il a eu la malchance de perdre trois de ses hommes dans cet accident mais d'une ténacité peu commune, il a quand même réussi à se rendre au port. Il me racontait que M. Maurice Duplessis était un de ses bons amis et qu'il lui avait même offert de se porter candidat dans les années 1930. «*Pourquoi?*», lui demandai-je. «*Pour plus d'une raison mais la principale est que j'étais parfaitement bilingue.*» «*Alors, pourquoi avez-vous décliné cette offre?*» «*C'est simple. À ce moment, un député gagnait environ 2 800 dollars par année. Je faisais un meilleur salaire sur les bateaux à cette époque et je me serais mal vu de changer de travail. Ma vie était sur les bateaux.*» «*Est-ce que vous avez été membre de l'Union nationale?*» «*À aucun moment.*» «*Alors, qu'est-ce qui vous a poussé à devenir membre du Parti québécois et depuis quand vous l'êtes, Monsieur Chartier?*» «*Tout d'abord, j'ai été fort impressionné par le programme animé par M. René Lévesque, "Point de mire", et j'ai adhéré au Parti québécois depuis sa fondation.*»

À partir de ce moment, je lui ai offert mes services pour l'emmener au bureau de votation pour le jour de la course à la chefferie. Cependant, à un homme de cet âge, on ne demande pas quel sera son choix. C'est la moindre des politesses. Il était très heureux de cette initiative mais doublement heureux du choix d'un futur chef par le vote universel de chacun des membres, car il me déclarait qu'il n'avait jamais eu l'occasion de participer à un congrès de sa vie. Ceci était dû à son travail. Sur ce, je le laissai en lui promettant de l'emmener au jour du vote. J'étais très flatté qu'il ait accepté mon invitation. Lors de la course à la chefferie, j'ai rencontré M. Pierre-Marc Johnson à Laval-Ouest, tout près de mon district. J'ai profité de cette occasion pour lui dire que j'avais travaillé pour son père lorsqu'il avait pris la direction de l'Union nationale. Je lui ai raconté que j'avais même eu la chance de me faire photographier à ses côtés lors d'une partie de sucre en 1964 et qu'il me ferait bien plaisir de me faire photographier avec un de ses fils qui semble vouloir suivre les mêmes traces. Il s'est plié de bon gré à cette demande. Il fallait motiver les membres en règle et aussi solliciter de nouvelles adhésions. J'ai personnellement sollicité d'ex-membres de l'Union nationale. Je voyais que certains n'avaient jamais oublié ce parti et encore moins M. Daniel Johnson, père. Même s'il fallait agir avec plus de diplomatie qu'à l'accoutumée pour respecter le choix de chaque membre, le travail s'accomplissait très bien.

C'était curieux de lire ce que certains observateurs d'autres formations politiques trouvaient à redire. Certains y voyaient une campagne terne. Selon moi, ce fut une campagne intéressante. Il y avait certainement assez de candidats pour tous les goûts. Il faut cependant dire que dans certaines formations politiques, il y a des gens qui sont habitués à manipuler les congressistes, mais le Parti québécois avait innové pour établir un procédé des plus équitables. Je suis d'avis qu'aucune formation politique n'a de leçon à donner au Parti québécois sur la manière de procéder.

Au jour du scrutin, j'ai transporté des membres tout au long de la journée. En début d'après-midi, j'ai amené M. Chartier, tel que je lui avais promis. Mais, après la première visite que je lui avais rendue, j'avais demandé à l'un des responsables de la salle de rédaction du journal *La Presse* la possibilité d'envoyer un photographe et un journaliste à la salle où M. Chartier exercerait son droit de vote. Cette faveur me fut accordée. J'en étais heureux car je voulais que M. Chartier garde un bon souvenir de sa première participation à un tel événement. Tel que prévu, un photographe était sur place lors de notre arrivée. Le journaliste n'a pas pu se déplacer mais il a quand même contacté M. Chartier par téléphone pour avoir ses impressions. Dans *La Presse* du lundi 30 septembre 1985, on pouvait lire le texte qui suit.

UN CAPITAINE AUX URNES

«*Monsieur Victor Chartier, 89 ans, doit certes être l'un des plus vieux partisans du Parti québécois. Cet ancien capitaine sur les Grands Lacs et la voie maritime y milite depuis les débuts de la formation, même s'il se souvient des discours de Laurier et d'Henri Bourassa. "Duplessis était un de mes amis. Je l'ai connu intimement", de dire M. Chartier après avoir voté dans un bureau du boulevard Sainte-Rose à Fabreville. Il refuse de dire pour qui, mais il trouve que Pierre-Marc Johnson "ferait un excellent premier ministre". "Beaucoup de personnes de mon âge votent pour le Parti québécois", assure-t-il, précisant qu'il n'est certes pas en faveur de l'indépendance. "J'ai toujours été pour qu'on reste dans le Canada. Mais il faut être traité comme du monde..."*»

J'étais très heureux d'avoir pu faire réaliser à M. Chartier une première participation à un événement historique, tout l'honneur était pour le Parti québécois. Comme celui-ci m'avait déclaré : «*Grâce à cette décision, le vote universel des membres, j'aurai au moins connu la chance, pour une première fois de ma vie, de vivre une course à la présidence sans pour autant avoir des pressions d'aucun candidat et d'aucun membre du Parti québécois*». Pour un homme de cet âge, c'était la moindre des choses.

Le soir de cette course, c'est à la télévision que la victoire de M. Pierre-Marc Johnson s'est concrétisée. Celle-ci n'a jamais fait aucun doute.

Le lendemain de cette victoire, on pouvait lire dans le journal *La Presse* du 30 septembre 1985 un article de Louis Falardeau :

«*JOHNSON, CHEF DU PQ*

«*Il deviendra cette semaine le vingt-quatrième premier ministre du Québec.*

«Monsieur Pierre-Marc Johnson a été élu hier président du Parti québécois et il deviendra cette semaine le vingt-quatrième premier ministre du Québec.

«Il succède à ces deux fonctions à Monsieur René Lévesque qui a remis dès hier sa démission comme député de Taillon. Il était chef du PQ depuis sa fondation, en 1968, et premier ministre depuis le 15 novembre 1976. Comme on s'y attendait, Monsieur Johnson l'a emporté au premier tour du scrutin avec 58,5 % des voix. C'est Madame Pauline Marois qui s'est classée deuxième (20,0 %), devant Monsieur Jean Garon (16,2 %). Suivent, dans l'ordre, Guy Bertrand, Francine Lalonde et Luc Gagnon.

«La victoire de Monsieur Johnson n'a jamais fait de doute et dès 19h33, une demi-heure après la fermeture des bureaux de scrutin, on le déclarait élu. La présidente d'élections du parti, Madame Francine Jutras, a toutefois attendu 20h52 pour annoncer officiellement son élection. Sa victoire est aussi à peu près totale, puisqu'il l'emporte dans toutes les régions et dans 118 des 122 circonscriptions. Monsieur Garon a fini premier dans sa circonscription de Lévis (où le nouveau chef est troisième), dans Louis-Hébert et dans Mercier, alors que Madame Marois n'a triomphé que dans son fief de La Peltrie.

«Monsieur Johnson l'a aussi emporté facilement dans toutes les circonscriptions qui étaient représentées par des députés orthodoxes, y compris Maisonneuve où Madame Louise Harel appuyait Madame Marois.»

C'était pour M. Johnson une victoire éclatante. Sur la participation de 97 389 membres il s'en était accaparé 56 925.

J'étais très heureux de la victoire de M. Johnson mais j'avais eu un doute à l'effet qu'il n'aurait pas la partie facile avec le groupe de radicaux du parti. L'avenir le dirait.

236

Sa victoire était très bien accueillie par les modérés, comme moi, mais j'en connaissais qui la digérait très mal.

PAR LA FORCE DES CHOSES

Après l'élection partielle de 1984, celle où j'avais appuyé Robert Plante à l'échevinage pour le P.R.O. des Lavallois, je ne sais pas ce qui m'a passé par la tête, mais j'ai fait la pire bévue de ma vie. Il faut se rappeler que Robert Plante avait connu un succès assez impressionnant pour une élection partielle. Alors voici que j'avais profité du patronage en 1957 en me faisant embaucher pour la construction du pont de l'autoroute 15 reliant Laval à Montréal. Je n'ai rien demandé à personne depuis, et ce, à aucun niveau gouvernemental ou municipal.

Alors, suite à la victoire de Robert Plante, je lui demande s'il lui était possible de faire entrer mon fils à l'emploi de Ville de Laval. Il s'en occupe et à peine deux ou trois semaines plus tard, mon fils travaille à la ville comme surnuméraire pour des périodes entrecoupées. Bien sûr, je ne m'attendais pas à ce qu'il soit embauché en permanence à ses débuts. Alors au moment même où je travaillais à l'élection de M. Pierre-Marc Johnson à la course à la chefferie du Parti québécois, je reçus un appel téléphonique de M. Roger Gagnon. Il était, à ce moment, échevin du P.R.O. des Lavallois.

Ce parti avait été élu le 1er novembre 1981. Leur terme prenait donc fin vers le début de novembre 1985. M. Gagnon m'a déclaré que mon nom lui avait été recommandé par le parti comme organisateur assez reconnu, ce qui l'amenait à réquisitionner mes services; une partie du territoire où je demeurais à ce moment avait été amputée au district de Robert Plante pour être rajoutée au sien.

Je n'avais rien promis au P.R.O. des Lavallois en 1984 lors de l'élection partielle de Robert Plante mais comme je trouvais que ce parti avait assez bien fait dans son premier terme et par surcroît, je voulais que mon fils obtienne sa permanence à la ville, je lui ai donc promis mon appui. Je communiquerais avec lui sitôt la campagne à la chefferie du PQ terminée. De cette manière, je mettais toutes les chances de mon côté pour que mon fils ait sa permanence.

Comme il était prévu, au lendemain de la course à la chefferie du PQ, je me suis présenté au comité de Roger Gagnon, question de savoir quel travail on avait à me confier. C'était simple, on me demandait de faire l'éternel porte-à-porte en faveur de M. Gagnon comme je l'avais toujours fait par le passé. C'est la manière dont je me suis toujours impliqué par le passé, en agissant selon les niveaux électoraux.

D'un niveau à l'autre, il faut varier les approches. Pour cette élection, j'avais peut-être un avantage. En effet, j'avais réussi à faire régler un dossier avec la collaboration du maire Lefebvre et de Robert Plante, l'échevin. Ce dossier se situait dans l'une des rues où j'étais le plus connu.

Lorsque j'eus terminé le porte-à-porte, je pouvais flairer une nouvelle victoire du P.R.O. Il est vrai qu'en politique il est très rare que le peuple ne confie pas un deuxième mandat à un parti politique en force.

Au jour du vote, je fis mon transport habituel. À la fermeture des bureaux de scrutin, c'est sans difficulté que le P.R.O. triomphait à nouveau pour un deuxième mandat consécutif, avec vingt-trois districts sur vingt-quatre et un seul échevin pour tenir l'opposition. Ce n'est pas assez mais en politique il n'y a aucune place pour les compromis. Chacun y va pour gagner avec la meilleure performance possible et aussi le plus grand nombre de sièges. Suite à cette élection, lors d'une rencontre avec le maire Lefebvre, il m'avait promis que mon fils obtiendrait sa permanence à la ville avant la fin de son deuxième terme. Ces paroles m'avaient réconforté, mais je me devais d'être patient car parfois on peut sombrer dans l'attente. J'en connaissais qui, par le passé, étaient entrés au service de la ville dès leur essai qui durait six mois. Il n'y avait pas de danger qu'une chance comme celle-là arrive à mon fils. Je prenais mon mal en patience, mais mon fils, tout comme moi, trouvait le temps très long. J'en étais à ma deuxième participation électorale avec le P.R.O. des Lavallois en deux ans et je considère avoir fait beaucoup pour ce parti. Cependant, cette performance de ma part ne semblait pas jouer en ma faveur.

LE COMPROMIS DU BÂILLON

Toujours ce même scénario alors que j'étais impliqué dans la campagne du P.R.O. des Lavallois et qu'elle tirait à sa fin; M. Pierre-Marc Johnson, qui avait succédé à M. René Lévesque à la tête du Parti québécois, décréta des élections pour le 2 décembre 1985.

Je pouvais m'attendre à recevoir une invitation sous peu pour prendre part à cette campagne. Comme il était prévu, je reçus l'appel téléphonique de M. Michel Leduc qui était député du comté de Fabre. Il avait été élu sous la bannière du Parti québécois en 1981. Il me demanda s'il pouvait compter sur mes services comme cela avait été le cas antérieurement. Je lui ai laissé entendre que j'acceptais son invitation avec plaisir et qu'aussitôt terminé avec le P.R.O. des Lavallois, soit le 3 novembre 1985, je lui donnerais de mes nouvelles.

Tel que promis, à peine le P.R.O. des Lavallois venait-il d'être réélu que j'ai quitté le comité précipitamment, en laissant entendre qu'il me fallait me remettre à l'ouvrage le lendemain, mais cette fois, pour le Parti québécois. Je voulais aider Michel Leduc dans sa campagne électorale comme je l'avais fait par le passé.

Le lendemain, je me suis rendu au comité central de Michel Leduc afin de savoir cette fois quel travail on attendait de moi. Il n'y avait rien de changé avec ce que j'avais vécu par le passé avec ce parti. Dans un premier temps, je me vis confier un district dont le pointage n'était pas encore ouvert.

Pour faire un bon travail, cela me prenait environ cinq bonnes soirées mais il était fait à ma manière et à mon goût. Alors que je m'apprêtais à terminer ce travail, un de mes beaux-frères est arrivé chez moi. Il était sans travail à ce moment et il voulait savoir si je pouvais lui organiser une rencontre avec Michel Leduc, notre député. Je lui ai laissé entendre que je serais très surpris que Michel me refuse ce privilège.

Je suis entré en communication avec la secrétaire de M. Leduc et un rendez-vous me fut tout de suite confirmé pour le lundi suivant. Si j'insistais pour que ce soit lundi c'est que j'étais en congé ce jour-là et, de ce fait, je pourrais assister à la rencontre entre Michel et mon beau-frère.

Tel qu'il était convenu, à la date et à l'heure fixées, je me suis rendu au bureau de Michel Leduc avec mon beau-frère. Celui-ci expliqua à M. Leduc qu'il était opérateur de machinerie lourde et que la compagnie pour laquelle il travaillait depuis bon nombre d'années avait été vendue. La grosse majorité des employés, dont lui, avait été remerciée. Selon certaines sources, quelques employés avaient fait des démarches pour faire entrer le syndicat dans la compagnie, mais cette mesure avait tellement déplu à la partie patronale que celle-ci avait préféré vendre plutôt que de voir les employés adhérer à un syndicat.

Les employés n'ont jamais su toute la vérité sur cette transaction qui me paraissait étrange. En effet, par le passé, j'avais déjà vu des compagnies être vendues mais l'acheteur relocalisait chacun des employés. Il en avait été de même lorsque le journal *La Presse* s'était porté acquéreur du défunt journal *Montréal-Matin*. Aucun des employés du *Montréal-*

Matin n'avait perdu son emploi. Mon beau-frère était dans une curieuse situation car là où était son travail, il n'avait pas besoin de carte d'opérateur. Je crois qu'il travaillait sur un terrain privé. Mon beau-frère demanda à Michel Leduc s'il connaissait quelqu'un pouvant lui procurer ses cartes. Mon beau-frère en avait déjà eu avant d'occuper ce travail. M. Leduc lui promit de faire des démarches et ferait son possible pour lui venir en aide. En quittant le bureau, je demandai à Michel Leduc d'agir le plus rapidement possible et de m'en donner des nouvelles.

Dans l'intervalle, je continuais mon travail électoral, mais je me disais qu'il me fallait régler le cas de mon beau-frère avant que la campagne électorale prenne fin. Je connais quelque peu les rouages de la politique et je m'en étais déjà fait passer quelques petites vites, mais parfois la providence fait bien les choses!

De retour de mon travail, alors que je venais de terminer mon souper, deux organisateurs de Parti libéral arrivent chez moi. Je me demandais bien quel était l'honneur qui me valait cette visite. Ils étaient deux bons amis et nous avions même travaillé ensemble à quelques occasions au niveau municipal. Cette visite chez moi était pour me demander s'il m'était possible d'intervenir auprès de Michel Leduc, notre député, afin qu'il fasse cesser la destruction des panneaux-réclames qui, selon eux, disparaissaient peu de temps après avoir été mis en place. Je fus très surpris de cette demande. Pourquoi cette intervention passait-elle par mon intermédiaire plutôt que par le Parti québécois? Pour eux c'était simple. Je connaissais Michel Leduc intimement. Ces deux hommes étaient très diplomates. Au début je leur ai laissé savoir que je n'avais rien à voir avec ces actes de vandalisme et que j'avais été candidat à l'échevinage. De plus, j'ajoutai que j'avais toujours déploré ces actes. Je sais que c'est très frustrant mais je leur ai promis d'en glisser un mot au comité central de notre comté.

Tout en continuant à jaser de choses et d'autres, la conversation dévie sur le cas de mon beau-frère. Je leur explique que j'ai entrepris des démarches au bureau de Michel Leduc pour aider un de mes beaux-frères. L'un d'eux me déclare qu'au cas où le député ne puisse régler cette question, il pourrait peut-être faire quelque chose pour mon beau-frère mais que son intervention était conditionnelle. Cette condition était simple pour lui mais un peu moins pour moi. en effet, il me déclare : «*Si Michel Leduc ne peut répondre à ta demande, donne-moi un coup de fil. Si tu reçois une réponse, à ce moment tu me refiles le dossier. Je m'en occuperai mais la condition, la voilà. Si je réussis à régler le cas de ton beau-frère, tu te retires de cette campagne électorale en cours et ne t'avise pas de travailler à la noirceur, car je le saurai tôt ou tard*».

À première vue, cette entente me semblait un beau risque mais tout compte fait, elle en valait la chandelle. C'était pour moi un lourd sacrifice mais cela procurerait peut-être un travail à mon beau-frère. J'ai conclu le marché. Je lui demande alors si je dois immédiatement cesser mon travail. «*Non. Attends la réponse de Michel Leduc avant.*» C'est sur cette note que les deux organisateurs me quittèrent.

Le lendemain de cette visite, je communiquai avec Michel Leduc. Il me confirma qu'il avait fait son possible mais que pour réussir il aurait fallu trouver un emploi pour mon beau-frère et qu'il était dans l'impossibilité d'y réussir. Tel que je connaissais Michel, je savais qu'il avait fait tout ce qu'il pouvait. Je ne pouvais lui en vouloir de ne pas avoir réussi. À partir de ce moment, je suis entré en communication avec celui qui, selon ses dires, pouvait peut-être faire quelque chose pour mon beau-frère. Cet homme n'avait pas changé d'idée et il était toujours intéressé au dossier. Je l'ai donc prévenu qu'il devait agir très vite et que si je faisais le sacrifice d'arrêter mon travail électoral, ce serait pour deux semaines tout au plus.

À ce moment, nous étions à environ trois semaines de la fin de la campagne électorale en cours. Si au bout de ces deux semaines je ne recevais pas de nouvelles favorables, je reprendrais mon travail avec le Parti québécois pour le *sprint* final de la campagne.

Durant ce temps d'attente, je me posais souvent la question à savoir si j'avais bien agi mais celui avec lequel j'avais fait ce pacte était un de mes amis d'enfance. Je me devais de lui faire confiance. Pour être bien honnête, j'ai prévenu Michel Leduc de mon retrait de cette campagne électorale. Il semblait très déçu mais comme je le lui expliquais, j'aimais mieux faire le sacrifice d'une campagne électorale si cela pouvait aider un des membres de ma famille à trouver du travail.

Pour certains organisateurs du PQ, cette manière était passée de mode en 1985. Je devais cependant me rendre à l'évidence que je trouvais le temps très long. Cette inactivité était lourde à supporter, mais lorsque ma parole est donnée, je la respecte jusqu'au bout.

Environ dix jours après que j'eusse mis le dossier dans les mains de l'organisateur en question, celui-ci s'est à nouveau pointé chez moi en compagnie de mon beau-frère. Il avait un très beau sourire et pour cause, il avait réussi à trouver un emploi à mon beau-frère. Cet emploi serait peut-être partiel au départ mais pouvait devenir permanent plus tard et, en plus, les heures qu'il accumulerait lui serviraient pour récupérer sa carte d'opérateur de machinerie lourde. Devant ces événements, je n'avais qu'à lever mon chapeau et dire merci à ce copain de jeunesse, souhaiter bonne chance à mon beau-frère et demeurer dans l'ombre jusqu'au soir du scrutin. Mais avant son départ, il me dit : «*Est-ce que pourrais te demander un service maintenant*». Je lui dis de ne pas hésiter. Il me demande alors : «*Pourrais-tu nous donner un coup de main et travailler avec nous pour le Parti libéral?*». Je lui dis : «*Bien sûr mais je vais te poser une condition. Si je dois faire du porte-à-porte pour le Parti libéral, tu devras me fournir un curé pour que je me confesse à la sortie de chaque demeure*». C'était une blague mais il a très bien compris. Comme je lui ai dit : «*Je respecte la première entente mais ne m'en demande pas plus. C'est déjà beaucoup pour moi.».*

Avec mon expérience passée et suite aux quelques soirées où j'ai fait du pointage pour le Parti québécois, j'avais dû déceler une clientèle moins favorable que par le passé. J'avais adhéré au PQ en 1970. Celui-ci avait pris le pouvoir en 1976 et en 1985 et je pouvais constater que l'usure du pouvoir de neuf ans consécutifs se faisait sentir.

Au moment où j'ai accepté l'entente, j'étais déjà convaincu que ma participation n'aurait pu changer le résultat du vote. Tout compte fait, je crois que dans un contexte semblable, j'avais pris une très bonne décision. Je me suis dit que si l'équipe de M. Bourassa triomphait, celle-ci aurait un emploi de moins à créer.

Le jour du scrutin, j'étais comme un lion en cage. Je ne m'étais jamais senti aussi malheureux de ma vie. Ceci était quelque peu dû au fait qu'à 90 % des élections auxquelles j'avais pris part, je transportais des électrices et des électeurs. Mais ma manière de travailler, je l'ai toujours gardée pour moi. Je divulgue le moins possible la provenance de ma clientèle à qui que ce soit. De cette manière, s'il s'avérait qu'un candidat, une fois élu, ne soit pas à la hauteur de la situation, je pourrais travailler en sens inverse à l'élection suivante.

Ce que la vie peut être bizarre certains jours de notre vie. Si j'avais voulu regarder un film plus approprié que celui que j'ai regardé en ce jour d'élection, le 2 décembre 1985 au canal 10 à 12h15, je n'aurais pas pu le trouver. C'était «*Le téléphone pleure*», mélodrame réalisé par L. de Caro avec Dominico Modugno, Marie-Yvonne Danaud et Louis Jourdan. À sa sortie de prison, un homme cherche à revoir son ancienne maîtresse qui a eu un enfant de lui. Les élections dans la tête et à la vue de ce film, j'avais le coeur gros. Je recevais des appels téléphoniques de certains messieurs ou dames que je transportais depuis des années. Ils me demandaient comment se faisait-il que je n'avais pas été les solliciter comme par le passé et pourquoi je ne faisais pas le transport en ce jour de scrutin. Pour minimiser les dégâts, je me disais malade et dans l'impossibilité de conduire mon automobile. Je ne tenais pas à raconter ce qui me retenait chez moi.

Pour tout dire, cette journée restera gravée dans ma mémoire longtemps. Je m'en voulais de n'avoir pu participer à cette élection. J'aurais bien aimé voir M. Pierre-Marc Johnson et son équipe triompher, mais hélas.

En soirée, nous avons pu voir à la télévision la victoire du Parti libéral, dirigé par M. Robert Bourassa, se concrétiser assez tôt. La seule ombre au tableau était la défaite de M. Robert Bourassa dans le comté de Bertrand.

On a pu voir M. Bourassa lors de son apparition à la télévision déclarer : «*Il en manque un, ce n'est qu'un accident de parcours. Le tout rentrera dans l'ordre incessamment*».

Même si je n'ai jamais milité dans les rangs du Parti libéral, je dois admettre que M. Bourassa a un courage à toute épreuve. Il en était à sa deuxième défaite à la tête du Parti libéral. En 1976, son parti avait subi la défaite aux mains du Parti québécois, dirigé par M. René Lévesque alors qu'en 1985, son parti avait repris le pouvoir.

Alors chapeau à l'équipe de M. Bourassa. Bonne chance aux nouveaux élus et je souhaite l'ouverture d'un siège au plus tôt à l'Assemblée nationale pour M. Bourassa.

Le comté de Fabre, où je demeure, n'avait pas été épargné par cette vague libérale.

M. Jean A. Joly, candidat libéral, a aussi défait M. Michel Leduc, député sortant du Parti québécois.

Je répète encore que ma participation à cette élection n'aurait rien changé aux résultats du vote. J'en suis donc quitte. Et maintenant, je peux reprendre mes activités là où je les avais laissées. Cette aventure fait maintenant partie du passé.

LE DÉPART DE PIERRE-MARC JOHNSON

Le Parti québécois sous la gouverne de son fondateur M. René Lévesque avait connu, en novembre 1984, un bouleversement sans précédent, suite à la décision de mettre l'option souverainiste en veilleuse. La majeure partie de cette décision était due à la victoire de M. Brian Mulroney sur le gouvernement libéral qui était en poste à Ottawa depuis seize ans. Il n'y avait jamais eu, à ma mémoire, un gouvernement aussi centralisateur que celui de M. Trudeau. Si certains considéraient que c'était un beau risque, celui-ci valait la peine d'être pris. Peut-être que M. Lévesque n'avait pas prévu l'ampleur de son geste à l'intérieur du Parti québécois. Il faut se souvenir que cette crise avait provoqué le départ de cinq ministres du cabinet Lévesque. Dans le journal *La Presse* du vendredi 23 novembre 1984 on pouvait lire :

«M. Jacques Parizeau, ministre des Finances, M. Camille Laurin (Affaires sociales) M. Jacques Léonard (Transports), Mme Denise Leblanc-Bantey (Condition féminine) et M. Gilbert Paquette (Science et Technologie) quittent tous parce qu'ils sont incapables de se rallier à la proposition faite lundi par M. René Lévesque de mettre en veilleuse l'option souverainiste du Parti québécois. [Votre texte], écrit par exemple Jacques Parizeau, "remet en cause un objectif qui me paraît toujours nécessaire, et dont huit ans de travail ministériel n'ont fait que confirmer le caractère essentiel".»

Ces textes furent écrits par Louis Falardeau et Yvon Roberge du bureau de Québec. Lors de la victoire de Pierre-Marc Johnson à la présidence du Parti québécois, celui-ci n'était pas sans savoir que ce parti n'était pas facile à contrôler. Si certains députés ou ministres dits de l'aile radicale avaient quitté, d'autres étaient restés en poste pour veiller au grain. Lors des élections générales du 2 décembre 1985, la défaite était en grande partie attribuable aux coupures du gouvernement qui, en 1983, coupait arbitrairement le salaire des fonctionnaires. Même si Pierre-Marc Johnson a fait des excuses publiques au cours de la campagne électorale, à propos des «indélicatesses» commises par le gouvernement Lévesque au moment de la crise, ni les engagements de ses lieutenants à maintenir et même augmenter l'effectif dans la fonction publique n'auront pu empêcher les fonctionnaires de prendre leur revanche contre le gouvernement du Parti québécois. Selon certains ténors libéraux, le gouvernement est responsable «*du manque à gagner de 150 millions de dollars pour les fonctionnaires, de l'exode des jeunes, des 50 000 chômeurs et des 100 000 assistés sociaux dans la région*». Cette défaite devait jouer contre Pierre-Marc Johnson même s'il n'en était pas plus coupable que les autres ministres de l'époque mais dont certains avaient démissionné. Cependant, le départ de certains d'entre eux continuait de planer au-dessus du parti. Au moment de l'accession de Pierre-Marc Johnson à la présidence du parti et aussi comme premier ministre du Québec, je me posais la question à savoir combien de temps celui-ci pourrait se maintenir en poste si une défaite électorale survenait.

Vers la fin du deuxième mandat du Parti québécois, l'usure du pouvoir se faisait sentir, même si le parti avait changé de chef. De la fin de la course à la présidence et jusqu'au lendemain des élections du 2 décembre 1985, l'on pouvait voir qu'une certaine trève semblait être observée par le clan des radicaux encore à l'intérieur du parti et aussi par les modérés et les inconditionnels. Personnellement, je trouvais que M. Johnson accomplissait du très bon travail dans le contexte que le parti vivait.

Peu de temps après la défaite électorale du Parti québécois, Pierre-Marc Johnson prenait la défaite sur son compte.

(Extrait *La Presse*, Montréal, 23 février 1986)

«*JOHNSON PREND LA DÉFAITE SUR LUI*

«*Pierre-Marc Johnson n'en a pas fait mystère avant et il n'en a pas été autrement hier.*

«*Ainsi, a-t-il déclaré aux quelque trois cents délégués au Conseil national de son parti, prendre sur lui les causes de la défaite électorale du 2 décembre dernier.*

«*Ces causes, elles sont immédiates et profondes, a-t-il reconnu d'emblée. Ce sont, a-t-il affirmé : l'inégalité de l'organisation, les erreurs de communications, le débat télévisé qui n'a pas eu lieu.*

«*Et bien d'autres choses dont j'assumerai la responsabilité comme chef du parti tout en constatant que, malgré leur engagement, leur énergie et leur compétence, ceux qui ont préparé la campagne électorale ont eu à peine dix-neuf jours pour le faire.*

«*Quant aux causes profondes, elles sont multiples. Elles vont du phénomène d'usure du pouvoir aux crises internes qui ont secoué le Parti québécois et accaparé l'essentiel de ces énergies.*

«*Il estime avoir mené la campagne électorale la tête haute et il s'est particulièrement dit fier d'avoir donné l'heure juste aux citoyens du Québec.*

«*Nous avons tenu le langage de la rigueur, de l'effort, de l'excellence et du réalisme, a-t-il dit. (...) Nous avons refusé les leurres électoralistes de promesses (libérales) qui seront bientôt brisées par ceux-là même qui les ont données.*» Y.L.

Ceux qui, comme moi, s'occupent de politique depuis près de quarante ans, savent très bien que le Parti québécois n'a pas été porté au pouvoir pour deux termes consécutifs par accident. Si en 1976 il y eut une certaine surprise, il n'en fut pas de même en 1981. Mais, il faut aussi admettre que ce parti ne fut pas porté au pouvoir uniquement en parlant de souveraineté ou d'indépendance, mais en parlant de démocratie et d'être un bon gouvernement qui saurait respecter les règles démocratiques qui doivent régir nos gouvernements. Tant et aussi longtemps que le peuple du Québec ne l'aura pas décidé autrement par la tenue d'un référendum auquel une majorité aurait donné son accord pour négocier une nouvelle entente avec le gouvernement d'Ottawa, les choses resteraient telles qu'elles sont.

Mais malheureusement, certaines instances du Parti québécois n'avaient jamais accepté la victoire de Pierre-Marc Johnson à la présidence du parti. Celui-ci était peut-être trop démocratique pour certains, comme l'avait été M. René Lévesque, son prédécesseur.

Les dénigreurs de M. Johnson attendaient patiemment le moment propice pour partir le bal qui ferait prendre la décision à M. Johnson de se retirer de la politique.

Dans la soirée du 1ᵉʳ novembre 1987 survint le décès de M. René Lévesque, le fondateur du Parti québécois, ce qui laissait un grand vide tant dans la population du Québec qu'au sein du Parti québécois. Les neufs années de pouvoir de ce parti avaient donné une nouvelle manière de relever les défis tout en donnant une leçon de démocratie aux partis traditionnels. Mais à peine le corps de M. Lévesque était-il en terre que la contestation reprit de plus belle, un peu comme si le décès de celui-ci avait enlevé la gêne à ceux qui n'avaient jamais accepté le virage du parti.

Celui qui a parti le bal, le ministre du temps responsable des Affaires linguistiques M. Gérald Godin, s'était pourtant rallié à la position défendue par le premier ministre René Lévesque en novembre 1984. Pourquoi en était-il autrement avec M. Johnson en 1987? C'est un coup très bas que de s'en prendre à un chef de parti alors qu'il est à l'extérieur du pays, tout au moins celui-ci aurait dû lui en parler en tête-à-tête.

Mais la marmite bouillait, à écouter parler les séparatistes inconditionnels. J'en connais quelques-uns pour en avoir croisés en faisant du porte-à-porte. Certains trouvaient que M. Johnson n'était pas assez séparatiste, d'autres prétendaient que le parti n'allait nulle part sous sa gouverne, qu'il n'avait pas pris la tête au bon moment, qu'il ne visait que le pouvoir. Sur ce, quel chef de parti pourrait se faire élire sans vouloir prendre le pouvoir? Ce serait ridicule. M. Johnson avait déjà déclaré qu'il n'y avait aucune honte à vouloir garder le pouvoir et il avait parfaitement raison, car c'est seulement à ce niveau que la vie de la collectivité québécoise peut être améliorée. Environ un an avant que M. Pierre-Marc Johnson ne laisse ses fonctions tant comme chef de l'opposition qu'à titre de député du comté d'Anjou, j'étais très réticent à renouveler ma carte de membre. Ces éternelles chicanes à l'intérieur du parti me démolissaient complètement. C'est un peu contre mon gré que j'avais accepté de renouveler ma carte de membre mais selon le solliciteur qui était passé chez moi, les disputes à l'intérieur du parti tiraient à leur fin. Hélas! j'ai été à même de constater que c'était peut-être vrai jusqu'à un certain point. Il a fallu que M. Johnson quitte, et ce, à peine neuf jours après le décès de M. René Lévesque.

(Extrait *La Presse*, 11 novembre 1987)

«LE TESTAMENT POLITIQUE D'UN EX-PREMIER MINISTRE ET CHEF DE PARTI

«En dépit du mandat démocratique au suffrage universel des membres, que j'ai obtenu comme président de mon parti, en dépit du congrès qui a adopté démocratiquement une démarche s'inscrivant dans la continuité des sept dernières années, une minorité veut encore secouer le parti qui s'éloignera alors du peuple québécois parce qu'il s'engage dans une bataille inutile, violente, fratricide et, dans cette bataille, on voudrait m'obliger, moi, à me battre contre des souverainistes alors que je suis des leurs. Je ne veux pas servir de prétexte à l'éclatement des forces

nationalistes. Je ne veux pas présider à ces
déchirements. Je sais que, comme mon prédécesseur, je
pourrais retourner à nouveau chez les militants et les
militantes de mon parti et que, comme lui, j'irais y
chercher un appui majoritaire et solide contre cette
minorité éternellement rebelle et insatisfaite.
L'expérience m'enseigne que la question n'en est pas
une de nombre ni même de majorité ni de chiffres, mais
bien que ce qui est en cause, c'est la bonne foi,
l'attitude, le comportement d'un certain nombre de
personnes et le respect des processus démocratiques
dans une coalition dont tous les éléments ont leur
importance.

«Je ne suis pas un homme qui craint les combats, mais
je répète que je ne veux pas présider à l'affaiblissement
et au déchirement des forces nationalistes du Québec.
Ce n'est pas un service à rendre ni à mon parti ni à
mon peuple et j'ai le sentiment que la grande majorité
de la population comprendra mon geste.»

Ce sont ces extraits que j'ai retenus.

Personnellement, j'avais cru que le Parti québécois était
un parti des plus démocratiques et des plus respectueux qui
opérait selon les décisions prises par l'ensemble des
membres. Ce n'est qu'une minorité qui voulait le départ de
Pierre-Marc Johnson. Je ne voyais aucunement où M.
Johnson avait bien pu déplaire à certaines instances du parti.

J'y avais adhéré le 2 avril 1970. J'y étais entré en
vérifiant la démocratie, et elle répondait à mes normes. J'y
étais peut-être entré un peu comme un intrus. Donc, au
lendemain du départ de M. Pierre-Marc Johnson, je pris la
décision de laisser cette formation, considérant que certains
membres ne laissaient plus la chance au coureur. J'ai fait
parvenir la lettre de démission que voici.

«*À qui de droit :*

«*Veuillez prendre avis que j'ai pris la décision de quitter les rangs du Parti québécois. Je suis écoeuré de la contestation que certains exercent contre M. Pierre-Marc Johnson, car je crois que celui-ci avait été choisi le plus démocratiquement possible.*

«*Lucien Cloutier*»

Considérant que cette trahison à l'endroit de M. Johnson était un accroc à la démocratie, je jugeai que c'en était trop pour moi.

De toute la politique dans laquelle j'ai oeuvré, c'est certainement dans le Parti québécois que le travail était le plus difficile à accomplir, ceci étant dû à l'option souverainiste de ce parti.

Dès mes débuts dans ce parti en avril 1970, au moment des élections, plusieurs personnes étaient craintives, certaines d'entre elles me déclaraient, lorsque je faisais du porte-à-porte, qu'elles avaient peur que le Parti québécois, une fois porté au pouvoir, ne déclare l'indépendance unilatéralement. Il fallait être bon vendeur, diplomate et expliquer la venue d'un bon gouvernement qui saurait respecter les règles de la démocratie, tant et aussi longtemps que le peuple du Québec n'en aurait pas décidé autrement par voie de référendum. Un gros contraste avec ce que j'avais vécu à mes tous débuts à ce niveau alors que deux éternelles formations se présentaient devant l'électorat, soit l'Union nationale et le Parti libéral du Québec.

Au moment où j'avais joint les rangs du Parti québécois, je ne m'étais pas interrogé à savoir de quelle manière ce parti avait été fondé. Je savais tout simplement que M. René Lévesque était en désaccord avec la position de certains membres du Parti libéral du Québec. Mais lorsque M. Pierre-Marc Johnson a remis sa démission, je me suis permis de faire quelques recherches. Je voulais satisfaire ma curiosité.

(Extrait de *La Presse*, dimanche 8 novembre 1987 - Louis Falardeau -
texte déjà publié dans *La Presse* du 21 juin 1985, au lendemain de la
démission de M. Lévesque comme chef du Parti québécois)

«COUP DE THÉÂTRE

*«Un coup de théâtre survient le 14 octobre 1965 alors
que le premier ministre Lesage décide de déplacer ses
deux turbulents ministres "économiques" vers des
portefeuilles sociaux. René Lévesque devient ministre
de la Famille et du Bien-être et Eric Kierans ministre
de la Santé.*

*«Les deux hommes sont déçus mais acceptent
finalement d'aller réformer ensemble ce nouveau
secteur. Ils n'auront que le temps d'élaborer des
projets car M. Lesage fixe au 5 juin 1966 la date des
prochaines élections générales.*

*«Cette fois, le premier ministre, qui dirige un
gouvernement de plus en plus divisé, décide de faire
campagne à peu près seul. La popularité encore très
grande de Lévesque sera très peu mise à profit.*

*«À la surprise générale, les libéraux sont défaits et
doivent céder le pouvoir à l'Union nationale de Daniel
Johnson. Ils ont pourtant remporté 47 pour cent des
voix contre seulement 42 pour cent pour l'UN, mais
sont victimes d'un mauvais découpage de la carte
électorale, qui avantage les régions rurales, et de
l'entrée en lice de deux petits partis indépendantistes.*

*«René Lévesque s'intéresse peu à son rôle de député de
l'opposition. Il consacre l'essentiel de son temps à la
réforme de son parti et particulièrement de son option
constitutionnelle.*

*«Avec un groupe de libéraux progressistes, dont Robert
Bourassa - qui ne se retirera qu'à la dernière réunion -
il met au point un projet de politique constitutionnelle
qu'il veut faire adopter par le congrès de son parti qui
se tiendra à Québec les 13, 14 et 15 octobre 1967.*

«Mais dès la publication du document proposant la souveraineté-association, en septembre, on sait qu'il n'aura pas gain de cause. Son vieux complice, Eric Kierans, devenu président du parti, se charge d'ailleurs de mener la lutte pour "balayer une fois pour toutes le séparatisme du Parti libéral du Québec".

«À l'ouverture du congrès, Lévesque échoue dans sa tentative pour obtenir que sa résolution soit soumise à un vote secret. Il sait alors qu'il a perdu. Le lendemain, après quatre heures de discussion et sans attendre la mise aux voix, il annonce, au bord des larmes, qu'il quitte le parti.

«Un petit groupe de libéraux le suivent mais la très grande majorité des délégués se réjouissent de son départ. C'est la fin d'un mariage de raison qu'on savait en danger depuis longtemps.

«Mais M. Lévesque ne quitte pas la politique pour autant. Il consacre au contraire toutes ses énergies à la création d'un nouveau parti politique.

«ON RÉPOND À L'APPEL

«Les 18 et 19 novembre 1967, quatre cents personnes répondent à son appel et décident de la formation du Mouvement souveraineté-association (MSA). Le 6 janvier 1968, il publie son livre Option-Québec qui obtient un vif succès.

«Les 20 et 21 avril suivants, les mille deux cents délégués participant au premier congrès MSA décident de transformer le mouvement en parti politique. L'adoption du programme donne lieu a un incident qui préfigure les relations tendues qu'aura toujours le chef avec son parti.

«M. Lévesque appuie une proposition garantissant au système scolaire anglophone, des subventions de l'État

254

calculées au prorata de son importance numérique. Beaucoup de délégués, inspirés par l'idéologie du RIN, s'y opposent.

«Leur leader est le député François Acquin qui a quitté le Parti libéral quelques mois avant Lévesque, à la suite de la condamnation par Jean Lesage du "Vivre le Québec libre" du général de Gaulle.

«Le congrès de fondation du Parti québécois, qui a lieu à Québec du 12 au 14 octobre 1968, se déroulera dans l'harmonie. Le PQ naît officiellement de la fusion du MSA et du Parti nationaliste, groupuscule indépendantiste d'origine créditiste dirigé par Gilles Grégoire.

«De longues négociations ont également eu lieu avec le RIN de Pierre Bourgault, mais Lévesque n'a rien fait pour qu'elles réussissent. Il croit que la venue des indépendantistes radicaux nuirait à la crédibilité de son parti et souhaite plutôt qu'ils la renforcent en continuant à s'agiter à sa gauche.

«Mais le RIN choisira de se saborder deux semaines après la création du PQ et la plupart de ses membres se joindront au nouveau parti.»

Ces quelques extraits m'éclairaient beaucoup. Ce qui me porte à réfléchir, c'est qu'il est écrit noir sur blanc : *«De longues négociations ont également eu lieu avec le RIN de Pierre Bourgault mais M. Lévesque n'a rien fait pour qu'elles réussissent. Il croit que la venue des indépendantistes radicaux nuirait à la crédibilité de son parti et souhaite plutôt qu'ils la renforcent en continuant à s'agiter à sa gauche».* Je comprends pourquoi M. Lévesque a traversé une période difficile lorsqu'il a pris la décision de mettre l'option de la souveraineté en veilleuse. N'en déplaise à certains membres, c'était un bon choix pour la situation. Pierre-Marc Johnson y est allé dans le même sens. Certaines instances du parti ne l'acceptaient pas. Il a pris la bonne décision.

Personnellement, je ne regrette pas ces quinze années passées au Parti québécois. Je demeure souverainiste mais aussi démocratique. Lorsque j'ai laissé les rangs de l'Union nationale avant de joindre ceux du Parti québécois, c'était pour moins qu'aujourd'hui. C'est ma manière d'agir.

FÉDÉRAL 1988

Au moment où M. Brian Mulroney, alors premier ministre du Canada, a dissous le parlement pour la tenue de nouvelles élections pour le 21 novembre 1988, mon choix a été vite fait. J'ai opté à nouveau pour le Parti conservateur dirigé par M. Mulroney. Selon moi, ce parti avait fait des efforts très louables dans plusieurs domaines de l'administration même si je m'y connaissais très peu, à ce moment, sur les discussions entourant la fameuse conférence du lac Meech. Ces discussions n'ont d'ailleurs jamais abouti à cause de l'intransigeance de certains politiciens de l'extérieur du Québec. Mais M. Mulroney avait montré beaucoup d'ouverture face au Québec qui s'était vu un peu isolé quelques années auparavant, au moment où M. René Lévesque dirigeait les destinées de la province de Québec.

Ce fut certainement un coup difficile à digérer pour la population de notre province. Mais dans le système démocratique où nous avons eu la chance de vivre, il était encore permis d'espérer que quelque chose pourrait se passer et qui, peut-être, accommoderait la province de Québec. Il s'agissait d'être patient et de confier un deuxième terme au Parti conservateur dirigé par M. Mulroney. Étant donné que les libéraux s'étaient accaparés le pouvoir durant environ seize ans, qu'ils avaient même laissé entendre lors du référendum de 1980 qu'un non voulait dire oui au renouvellement du fédéralisme, où est passée la marchandise promise?

Ce gouvernement dirigé par M. Trudeau a laissé un héritage des plus décevants à la province de Québec. Par

256

contre, la campagne électorale de 1988 en aura été une des plus ternes, à mon goût. Ceci était dû à la fameuse entente que le Canada s'apprêtait à signer avec les États-Unis sur le libre-échange.

De quoi les citoyens de la classe ouvrière peuvent-ils discuter dans un dossier aussi complexe? Mais si certaines personnes comme moi ont trouvé cette campagne terne, les partis d'opposition ont une grande part de responsabilité. Par leurs agissements, ils ont forcé le gouvernement de M. Mulroney à se tenir continuellement sur la défensive en le forçant pratiquement à parler de ce sujet presque à tous les jours de la campagne électorale. C'en était navrant. J'avais même l'impression, à un certain moment de cette campagne, que les conservateurs se dirigeaient vers un gouvernement minoritaire comme le cas s'était produit au moment où M. Charles Joseph Clark avait dirigé ce parti en 1978 alors que celui-ci avait été défait en chambre, le jeudi 13 décembre 1979.

Par bonheur, tel ne fut pas le cas.

Ce fut un gouvernement majoritaire, une deuxième fois de suite pour les conservateurs même si ce gouvernement a dû concéder quelques sièges aux libéraux et au NPD. C'était tout à fait normal.

Certains de nos ancêtres disaient qu'une année d'élections équivalait à une année de disette. C'était peut-être beaucoup dire, mais ceux-ci n'avaient pas complètement tort car l'on observe toujours un certain ralentissement des affaires en période électorale tant au niveau fédéral que provincial et lorsqu'un changement de gouvernement se produit, le ralentissement des affaires peut être beaucoup plus long avant que la nouvelle équipe soit bien en place pour réviser les programmes de certaines promesses électorales faites au cours de la campagne.

Ma mère m'avait raconté qu'elle avait connu un couple âgé qui ne se couchait pas un soir sans dire un *pater* et un *ave* pour nos saints gouvernements. Je n'irai certainement pas jusque-là. Il fallait être drôlement catholique pour agir ainsi.

Pour terminer cette élection, bonne chance à l'équipe de M. Brian Mulroney pour son deuxième terme.

PROVINCIAL 1989

Alors que nous étions en pleine campagne électorale au niveau municipal, M. Robert Bourassa a annoncé la tenue d'élections pour le 25 septembre 1989.

À partir de ce moment, nous avons dû faire une certaine relâche au niveau municipal car deux élections à la fois c'est beaucoup et il y a toujours des gens qui n'aiment pas trop entendre parler de politique à ce moment-là, il faut y aller avec diplomatie.

Quelques jours après l'annonce de ces élections, je reçus un appel téléphonique de Michel Leduc. Celui-ci avait été député du Parti québécois du comté de Fabre, mon comté de 1981 à 1985. Il avait pris la décision de tenter sa chance à nouveau. Il me demandait si je pouvais l'aider. Je n'étais plus membre du Parti québécois à ce moment mais j'ai quand même acquiescé à sa demande. Je l'appuyais en tant qu'ami personnel, car il avait fait du très bon travail au moment où il était député. À cette époque, j'avais récupéré une marge de manoeuvre que j'avais perdue à ce niveau en 1985 avec mon fameux compromis.

Alors comme par le passé, je fis du porte-à-porte avec lui. Comme il y a des gens qui ont beaucoup de mémoire, une dame qui travaillait comme professeure lui avait demandé qu'advenant une victoire du Parti québécois, couperait-il les salaires comme il l'avait fait par le passé. C'était une très bonne question, mais à ce moment le contexte n'était plus le même simplement parce que le Parti québécois n'était plus au pouvoir depuis 1985.

Comme Michel lui a dit : «*Ce ne sont certainement pas dans nos intentions mais il faut aussi dire que nous ne connaissons pas les finances actuelles de la province mais soyez assurée que la décision de couper n'avait pas été prise avec cœur».* Alors je me disais que le Parti québécois resterait encore dans l'opposition pour au moins un autre terme.

Le soir du 25 septembre, nous avons pu voir le Parti libéral, dirigé par M. Bourassa, se faire réélire sans trop de difficultés. Même si le Parti québécois a fait quelques gains, il a encore un bout de chemin à faire pour monter la côte. Il est facile à voir que les déchirures internes sont loin d'être terminées. Maintenant que M. Jacques Parizeau est à la barre, il doit certainement s'apercevoir, comme son prédécesseur M. Pierre-Marc Johnson, que ce parti n'est pas facile à contrôler. N'en déplaise à certains membres du Parti québécois, je n'accepterai jamais qu'une élection soit référendaire. Advenant qu'une telle possibilité se réalise, je connais beaucoup de gens comme moi qui seront très mal pris pour voter aux prochaines élections. Par les temps qui courent, le Parti libéral dirigé par M. Bourassa prend beaucoup d'usure. C'est peut-être à cause du contexte économique mais ce gouvernement semble à court d'idées puisqu'il prend de l'arrière en permettant aux commissions scolaires de doubler les taxes scolaires alors qu'il s'apprête aussi à en refiler une autre partie aux municipalités, ce qui aura pour effet de pénaliser davantage la classe moyenne.

Peut-être devrait-il naître une nouvelle formation pour ceux qui se sentent coincés entre le Parti libéral et le Parti québécois. Bien malin celui qui pourrait répondre à cette question; seul l'avenir nous le dira. Il fallait quand même être réaliste car il est très rare qu'un parti ne soit pas réélu pour un deuxième terme. Donc, cette victoire ne fut une surprise pour personne. C'est à suivre.

MUNICIPAL 1989

C'est certainement à ce niveau que nous sommes le plus près des gens. Ce niveau m'aura toujours plus passionné que les autres. Tout d'abord, je suis natif de l'île Jésus qui est devenu Laval en 1965. J'ai pratiquement participé à l'évolution de cette ville depuis ma plus tendre enfance, alors tout le temps que j'ai donné à la politique c'est à Laval, et ce, à chaque niveau pour lequel je me suis impliqué. L'année 1989 marquait pour moi un cachet un peu particulier. En effet, c'était une quarantième année d'implication en politique active. Durant ces années, j'aurais croisé les mêmes figures à plus d'une reprise pour différents niveaux électoraux. C'en était presque devenu une routine, même qu'à certains moments j'en étais mal à l'aise. Mais en juin 1987, j'ai emménagé dans un nouveau district, environ quatre kilomètres plus à l'ouest. Ce changement me redonnait le goût et l'énergie pour continuer à m'impliquer et comme je marquais, de ce fait, une quarantième année d'implication, je voulais cette victoire.

Le maire de Laval, M. Claude Lefebvre, qui était en place depuis le 1er novembre 1981, a pris la décision de ne plus demander de renouvellement de mandat. Pour Laval, c'était la première fois qu'un maire en place quittait la scène municipale sans avoir subi la défaite. Il a quitté le 5 juin 1989, environ cinq mois avant la tenue de nouvelles élections.

Il y avait déjà quelques mois que la rumeur de son départ circulait. La première question que beaucoup de gens se posaient était de savoir si le départ de M. Lefebvre créerait une scission au sein du P.R.O. des Lavallois. La deuxième était de savoir qui lui succéderait à la barre.

Personnellement, et comme plusieurs observateurs de la scène municipale, je prévoyais la venue de M. Gilles Vaillancourt à la tête du P.R.O. des Lavallois. Il faut admettre au départ que celui-ci avait une vaste expérience sur le plan municipal.

C'est le 8 juin 1989 que M. Gilles Vaillancourt devenait le cinquième maire de Laval. Selon ce que l'on a pu observer, il n'y a eu qu'une scission au sein du P.R.O. des

Lavallois, c'est le départ de M. Marcel Lemay, ex-président de la STL qui se joignait quelques mois plus tard au PRL (Parti pour le renouveau de Laval). J'avais personnellement joint les rangs du P.R.O. des Lavallois à l'automne de 1984, quelques mois avant que M. Robert Plante ne devienne échevin lors d'une élection partielle. Mais depuis mon accession à cette formation, j'avais accumulé quelques griefs à l'endroit du P.R.O. des Lavallois. Alors en 1989, au moment même où l'ex-maire M. Claude Lefebvre était en convalescence, peu de temps avant que M. Vaillancourt lui succède, je parlai avec M. Robert Plante pour lui demander de communiquer avec M. Gilles Vaillancourt. Je désirais le rencontrer pour lui faire part de mes griefs. Ce ne fut qu'une simple formalité car le lendemain, je fus invité avec Robert Plante à aller rencontrer M. Vaillancourt.

Ce fut une rencontre des plus cordiales. Un des griefs qui me préoccupait drôlement c'est que, en tant qu'organisateur actif du P.R.O. des Lavallois, certaines instances du parti avaient, par habitude ou par oubli, négligé de me prévenir de la date de la partie de sucre annuelle. C'était pour moi un affront qui me piquait au vif. J'en avais fait la remarque à M. Vaillancourt en lui laissant bien entendre qu'à aucun moment de ma vie je n'avais milité dans une formation politique seulement pour en grossir le nombre. Il m'a très bien compris en me laissant entendre qu'il espérait que des faits semblables ne se reproduiraient pas à l'avenir. C'est sur cette note que j'avais quitté.

Avant que la campagne ne prenne son envol pour de bon, ceux et celles qui suivaient la politique de près pouvaient déceler une lutte féroce. Une première sortie publique, mais non la moindre, parut dans *La Presse*.

(Extrait de *La Presse*, samedi 20 mai 1989 - Jean-Paul Charbonneau)

«LA CAMPAGNE ÉLECTORALE À LAVAL RESSEMBLE À UN RÈGLEMENT DE COMPTES - JEAN-NOËL LAVOIE

«Le père de Laval, M. Jean-Noël Lavoie, est d'avis que

la campagne municipale qui se terminera par l'élection d'un nouveau conseil le 5 novembre, a débuté sur un mauvais pied. Il précise même que ça ressemble plutôt à un règlement de comptes entre certains personnages qui visent le pouvoir.

«Lors d'une entrevue, M. Lavoie, qui fut, de 1970 à 1976, président de l'Assemblée nationale, a déclaré qu'il avait l'impression que les candidats à la mairie étaient liés. "Je me demande où est la liberté des candidats, leur marge de manoeuvre. C'est plutôt une lutte entre entrepreneurs pour entrer à l'hôtel de ville, une véritable guerre de pouvoir. Des fonctionnaires en ont contre leurs anciens employeurs, ils veulent se venger, etc.", précise M. Lavoie qui veut assister à cette campagne électorale à titre "d'observateur engagé". Il n'a l'intention de donner son appui à aucun des partis en lice, mais il n'a pas écarté la possibilité d'intervenir durant le débat. Bien sûr, ajoute-t-il, j'ai été approché pour m'engager directement, mais cette politique-là ne m'intéresse pas! Les Lavallois méritent mieux!

«MAIRE DE TROIS VILLES

«Pour ceux qui ne connaissent pas bien l'histoire de l'île Jésus, soulignons que M. Lavoie a été maire de trois municipalités sans pour autant déménager. En premier, il a été à la tête de l'Abord-à-Plouffe, puis de Chomedey et vécut une première fusion. Par la suite, il a travaillé ardemment au projet de fusion des quatorze municipalités de l'île Jésus. Le 6 août 1965, les maires des municipalités touchées élisaient unanimement M. Lavoie comme premier maire de Laval. Il est demeuré en poste quelques mois. De 1960 à 1981, il a été député provincial.

«Ce vieux routier de la politique est opposé à la création de partis dans le domaine municipal. "La

liberté des citoyens est brimée. Je serais curieux de savoir combien de résidents connaissent leur conseiller. Il est temps que des personnes indépendantes, des gestionnaires, siègent au conseil. À Laval, beaucoup de conseillers en sont à leur troisième ou leur deuxième parti politique. Pour plusieurs, le conseil municipal est une chaise musicale", dit M. Lavoie maintenant âgé de 61 ans.

«Même si Laval n'aura que 23 ans en août prochain, elle a un passé politique passablement chargé qui a fait parler partout en province. Les partis sont disparus avec leur chef et deux d'entre eux ont été fondés à la suite de disputes entre des édiles élus sous de mêmes bannières brandissant les mêmes promesses de défendre les Lavallois.

*«L'Action Laval a été la première formation de l'histoire lavalloise. Elle a été fondée par M. Lavoie et elle est disparue peu de temps après que son chef eût été battu en 1965 par M. Jacques Tétreault alors à la tête de l'Alliance démocratique Laval. Lors de son arrivée au pouvoir, cette formation avait parmi ses élus un jeune médecin, le D*r *Lucien Paiement.*

«Membre du comité exécutif de l'administration Tétreault, M. Paiement s'est tranquillement dissocié de son chef, à telle enseigne que rien n'allait plus entre les deux hommes bien avant les élections de 1973.

«À ce scrutin, l'équipe Paiement a évincé l'Alliance démocratique de Laval de l'hôtel de ville et ce parti s'éteignait peu de temps après.

«Dans l'équipe Paiement, il y avait un jeune conseiller de 26 ans, Ronald Bussey. Peu après l'élection confirmant un deuxième mandat des troupes dirigées par le maire Paiement, M. Bussey a commencé à se prononcer contre les décisions de son parti. Finalement, deux années environ avant la fin de ce

second mandat, M. Bussey et M. Achille Corbo, un autre membre de l'équipe en place, lançaient une autre formation : le Parti du ralliement officiel des Lavallois (P.R.O.).

«En 1981, le P.R.O. était porté au pouvoir. À la suite de sa défaite, l'équipe Paiement a été appelée à disparaître quelques mois plus tard.

«En juin 1984, après une tentative de putsch contre le maire Lefebvre, M. Bussey a quitté le P.R.O. pour se retirer dans les Laurentides.

«Il y a quelques mois, il a refait surface pour lancer avec Mme Pierrette Roussin le Parti lavallois (PL). Cette nouvelle formation a récupéré un ancien conseiller du Parti de l'unité lavalloise (PUL) fondée dans le but de prendre la relève de l'équipe Paiement. Le PUL est lui aussi disparu.

«Depuis que M. Lefebvre a annoncé son départ, les rumeurs les plus diverses fusent; certaines annoncent même la mort prochaine du P.R.O.»

Pour certaines personnes de l'équipe du P.R.O., c'était la nostalgie du temps qui faisait dire ces paroles à M. Lavoie, mais comme chaque citoyen a droit à son point de vue dans un pays démocratique, il faut respecter celui-ci même si le simple organisateur comme moi se sent quelque peu mal à l'aise face à de telles déclarations. Il faut quand même admettre que M. Lavoie avait une vaste expérience en politique.

Personnellement, j'en étais à une troisième campagne électorale avec le P.R.O. des Lavallois, soit une partielle en 1984, une générale en 1985 et celle de 1989. J'avais eu la chance de connaître assez bien l'ex-maire Lefebvre en 1984. Ce dernier était d'une diplomatie exemplaire. J'avais même fait appel à son jugement personnel pour régler certains problèmes qui créaient des ennuis à certains contribuables de mon voisinage. Comme M. Lefebvre avait bien répondu à mes appels, les campagnes électorales qui suivirent ne s'en portaient que mieux. Il y a une grosse marge lors d'élections municipales entre appuyer le parti en place et appuyer l'équipe adverse.

L'avantage d'appuyer l'équipe en place est que certains problèmes peuvent se régler avant le jour du scrutin, mais l'on ne peut en promettre autant avec les équipes adverses.

Mon sous-sol étant assez vaste, je l'avais offert à Robert Plante pour y tenir son comité, ce fut accepté. Nous y avions fait l'ouverture par la tenue d'une épluchette de blé d'Inde que nous avions tenue le 12 août 1989 à 20h00 en y ayant invité, bien sûr, le maire M. Gilles Vaillancourt ainsi que M. Robert Plante, l'échevin du district, comme invités d'honneur. Ce fut un véritable succès. Mon entourage y est venu en grand nombre. J'eus même la visite surprise de l'ex-maire, M. Claude Lefebvre. Mon épouse, ma fille et mon garçon m'avaient même réservé une magnifique surprise pour cette soirée, ceux-ci m'avaient fait faire une plaque souvenir qui marquait pour moi une quarantième année d'implication en politique. Ce fut à M. Claude Lefebvre que mon épouse confia le soin de me remettre cette belle plaque. À mon épouse, ma fille et mon garçon, un gros merci car j'ai dû souvent m'absenter durant ces années.

Avec trois formations en lice, la campagne électorale s'annonçait des plus prometteuses, tout au moins pour ceux qui, comme moi, aiment le suspense. C'était quand même de la routine pour moi, tout ce que l'on nous demande c'est de bien présenter leur programme, tout en vérifiant si les noms respectifs sont bel et bien sur la liste et en incitant les gens à se prévaloir de leur droit de vote au jour du scrutin. Lors de cette élection, j'ai pu constater que même pour un simple organisateur comme moi la vie peut être cruelle à certains moments.

Au cours de cette campagne, alors que j'avais déjà promis mon appui à Robert Plante, je reçus un appel téléphonique de M. Guy Pothier. Ce dernier est le père de Stéphane Pothier, qui a été choisi par le Parti lavallois pour faire la lutte à Robert Plante dans mon district, l'Orée des Bois. M. Guy Pothier me demanda simplement s'il pouvait venir me rencontrer chez moi; je ne pouvais certainement pas lui refuser ce privilège, car il était un de ceux qui m'avaient supporté financièrement en 1981 et était venu m'aider dans le porte-à-porte, tandis que son fils, Stéphane, m'avait aussi aidé à distribuer des pamphlets. Robert Plante avait souscrit quelque peu à la caisse électorale du parti du CRAN. Je me sentais pris entre deux feux mais j'ai quand même reçu Guy Pothier chez moi, je tenais à lui expliquer ma position.

Celui-ci s'est amené chez moi vers 22h00 un samedi soir, bien sûr, il aurait aimé que j'accorde mon appui à son garçon mais je lui ai bien fait comprendre que ma parole était déjà donnée et qu'une fois celle-ci donnée, je n'avais jamais changé d'allégeance en cours de route. Qui plus est, mon garçon était à ce moment à l'essai pour un poste à la Ville. Celui-ci m'a très bien compris. Mais le lendemain de cette visite, j'avais droit à un appel téléphonique de l'un des organisateurs du P.R.O. des Lavallois, qui me déclarait : «*Tu as eu la visite de l'un de nos adversaires tard en soirée*». Je lui répondis par l'affirmative et lui demandai ce que cela pouvait bien faire et ce que cela pouvait changer, et comment se faisait-il qu'il soit au courant? «*Ne t'inquiète pas, j'ai reçu un appel téléphonique aussitôt que la voiture s'est arrêtée chez toi*». «*Donc, ma résidence est surveillé*e», lui dis-je. «*Eh oui*», me répond-il. Sur ce, mon interlocuteur m'invita à un dîner-causerie. Je lui ai bien fait comprendre que ce n'est pas parce que j'ai accordé mon appui au P.R.O. des Lavallois que je devrai laisser tomber tous mes amis qui militent dans des formations adverses. Il m'a bien compris mais j'ai cru comprendre qu'une certaine méfiance s'exerçait contre moi, jusqu'à me faire dire que certains organisateurs du P.R.O. pensaient que je travaillais pour les deux partis à la fois. Toutefois, je n'ai rien à me reprocher. Je tiens à garder mon intégrité. Sur ce, la campagne continuait.

Pour l'ex-maire de Laval, M. Lucien Paiement, la campagne électorale à Laval n'est qu'une «grande fumisterie».

Pour Jacques Tétreault, ex-maire de Laval ainsi que le premier maire de Laval élu au suffrage universel le 7 novembre 1965, lui non plus n'est pas d'accord. Il appuie Gilles Vaillancourt car, a-t-il expliqué, c'est le parti de la continuité.

(Extrait de *La Presse*, mercredi 11 octobre 1989 - Michèle Ouimet)

«Il faut admettre que, personnellement, jamais depuis la fondation de Laval en 1965, je n'avais vu une campagne aussi féroce que celle de 1989. Si je me rapporte à l'élection de 1981, celle où je fus candidat, c'était de la "petite bière" à ce moment. Il n'y a aucune comparaison possible.»

Une des meilleures nouvelles lors de cette campagne électorale de 1989 apparaissait dans le volume 9, N° 3 du Ralliement.

«Parti du ralliement officiel des Lavallois.

«Le métro à Laval :

«Vous l'avez!

«Depuis le jeudi 21 septembre c'est réglé. Le métro s'en vient à Laval d'ici cinq ans.

«Ce jeudi mémorable, le maire de Laval et chef du P.R.O. des Lavallois, M. Gilles Vaillancourt, a signé l'entente créant l'ORT (l'Organisation régionale de transport). Une entente majeure pour les Lavallois et les Lavalloises. Une entente historique qui fait prendre un virage prioritaire au transport à Laval.

«Diminution du temps de transport et décongestion des ponts. Vous sauverez du temps.»

Alors je me disais : *«Bravo M. Vaillancourt, vous avez réussi un coup de maître sans que cette question controversée ne soit au coeur du débat de l'élection en cours».*

Quel contraste pour moi avec l'élection de 1981, alors que l'équipe où je fus candidat (le CRAN) a dû subir la défaite complète pour avoir osé miser sur la venue du métro à Laval comme thème principal de la campagne électorale. Peu importe, c'est du passé.

Alors comme à chacune des campagnes électorales auxquelles j'ai pris part, je continuais le porte-à-porte, mais je me sentais passablement ébranlé, ceci à cause de certains organisateurs qui semblaient maintenant douter de ma fidélité, c'est comme si je m'étais senti épié dans mes démarches. Comment, en quarante années d'implication en politique, aurais-je pu éviter des rencontres avec des adversaires, alors qu'il est reconnu que dans une ville comme Laval, l'on croise à peu près toujours les mêmes figures en période électorale, à quelque palier que ce soit?

J'ai quand même poursuivi le travail en cours jusqu'à la fermeture des bureaux du scrutin, au soir du 5 novembre. Ce fut une victoire décisive qui ne laissait guère de place à l'opposition qui n'avait remporté que deux sièges. J'ai livré la marchandise, je peux marcher la tête haute, même si certains organisateurs du P.R.O. y voyaient une victoire mitigée pour Robert Plante. Il y en aura certainement d'autres élections municipales dans quatre ans, et d'ici là, j'aurai tout le temps voulu pour éclaircir certains point. D'ailleurs, je l'ai répété à maintes occasions : «La politique n'est pas mon gagne-pain».

À UN CHEVEU DE LA VENUE DU MÉTRO À LAVAL

Un dossier que je suis depuis la fondation de Laval, mais si l'on se fie à ce que les médias nous rapportent, ce n'est pas encore pour demain. Je me demande même si la population de Laval n'est pas le bouc émissaire d'un conflit de personnalité entre la STCUM et les autorités de Laval, tout porte à le croire.

(Extrait *Hebdo Laval*, 25 février 1990 - Jocelyn Bourassa)

«LE MÉTRO À LAVAL

«Qui en sera propriétaire?

«La communauté urbaine de Montréal a adopté mercredi dernier un règlement d'un milliard en vue du prolongement du métro dont 220,4 millions pour la ligne de Laval, qui partira de la station Henri-Bourassa et comprendra trois stations à Laval, soit Cartier, Concorde et Saint-Martin.

«Ce règlement d'emprunt a surpris les autorités de Laval dans la mesure où le comité d'orientation, formé de gens de Ville de Laval, du bureau de Transport métropolitain, de la STCUM et de la STL, du ministère des Transports du Québec, n'a même pas commencé à discuter des normes de financement. Le comité n'a eu qu'une rencontre préliminaire depuis janvier.

«Vendredi matin, au cours d'une conférence de presse donnée dans le métro même, le maire de Laval, M. Gilles Vaillancourt, soulignant sa satisfaction de voir la CUM donner suite aussi rapidement à la construction de la ligne 2 du métro, a-t-il indiqué, de concert avec les dirigeants de la Société des Transports de Laval, qui s'opposait fermement au financement du métro sur le territoire lavallois par la CUM.

«QUI SERA LE PROPRIÉTAIRE?

«La conséquence directe de l'adoption de ce règlement est évidente; celui qui finance le projet devient en toute logique propriétaire du métro. Et le propriétaire décide de l'aménagement de territoire situé tout autour des stations. La CUM aurait agi en vertu d'une loi datant du début des années quatre-vingt, où les articles 292, 293 et 294 accordent à la CUM le pouvoir de prolonger le métro jusqu'à Laval.

«"Nous trouvons inadmissible que nos voisins de la CUM empruntent pour nous et qu'ils s'approprient notre pouvoir et notre rôle de gestionnaire responsable. Leur rôle est de superviser la construction du métro, pas la financer", a déclaré le président de la STL, Yvon Tremblay.

«Du côté de la CUM, un porte-parole des relations publiques a déclaré à l'Hebdo que les fonctionnaires de la STL savaient depuis longtemps qu'un règlement d'emprunt était en préparation et que de toutes façons "on ne voyait pas qui d'autre pourrait construire le métro, mis à part la CUM".

«"La CUM a posé un geste prématuré et irréfléchi. C'est de l'indélicatesse a déclaré le maire Vaillancourt en ajoutant qu'ils devront apprendre à consulter davantage les autres partenaires de l'ORT, comme le stipule l'article 4 de l'entente intervenue le 21 septembre dernier".

«HAMELIN SE DÉFEND

«Le président du comité exécutif de la Communauté urbaine de Montréal, M. Michel Hamelin, a signifié à l'Hebdo de Laval vendredi dernier que "La CUM n'avait pas du tout l'intention de rentrer en matamore dans la ville de Laval, avec le projet de prolongement du métro".

«Mercredi dernier, la CUM a adopté un règlement d'emprunt de 220,4 millions dollars pour le

prolongement du métro à Laval, alors que les règles de financement n'ont pas encore été définies par le Comité d'orientation, organisme de concertation créé par la formation de l'ORT.

« "Le vote d'emprunt n'est qu'une procédure administrative. Il ne faut pas en faire un plat", a déclaré M. Hamelin. Lorsque l'ORT définira les normes de financement, alors on s'ajustera. Si nous avons commis une faute, c'est celle de ne pas avoir averti les autorités de Laval avant d'adopter ce règlement d'emprunt. J'ai appelé le maire de Laval, M. Gilles Vaillancourt, jeudi, pour lui présenter mes excuses. »

Personnellement, je crois que la population de Laval n'aurait pas eu d'objections à ce que la CUM prolonge le métro à Laval, si la CUM ou le gouvernement provincial avait pu garantir à la population de Laval que le déficit actuel de la STL ne sera pas augmenté pour se traduire par une hausse sur notre compte de taxes. Actuellement, au niveau du transport en commun, il m'en coûte 171,61 dollars sur le déficit, sans oublier que le gouvernement libéral de M. Robert Bourassa a eu l'amabilité de nous mettre une prime de 30 dollars au moment du renouvellement de nos plaques automobile, sans pour autant respecter son engagement de permettre le prolongement du métro à Laval. Signe qu'il faut toujours se méfier de nos gouvernements à quelque palier que ce soit. Ce fut quand même un très bon «scoop» pour l'élection municipale de Laval en 1989. À suivre...

En avril 1990, mon garçon était remercié de ses services à Ville de Laval. Par ironie du sort, Guy Pothier, que j'avais croisé à nouveau à peine à quelques jours du scrutin du 5 novembre 1989, m'avait prévenu que mon fils ne traverserait pas la rampe, qu'il avait eu vent que les autorités attendaient que les élections soient terminées pour le licencier. Je ne voulais pas y croire. J'ai alors communiqué avec Robert Plante, celui pour qui je faisais campagne, celui-ci me déclara qu'il n'avait entendu parler de rien, ce qui m'avait quelque peu réconforté, mais ce dernier avait aussi fait une «sainte colère» contre Guy Pothier à ce moment-là. Ce qui devait arriver s'est produit, je n'ai pas non plus l'intention de juger ceux qui en ont pris la décision, pas plus que mon fils, je n'ai pas pris connaissance du dossier. Mais en quarante ans de vie politique, ce fut un des pires suspenses de ma vie, celui-ci a duré environ cinq ans. Pour tout dire, j'ai demandé peu à la politique durant toutes ces années, j'ai aussi obtenu moins que peu, mais la vie doit continuer.

JE QUITTE LE P.R.O. DES LAVALLOIS

Suite à cette campagne électorale du 5 novembre 1989, même si le P.R.O. des Lavallois avait remporté la victoire dans vingt-deux districts sur vingt-quatre, je me sentais blessé dans mon orgueil. Je ne pouvais m'enlever de l'idée que certains organisateurs du P.R.O. aient pu douter de mon intégrité alors que la campagne était en cours.

Alors, je pris la décision de quitter la formation du P.R.O. des Lavallois. Comme je me suis toujours appliqué à bien faire les choses, j'ai fait parvenir à M. Gilles Vaillancourt ma démission par courrier recommandé le 24 mai 1990. Comme je n'avais pas eu l'occasion de le rencontrer depuis cette victoire du 5 novembre 1989, je me suis permis de le féliciter chaleureusement. Je lui ai aussi fait part de certaines lacunes que j'avais constatées au sein de la formation qu'il dirigeait, tout en lui laissant bien entendre qu'à aucun moment de ma vie je n'avais milité dans des formations politiques seulement pour grossir le nombre et que je ne ressentais plus aucune motivation pour poursuivre avec eux. Une décision des plus réfléchies.

Lorsque le cœur de poursuivre n'y est plus, il n'y a aucune autre alternative, selon moi. De cette manière, aucun membre de cette formation ne pourra douter de mon intégrité à l'avenir. Il y a encore plus, je ne suis pas contracteur et ne possède aucune terre pour en faire la spéculation!

UN HONNEUR POUR MOI

Vers le début du mois de décembre 1990, alors que le premier ministre du Canada, M. Brian Mulroney, était de passage au journal *La Presse* et comme je suis reconnu comme étant de vieille souche conservatrice, je fus invité à le rencontrer. J'ai eu la chance de jaser quelque peu avec lui. C'est très impressionnant, pour la première fois de sa vie, de pouvoir serrer la main d'un premier ministre du Canada, tout au moins pour qui raffole de politique comme moi. Ce fut un honneur inoubliable. Lorsque M. Mulroney s'est approché de moi, il m'a, en quelque sorte, pris par surprise. Il m'a serré la main et m'a remis une carte de membre du Parti conservateur en me laissant entendre que j'avais oublié de la renouveler. C'était vrai mais je fus quand même très surpris. Le premier ministre a bien rigolé de ma réaction.

Dans le journal *La Presse* du 13 décembre 1990 on pouvait lire dans la chronique «Têtes d'affiche», signée par Denis Lavoie, un article intitulé «Rencontre avec le chef», dont le texte suit.

«*RENCONTRE AVEC LE CHEF*

«*Un vieux routier de La Presse, Lucien Cloutier (à droite), employé au service des Approvisionnements et immeubles depuis 28 ans, rayonnait de joie lors de sa rencontre avec l'homme politique qu'il préfère entre tous, le premier ministre Brian Mulroney.*

«*Ce dernier était alors de passage à La Presse et a remis une carte de membre du Parti conservateur à Cloutier en témoignage de sa fidélité "conservatrice".*

«*Une rencontre mémorable pour un travailleur de la classe ouvrière qui oeuvre à tous les paliers politiques.*»

Un gros merci à ceux qui ont rendu cette rencontre possible.

Cet article avait été rédigé par un confrère de travail de Denis Lavoie qui connaissait assez bien mes vues sur la politique; il avait donc cru bon de faire part de ses commentaires.

Peut-être à ce moment étais-je moins partisan que par le passé mais ce fut quand même un très grand plaisir pour moi.

UNE RENCONTRE IMPRÉVUE

L'année 1991 fut une année plutôt calme, je n'avais reçu aucune nouvelle du parti politique du P.R.O. des Lavallois depuis que j'avais quitté cette formation en mai 1990. Je reçus un appel téléphonique de Robert Plante, l'échevin de mon district, celui-ci m'invitait pour le 9 novembre à un souper- spaghetti organisé par le comité du P.R.O. des Lavallois de mon district. J'ai accepté cette invitation, celle-ci ne m'engageait à rien pour l'avenir. Comme je n'avais pas renoué avec mon entourage depuis l'élection de 1989 qui devait reporter le P.R.O. au pouvoir pour un troisième mandat, je me suis impliqué dans la vente de billets pour ceux qui désiraient prendre part à ce souper. J'en ai vendu une quarantaine et en plus je me suis impliqué pour faire le service.

L'année 1991 marquait aussi pour moi le dixième anniversaire de la défaite que j'avais subie en 1981, alors que je m'étais présenté comme échevin dans la formation du CRAN. En 1981, nous avions servi un souper semblable. Chaque candidat avait en sa possession un tablier sur lequel était inscrit «Le CRAN au service de Laval». C'est en portant ce tablier que j'ai fait le service lors de cette soirée. C'était ma manière de souligner ce dixième anniversaire, non sans une pointe d'humour, avec ce même parti qui nous avait fait mordre la poussière. La seule remarque que j'ai pu en tirer, c'est que cette décennie faisait vraiment partie du passé. Très peu de gens à ce souper s'en souvenaient. Mais il faut aussi dire que les gens ne sont pas tous des mordus de la politique comme moi. J'ai eu la chance de m'entretenir avec M. Gilles Vaillancourt, notre maire, quelques minutes au cours de cette soirée. Ce fut une rencontre assez cordiale. À la fin de cette conversation, celui-ci m'a simplement déclaré qu'à l'avenir, il fera tout en son possible pour ne plus me déplaire. Croyez-moi, cette remarque je l'ai gravée dans ma mémoire.

En 1992, je vois un peu de lumière dans le tunnel. J'étais à revoir certains dossiers que j'ai dans mon classeur, lorsque je suis tombé sur celui du Carré Laval.. Ce même dossier qui fut très controversé lors des élections municipales de 1981. J'avais même entendu un murmure dans la salle, le jour de la fermeture des mises en nomination, lorsque quelqu'un s'était écrié : «*Le Carré Laval sera la fosse septique de l'équipe Paiement*».

Quel beau dossier pour moi pour juger de la transparence du P.R.O. des Lavallois. Quelqu'un parmi eux avait douté de mon intégrité, c'est à moi de jouer maintenant, mais attention, j'ai toujours agi très discrètement en politique, jouer cette carte pouvait s'avérer très efficace pour ma satisfaction personnelle.

Comme je n'aime pas brûler les étapes, j'ai débuté en logeant un appel téléphonique à M. Robert Plante, échevin de mon district. Je lui demande alors combien la ville avait-elle investi dans le Carré Laval et son entourage depuis 1974? Le dossier que je possède sur celui-ci est assez volumineux, merci. C'est vers le début de 1992 que j'ai placé cet appel. M. Plante me fit la promesse de s'informer et de me rappeler.

Deux semaines plus tard, la réponse ne m'était pas parvenue. J'ai appelé à nouveau. Il ne possédait pas encore ces chiffres. Cela me décevait beaucoup. Nous en étions au début du mois de mai et j'étais toujours sans réponse. Alors, comme Laval s'était dotée d'un règlement en 1982 qui permettait à tout citoyen qui assiste aux assemblées mensuelles, de poser des questions lorsque l'ordre du jour prenait fin, c'était pour moi la seule alternative qu'il me restait, même si c'était toujours pour ma satisfaction personnelle. Alors, c'est le 1er mai que je me suis pointé à la séance du Conseil municipal. Au moment venu de la période des questions, j'ai posé à M Gilles Vaillancourt, notre maire, la question suivante : «*Monsieur le maire, je voudrais savoir combien la ville a investi d'argent dans le Carré Laval et son entourage immédiat en expropriation et dépenses depuis 1974 et combien la ville en a retiré de profits jusqu'à présent?*» M. Vaillancourt m'a d'abord félicité de m'intéresser à ma ville, par la suite celui-ci m'a donné une réponse des plus compréhensibles pour ce moment : «*La ville n'a pas investi sur ce site depuis onze ans. Le gouvernement du Québec s'est porté acquéreur d'une partie du Carré Laval pour y construire un Palais de justice pour notre ville*». Pour ce qui est des dépenses que la ville a pu encourir depuis 1974, M. Vaillancourt m'a déclaré qu'il n'avait pas ces renseignements en sa possession mais qu'il ferait des recherches au département des archives et qu'il me ferait parvenir la réponse sous peu. C'était très compréhensible car ce dossier datait de plus de 18 ans.

Le lendemain de cette assemblée et comme je ne suis pas habitué à poser des questions, j'en étais même à ma première intervention depuis que Laval avait été fondée, je me suis permis de communiquer avec la secrétaire de M. Vaillancourt. Je voulais m'enquérir auprès de celle-ci si je pouvais espérer recevoir les renseignements requis par le courrier. Elle n'y voyait pas de problèmes. Enfin je pourrais comparer ceux-ci avec les dossiers que j'avais en ma possession. Il ne me restait qu'à espérer. Je fus quelque peu surpris en prenant connaissance de cet article.

(Extrait *du Courrier de Laval*, 10 mai 1992 - Jean-Claude Grenier)

«*LES ÉCHOS DU CONSEIL DE VILLE - CARRÉ LAVAL*

«*Le dossier du Carré Laval a alimenté la période*

d'interventions des citoyens, lundi soir dernier lorsque Lucien Cloutier s'est informé des sommes qui ont été investies dans le périmètre de l'ancienne carrière Lagacé au cours des dernières années. "Aucune dépense au cours des onze dernières années", a répondu tout de go le maire Gilles Vaillancourt.

«"Au contraire, on a vendu une partie du terrain pour la construction du nouveau Palais de justice", a-t-il ajouté.»

Soit que M. Jean-Claude Grenier ait mal compris ma question ou l'ait mal interprétée. Je n'ai jamais mentionné le nombre d'années. J'ai demandé l'investissement total de la ville depuis 1974 et les revenus en cette même période. Je crois que M. Vaillancourt m'a très bien compris. Comme je suis la politique municipale depuis une trentaine d'années, je crois savoir de quoi je parle. Pourtant, M. Vaillancourt est certainement un de ceux qui aurait pu le mieux me renseigner car il faisait partie du comité exécutif de l'équipe Paiement en 1974, et ce, jusqu'à la défaite de cette formation en 1981 par le P.R.O. des Lavallois dirigé par M. Claude-Ulysse Lefebvre. Il faut aussi se souvenir que M. Gilles Vaillancourt s'est joint au P.R.O. des Lavallois en 1984 alors que M. Lefebvre avait traversé une période difficile dans sa propre formation. Tout cela pour dire que le Carré Laval était très loin d'être une priorité pour M. Lefebvre au moment où il a fait subir la défaite à l'équipe Paiement en 1981.

Alors, pour avoir ces fameux chiffres, il me fallait être très patient. Quelques semaines après avoir contacté la secrétaire de M. Gilles Vaillancourt, j'ai communiqué à nouveau avec cette dernière. Elle me demandait de patienter encore. Je la comprenais très bien car ce n'était certainement pas de sa faute si ces renseignements tardaient à venir. J'ai téléphoné à nouveau au bureau de la secrétaire du maire mais elle était absente. Celle qui la remplaçait m'a déclaré que si la réponse tardait à venir c'est que l'on voulait me renseigner le plus précisément possible. Alors je me suis résigné à patienter encore. Deux semaines plus tard, toujours sans réponse, je commençais à croire que cette réponse ne viendrait jamais. J'étais même très mal à l'aise de devoir téléphoner à nouveau mais il me fallait le faire. Je voulais en finir, réponse ou non. À ma grande surprise, M. Vaillancourt a lui-même pris le téléphone. Il ne faisait que me confirmer tout ce que je savais déjà à savoir la continuité de la recherche aux archives. Le maire m'a alors demandé si je voulais lui lire les chiffres que je possédais mais à ce moment je n'avais pas mon dossier avec moi. Je lui ai alors laissé entendre que je l'appellerais à nouveau le lendemain. Par la suite, je me suis ravisé. Je trouvais mon dossier beaucoup trop complexe pour en discuter au téléphone. À ce moment, j'ai contacté à nouveau la secrétaire de M. Vaillancourt pour qu'elle propose à monsieur le maire que j'aille le rencontrer à l'hôtel de ville avec mes dossiers. Je lui ai laissé un numéro de téléphone pour qu'elle fixe un rendez-vous, à savoir quand il pourrait me recevoir.

À partir de ce moment, je n'ai reçu aucune nouvelle concernant ce dossier. J'étais quelque peu déçu.

Un autre dossier qui m'intéressait beaucoup est celui de la venue du métro à Laval. Je voyage au centre-ville de Montréal depuis une trentaine d'années et la venue du métro aurait pu être une économie de temps. Alors, pour savoir où en était ce dossier, je me suis pointé à nouveau au conseil municipal de la ville de Laval, le lundi 13 juillet 1992 à 20h00.

Je pose la question suivante : *«Qu'en est-il de la situation face à la venue du métro à Laval? Et M. Vaillancourt, que direz-vous à la population de Laval à l'automne 1993 si le gouvernement Bourassa n'a pas respecté son entente face à la venue du métro à Laval?»*.

Dans le premier volet de ma question, M. Vaillancourt m'a déclaré : *«Nous vivons un contexte économique difficile, ce que personne ne peut nier, mais les spécialistes de la*

Société des transports de Laval poursuivent leurs études. Que ce soit un métro souterrain ou de surface, je suis prêt à écouter les autres alternatives, les solutions. Par contre, il n'est pas question de reculer dans ce dossier.». L'éternelle étude si je comprends bien.

Dans un deuxième temps, M. Vaillancourt m'a déclaré qu'en ce qui a trait à ce qu'il aura à dire à la population lavalloise à l'automne de 1993, je le saurai et je n'aurai qu'à le suivre. Ces propos ont fait rigoler l'assistance dans la salle. Ce n'est pas acquis que je le suivrai en 1993. Je suis passablement confus dans ce dossier par les temps qui courent. Je ne blâme pas M. Vaillancourt mais sans réponse à ma question du 1er mai concernant le fameux Carré Laval, j'ai le droit de me poser des questions. Cette première intervention m'aura appris beaucoup et quant à la deuxième, c'est à peu près la réponse que j'attendais; l'étude éternelle.

J'ai donc beaucoup appris dans ces deux interventions. Je suis peu enclin à poursuivre, mais j'ai compris beaucoup même si je ne peux dire que je ne me pointerai pas à nouveau un de ces jours. Lors de cette dernière intervention, Robert Plante est venu discuter avec moi à la fin de la séance du conseil, un peu pour me laisser sous-entendre que je n'avais peut-être plus entièrement confiance en lui. «*Je te les aurais fournis ces chiffres concernant le Carré Laval*», m'a-t-il déclaré. Alors je lui ai dit : «*Si vous les avez, sortez-les car je suis tanné de toujours faire des appels téléphoniques à la secrétaire de M. Vaillancourt. Celle-ci a certainement beaucoup à faire, autre que recevoir mes appels téléphoniques.*». M. Plante me donnait entièrement raison mais aucune nouvelle n'a transpiré de sa part depuis. Ce n'est certainement pas de cette manière que je pourrai me motiver. Il y a un proverbe qui dit qu'*un chat échaudé craint l'eau froide.*

J'ai toujours suivi de près les développements concernant la possibilité de la venue du métro à Laval, mais si l'on peut se fier aux informations, ce n'est pas pour demain. Il semble y avoir une mésentente profonde entre les dirigeants de la CUM et ceux de Laval. Un article m'a frappé.

(Extrait de *La Presse*, 7 novembre 1992 -Jean-Paul Charbonneau)

«LE PROJET DE MÉTRO À LAVAL FAIT ENCORE L'OBJET DE MÉSENTENTE ENTRE DIRIGEANTS

«Un affrontement a éclaté hier, entre Laval et la Communauté urbaine de Montréal quant au projet du prolongement du métro sur l'île Jésus, au coût de 700 millions de dollars comme le prévoit un protocole d'entente signé en 1989 entre les dirigeants de ces deux entités et le ministre des Transports du gouvernement Bourassa.

«Le maire Vaillancourt affirme en effet que les informations publiées à partir d'une étude de la CUM, selon lesquelles le métro ne sera pas prolongé jusqu'à Laval, sont véridiques. Pour sa part, le président de la CUM, Michel Hamelin, soutient que le regroupement qu'il préside n'a jamais renoncé à l'entente tripartite CUM-Laval-Québec.

«À l'ouverture d'une conférence de presse convoquée à la hâte pour faire la lumière sur cette révélation, le maire Vaillancourt, visiblement en colère, a déclaré qu'il avait vérifié l'authenticité de l'information auprès de certains membres du comité exécutif de la Communauté urbaine de Montréal : "Après vérification, je peux donc dire que le contenu de cet article est vrai".

«Le maire Vaillancourt s'est ensuite livré à une véritable charge à l'endroit de la CUM. "La nouvelle position de la CUM va à l'encontre de la loi, car cet organisme renie sa signature. Seul le gouvernement provincial peut apporter des modifications à l'entente intervenue en 1989. La CUM ne peut remettre dans la

balance un accord signé et ce n'est pas demain la veille que Laval va avoir d'autres ententes avec elle", a-t-il poursuivi.

«PAS QUESTION D'ABANDONNER

«Quelque 90 minutes après la sortie du maire Vaillancourt, le président de la CUM, M. Hamelin, faisait entendre un autre son de cloche. "Cette information est fausse! M. Vaillancourt doit savoir qu'il ne faut pas croire tout ce que l'on écrit dans les journaux", a-t-il lancé.

«M. Hamelin signale que ce rapport soutient qu'il faut poursuivre les études du prolongement. "Il est normal, voire même responsable, reprend-il, que les élus demandent des analyses complémentaires pour pouvoir prendre des décisions éclairées, compte tenu des investissements en jeu."

«Une phrase de ce rapport préliminaire se lit comme suit : "À priori, la plupart des membres du comité exécutif sont favorables à la construction du métro et ne souhaitent pas une remise en question de ce qui est prévu. Je me demande bien à qui M. Vaillancourt a bien pu parler au comité exécutif. Certainement pas à moi."

«ALTERNATIVES

«Laval tient toujours à avoir son métro, mais ses administrateurs sont aujourd'hui convaincus qu'il ne se rendra pas jusqu'au boulevard Saint-Martin, comme le prévoit l'entente intervenue peu avant la tenue des dernières élections provinciales et municipales. Ils ont accepté qu'il y ait seulement une station soit à la hauteur du boulevard Cartier, à proximité de la rivière des Prairies.

«La municipalité fera en sorte que tout soit mis en oeuvre pour que les usagers soient transportés rapidement vers cette station.

«Par contre, un rapport sur un choix alternatif, advenant que le métro ne se rende pas sur l'île Jésus, recommande l'aménagement d'un train léger qui longerait l'autoroute des Laurentides jusqu'à Montréal. Ce rapport, qui doit être rendu public au plus tard le 31 décembre, suggère aussi l'aménagement de voies rapides pour les autobus sur le pont Lachapelle (Cartierville) et sur le pont de l'autoroute.»

Qui croire, que penser suite à cet article qui n'augure rien de bon pour la population lavalloise? Si l'administration lavalloise tient mordicus à garder son autonomie au niveau du transport en commun, elle devrait retenir la solution des trains de banlieue. Ce serait une raison de plus s'il en résulte des économies appréciables tout en desservant une plus grande partie de la population qui se déplace du nord au sud. Il ne s'est rien passé de concret au niveau du transport en commun depuis la fondation de Laval en 1965; le seul cadeau est venu en 1992. Il s'agit d'un rajout de 30,00 dollars au moment de renouveler nos plaques automobiles, une trouvaille du gouvernement Bourassa. Même si la population de Laval n'est pas la seule à avoir à débourser, c'est navrant. À vrai dire, je ne crois plus beaucoup aux promesses de nos politiciens. Plus j'avance en âge et plus je suis désenchanté de cette politique que j'ai pratiquée avec assiduité. Par contre, je ne suis pas tout à fait rassasié. Est-ce par habitude ou par amour pour la politique? Je ne sais plus.

UN REGARD VERS LE GOUVERNEMENT FÉDÉRAL

C'est l'ascension rapide de M. Lucien Bouchard qui sera pour moi le tournant de cette décennie. Celui-ci fut nommé ambassadeur du Canada à Paris en 1985 par M. Brian Mulroney alors premier ministre du Canada. Rappelé par la suite par celui-ci, pour être élu, pour la première fois, comme député à la Chambre des communes lors d'une élection partielle le 20 juin 1988; réélu aux élections générales en

1988; assermenté au Conseil privé le 31 mars 1988 (le très Honorable Brian Mulroney); nommé secrétaire d'État le 3 mars 1988; ministre intérimaire de l'Environnement le 8 décembre 1988; et ministre à l'Environnement le 30 janvier 1989. Il démissionna du Cabinet le 22 mai 1990 pour siéger comme député indépendant. Il faut louer son courage, à peine un mois après, celui-ci se disant un souverainiste convaincu, part en croisade à travers la province pour réunir toutes les forces nationalistes. C'est le 25 juillet que ce dernier annonce la formation du Bloc québécois; au même moment, cinq députés conservateurs et deux députés libéraux se joignent à sa formation. C'est le 15 juin 1991 que le Bloc est fondé officiellement. Le 13 août 1990, M. Gilles Duceppe devient le premier député élu au suffrage universel dans le comté de Laurier Ste-Marie. J'y reviendrai plus loin.

JE M'IMPLIQUE AU RÉFÉRENDUM

Au moment où le gouvernement fédéral a annoncé la tenue d'un référendum pour le 26 octobre 1992 pour faire rectifier l'entente constitutionnelle conclue le 28 août 1992 à Charlottetown, j'ai pris la décision de m'impliquer une fois de plus. Pour de multiples raisons, mon choix était non. La première raison était que ce n'était pas le référendum que nous attendions dans la province de Québec puisque M. Bourassa avait fait adopter la loi 150 à l'Assemblée nationale en septembre 1991, sur la tenue d'un référendum sur la souveraineté du Québec. En juin 1990, nous avions vu certaines provinces du Canada refuser l'accord du lac Meech. Lorsque M. Bourassa avait constaté cet échec du processus de révision constitutionnelle, il s'était alors engagé à ne plus négocier à onze toute modification à la constitution. Dans les semaines qui ont suivi, l'Assemblée nationale du Québec créait la commission Bélanger-Campeau qui devait se pencher sur l'avenir politique et constitutionnel du Québec. Cette commission aura mis sept mois de travaux et aura reçu plus de 600 mémoires. Les grandes lignes qui s'en dégageaient précisaient que si le fédéralisme canadien pouvait être renouvelé, la constitution devrait «*assurer le respect de l'identité des Québécoises et Québécois et leur droit à la différence*». La citation suivante est tirée du manuel sur le référendum 92, livré par le directeur général des élections du Québec au nom des comités pour le OUI et pour le NON.

«Pour le Québec, l'avenir commence par un oui!

«Oui, progrès, stabilité, relance économique, paix constitutionnelle. Non menace de rupture avec le Canada, incertitude économique, prolongement de l'impasse constitutionnelle.

«L'entente accroît le poids politique du Québec et assure la protection des droits historiques du Québec.

«Pour les tenants du NON, d'après le texte du 28 août, le gouvernement fédéral proposerait de reconnaître six secteurs comme des compétences exclusives du Québec: les forêts, les mines, le tourisme, le logement, les loisirs et les affaires municipales. Toutes ces compétences appartiennent déjà au Québec, de façon exclusive, depuis 1867.

«Le fédéral a toujours justifié ses interventions dans les compétences exclusives du Québec en utilisant comme prétexte son pouvoir de dépenser. Jamais le Québec n'a reconnu un tel pouvoir! M. Bourassa est le premier de nos premiers ministres à reconnaître officiellement ce pouvoir fédéral de dépenser et à accepter qu'Ottawa l'utilise pour envahir toutes les compétences exclusives du Québec.

«L'entente prévoyait la réduction du nombre de sénateurs québécois à six, par contre le Québec obtient

dix-huit sièges de plus à la Chambre des communes où il comptera dorénavant quatre-vingt-treize députés au lieu de soixante-quinze.

«Le Québec obtient la garantie permanente d'une représentation s'établissant à au moins 25 % des députés à la Chambre des communes.

«Pour le comité du NON, M. Bourassa tente de justifier ce recul extraordinaire au sénat en attirant l'attention sur les dix-huit députés québécois de plus à la Chambre des communes et sur la garantie pour le Québec de ne jamais avoir moins de 25 % des députés de la chambre (ce qui correspond à notre proportion de la population canadienne). Or, depuis cinquante ans, le Québec a toujours eu 25 % ou plus des députés à Ottawa. Pourtant, ce pourcentage n'a pas suffi à faire en sorte que le Québec obtienne sa juste part dans le fédéralisme canadien ni à empêcher le rapatriement unilatéral de la constitution en 1982.»

Le comité du NON citait aussi le Parti libéral du Québec, alors qu'il était présidé par M. Jean Allaire. Celui-ci avait fait adopter une position constitutionnelle qui réclamait: *«La reconnaissance de vingt-deux compétences exclusives pour le Québec et l'abolition du pouvoir fédéral de dépenser; l'abolition du Sénat canadien».* Cette position avait été adoptée par le Parti libéral le 9 mars 1991 et signée par M. Bourassa à titre de membre de ce comité.

Ce sont les lignes que j'ai retenues de cette brochure.

Alors, se pouvait-il que M. Bourassa venait de négocier des choses dans des compétences qui nous appartenaient déjà depuis 1867? C'est à n'y rien comprendre. Le choix de vote pour le 26 octobre 1992 devenait encore plus facile, tout au moins pour ceux qui suivent la politique de près.

Personnellement, j'ai renoué avec un travail que je n'avais pas fait en politique depuis environ trente ans soit l'énumération de porte-à-porte. Ce travail accompli, j'ai sollicité quelque peu mais je dois avouer que c'est beaucoup plus difficile lors de la tenue d'un référendum.

Je suis de ceux qui favorisent l'abolition du Sénat canadien. J'avais trouvé les sénateurs peu brillants de vouloir bloquer l'adoption de la taxe sur les produits et services (TPS), même que M. Mulroney avait dû procéder à la nomination de huit sénateurs de plus le 27 septembre 1990. Ceux qui ont voulu bloquer l'adoption d'un projet de cette envergure ont, à ce moment, donné une mauvaise perception des conservateurs. En effet, cette taxe n'est pas parfaite. On pouvait cependant constater qu'il y avait eu également du branle-bas au moment de l'accord du libre-échange canado-américain, un autre domaine discutable mais nécessaire. Alors pour moi, ce référendum ne devait rien régler, qu'un comité ou l'autre l'emporte.

Le jour du référendum, j'ai agi comme représentant dans un bureau de scrutin. Ce fut une journée des plus agréables, ceci étant dû à une participation remarquable qui a atteint 87,5 % dans Fabre. C'est par 59,7 % que le NON l'a emporté. Il s'est dépensé beaucoup d'énergie de part et d'autre pour cette campagne référendaire. Le seul consensus qui s'est dégagé et que nous avons pu comprendre c'est que pour nous, du Québec, les offres n'étaient pas suffisantes alors que certaines autres provinces, contrairement au Québec, trouvaient que les offres avaient été trop généreuses pour nous.

Qu'arrivera-t-il maintenant? Il est trop tôt pour le prévoir. Une chose certaine est que MM. Mulroney et Bourassa ont dû comprendre que les Québécoises et les Québécois n'avalent plus n'importe quoi. Lors de cette campagne référendaire. Je n'ai pu qu'admirer le courage de M. Jean Allaire qui a su se joindre au camp des tenants du comité du NON. Il doit avoir un courage à toute épreuve. Si tous les gens faisaient passer leurs convictions avant leur partisanerie politique, cela pourrait rapporter de très bons dividendes. Chapeau à M. Jean Allaire ainsi qu'à M. Mario Dumont.

Je dois avouer bien honnêtement que j'avais été très surpris lorsque M. Jean Allaire avait réussi à faire accepter la reconnaissance de vingt-deux compétences exclusives pour le Québec par le Parti libéral du Québec, qu'il présidait le 9 mars 1991. Je crois que le gouvernement du Parti québécois n'était même jamais allé aussi loin lorsqu'il a préparé des programmes et lorsqu'il était au pouvoir entre 1976 et 1985. Aujourd'hui, c'est compréhensible. Le Parti québécois ne demande rien de moins que la souveraineté. Je crois, comme beaucoup de gens, que tout a été essayé. Nous ne voulons plus de négociations perpétuelles. Selon moi, ce référendum, que nous venons de vivre, était celui de la dernière chance. C'est sur cette note que l'année 1992 s'est terminée. Je n'étais pas plus avancé, les problèmes étant demeurés complets entre les deux paliers gouvernementaux, soit fédéral et provincial. Espérons que 1993 soit meilleure.

QUELQUES RÉALISATIONS DES PREMIERS MINISTRES DU QUÉBEC

Quelques recherches sur M. Maurice Duplessis, premier ministre du Québec sous l'UN, m'auront permis de relever quelques-unes de ses réalisations. M. Duplessis a été au pouvoir de 1936 à 1939 et de 1944 à septembre 1960, mois de son décès. Selon ce qui m'a été raconté sur sa tenue vestimentaire, celui-ci aimait s'habiller avec goût. Il portait des complets sobres, des chemises à faux cols soigneusement empesés à la mode d'autrefois; chose étonnante, cet homme bien mis portait généralement un chapeau qui faisait violemment contraste avec le reste de sa tenue vestimentaire. Son couvre-chef avait assez mauvaise mine. L'on a dit un jour que c'est lui-même qui avait fourni l'explication, que c'était pour ne pas déplaire au peuple qu'il portait ainsi de vieilles coiffures. «*Le chapeau, disait-il, c'est la première chose que les gens remarquent. Or, comme en général ils sont enclins à juger hautains et distants ceux qui s'habillent très bien, il est bon, du point de vue électoral, d'avoir un chapeau qui ne choque pas les gens. Un vieux chapeau ça rapproche du peuple.*»

C'était un point de vue. Ce premier ministre ne laissait personne indifférent. Il avait la parole mordante et aimait la dispute. Il combattait toujours tout ce qui lui paraissait porter atteinte, même de loin, à l'autonomie provinciale, allant jusqu'à refuser les subventions fédérales à l'instruction et à l'assistance publique. Il était un partisan convaincu de l'entreprise privée. Il ne cessait de prendre garde à ce qu'il appelait le «socialisme». Néanmoins, il ne reculait pas devant l'intervention de l'État pour aider certaines classes sociales. C'est sous son régime qu'est né le crédit agricole provincial. Il maintint aussi la Régie des loyers. Il prêcha l'autonomie provinciale, la sauvegarde des droits de la langue, de la religion et de la culture du Canada français. En refusant de participer aux accords fiscaux avec le fédéral, imitant en ceci notre province voisine, l'Ontario, il expliqua aux citoyens du Québec : «*Je ne vendrai jamais mon âme pour 30 deniers et pas plus pour 65 millions de dollars*». Il faisait allusion aux subsides qu'Ottawa offrait au Québec en retour de ses pouvoirs de taxation. Cette déclaration lui valut beaucoup d'amis nouveaux dans toute la province. C'est d'ailleurs presque uniquement par l'astuce des accords fiscaux que M. Duplessis remporta haut la main l'élection de 1948. Il voyait derrière les accords fiscaux une manoeuvre d'Ottawa qui voulait, proclamait-il, détruire le Canada français comme entité distincte. En se présentant comme le sauveur de la race canadienne française, il avait même été surnommé «*Jeanne-d'Arc moustachue*» par un auteur.

RELATIONS FÉDÉRALES-PROVINCIALES

(Extrait, La Presse, 8 septembre 1959)

«*1939 : loi autorisant le gouvernement provincial à conclure les ententes avec le gouvernement fédéral pour l'établissement d'un système d'assurance-chômage;*

«*1945 : loi semblable pour la création des allocations familiales et autre loi autorisant le gouvernement provincial à conclure des ententes avec le gouvernement fédéral "pour assurer une répartition juste et équitable du revenu national et pour sauvegarder les droits, prérogatives et ressources de la province";*

«*1947 : loi autorisant le gouvernement à conclure des ententes avec le gouvernement fédéral pour "clarifier et délimiter les champs respectifs de taxation, simplifier les méthodes de perception des impôts, recouvrer et sauvegarder les droits constitutionnels de la province et rechercher et appliquer les meilleurs moyens de respecter les buts de pacte fédéral";*

«*1954 : création de l'impôt sur le revenu des particuliers, mesure qui a entraîné la révision des vues d'Ottawa sur le partage des revenus fiscaux;*

«*1956 : les députés provinciaux deviennent des "membres du parlement provincial»* alors qu'ils étaient auparavant «*membres de l'assemblée législative".*»

Même si M. Duplessis a souvent été critiqué, l'on ne pourra jamais dire qu'il n'a pas tenu son bout face aux gouvernements centralisateurs qui se sont succédés à Ottawa. M. Duplessis était de son temps et il a su faire sa marque à sa manière. Il a passé à l'histoire du Québec comme un ardent défenseur de la société canadienne française.

Vint par la suite M. Paul Sauvé sur lequel la province misait beaucoup. Hélas! à peine quelques mois comme premier ministre, il mourut le 2 janvier 1960. M. Antonio

Barette, qui a pris la relève, avait comme slogan «*Vers les sommets avec l'UN*». Ce slogan n'a certainement pas connu le succès escompté.

J'en étais à ma première participation à ce niveau. Au lieu d'aller vers le haut des sommets nous y sommes descendus. M. Barrette n'était certainement pas le seul responsable. La perte de deux premiers ministres en quatre mois et l'usure du pouvoir ne les aidaient certainement pas. M. Jean Lesage, qui a fait subir la défaite à l'UN, avait un slogan qui semblait plaire à la population, «*Maître chez nous*». Il a su laisser sa marque, sa principale réalisation aura été la nationalisation de l'électricité. C'est aussi sous la gouverne de M. Lesage que la Régie des rentes du Québec a vu le jour même si les contributions ont débuté sous le règne de l'UN en 1966, dirigé par M. Daniel Johnson, qui avait réussi à donner un second souffle à cette formation, en s'accaparant le pouvoir avec un pourcentage de vote moindre que le PLQ dirigé par M. Jean Lesage. Celui-ci parlait aussi de «*révolution tranquille*». Par contre, M. Daniel Johnson aura su éveiller nos soupçons au moment où il avait déclaré «*Égalité ou Indépendance*». C'est un genre d'ultimatum auquel le gouvernement fédéral n'a pas semblé attacher trop d'importance.

M. Johnson nous a malheureusement quittés au milieu de son premier terme : une troisième épreuve pour l'UN. M. Jean-Jacques Bertrand, qui a pris la relève, n'a vraiment pu réorganiser ce parti. Durant les deux années où il a gouverné les destinées du Québec, il a fait voter la loi qui devait abolir le Conseil législatif du Québec, une mesure d'économie pour la province. Au moment de dissoudre le parlement, celui-ci avait comme slogan «*Québec plus que jamais*». Mais à ce moment, l'UN s'était déjà trop éloignée de l'électorat par négligence de certaines associations de comtés.

En 1970, cinq partis se livraient la lutte ce qui, selon certains observateurs, était un signe de santé. Un curieux résultat était quand même sorti de cette élection. M. Robert

Bourassa, qui était à la barre du Parti libéral, s'était accaparé le pouvoir avec 71 députés et 45,3 % de votes. Les autres résultats étaient comme suit : l'UN avec 16 députés et 19,6 % de votes, le Ralliement créditiste avec 13 députés et 11,3 % de votes et le Parti québécois avec 7 députés et 22,8 % de votes. C'était à n'y rien comprendre. À ce moment, j'étais déjà membre du PQ et tous les espoirs étaient permis pour l'avenir.

Par la suite, ce fut la victoire du Parti québécois dirigé par M. René Lévesque. Il aura secoué et fait peur à certains milieux financiers, mais M. Lévesque, qui était reconnu comme un grand démocrate, a su mettre la population du Québec en confiance. Il n'a pas eu peur de réformer le système des caisses électorales, le régime de l'assurance-automobile et combien d'autres améliorations. Même s'il prônait la souveraineté-association, il administrait un bon gouvernement. Vint par la suite le passage des pouvoirs à M. Pierre-Marc Johnson. Celui-ci est arrivé au moment où le PQ ressentait l'usure du pouvoir. Suite à la défaite du parti en 1985, certaines instances de cette formation ne se gênaient pas pour critiquer son travail; quelques-uns ne voulaient pas lui laisser la chance de reconstruire le parti. Pour certains membres de cette formation, il n'était pas assez séparatiste. Ce doit être très difficile de se faire jouer dans le dos pour les chefs de formations politiques. Je crois que lorsque celui-ci a démissionné, il a pris une bonne décision, même s'il jouissait d'une cote assez impressionnante auprès de la population du Québec.

Par les temps qui courent, il est fortement question de déficit. Je me suis permis de pousser mes recherches.

(Extrait du journal *La Patrie*, 12 janvier 1934.)

«Un discours prononcé par l'Honorable L.-A. Taschereau, premier ministre du Québec, LIB, le premier ministre parle de la situation financière de la province de Québec. Il admet qu'il y a eu un déficit de

six à sept millions mais il remarque que c'est le premier du régime libéral. "Ce qui complique la situation, c'est la non-perception des taxes", déclare le premier ministre. "Je crois que l'on devrait se montrer sévère et recourir même aux moyens extrêmes pour percevoir les taxes, si l'on continue à laisser s'aggraver le problème, le crédit municipal sera ruiné et il entraînera la ruine de tout crédit, puisqu'il en est la base". Le premier ministre répond ensuite à certaines attaques de la gauche et fait particulièrement allusion à une accusation portée fréquemment contre le gouvernement par des adversaires politiques ou d'autres personnes qui se défendent bien de faire la politique. "Sommes-nous réellement des trustards, demande M. Taschereau? Qu'avons-nous fait pour protéger les trusts? Qu'avons-nous fait pour favoriser en quoi que ce soit ces monopoles? Si nous interrogeons le passé de notre parti, nous voyons, au contraire, que les libéraux se sont attaqués aux trusts. N'est-ce pas le gouvernement libéral qui, en instituant la Commission des liqueurs, a brisé le trust de la boisson. N'est-ce pas encore le gouvernement libéral qui vient de faire condamner les compagnies du trust du charbon, le gouvernement fédéral a fait une enquête privée mais il s'est dérobé à son devoir en nous disant «Agissez maintenant»". L'Honorable M. Taschereau fait ensuite allusion à l'affaire de la Montréal Power, puis il aborde la question du capitalisme. "Je n'ai aucune hésitation à dire, déclare M. Taschereau, que les attaques entendues en haut et bas lieux rendent le capital inquiet."

«"Les capitalistes se demandent où l'on veut en venir dans la province de Québec, car certaines gens prêchent comme ne le feraient pas des socialistes. Nous avons besoin du capital étranger, nous Canadiens français, et nous devons faire attention pour ne pas le

détourner". M. Maurice Duplessis, chef de l'opposition, adresse les félicitations d'usage au proposeur et au secondeur de l'adresse en réponse au discours du Trône. Puis il déclare qu'il aura l'occasion de discuter dans tous ses détails la législation que renferme le message du Lieutenant gouverneur en chambre. Il revient sur ces lignes du discours du Trône qui font allusion aux signes d'amélioration des conditions actuelles et où il est dit que la convalescence sera longue.

«"La dépression, dit ensuite M. Duplessis, a des causes mondiales, des causes générales, mais elle a aussi des causes locales qu'il faut faire disparaître. Il est du devoir du gouvernement, non seulement de guérir les symptômes de malaise mais encore de rechercher et de supprimer... les causes locales de la misère qui sévit actuellement en certains milieux. Le chef de l'opposition est d'avis que le problème le plus angoissant de l'heure c'est celui de l'établissement de notre jeunesse. Qu'allons-nous faire de ces quinze mille à vingt mille jeunes gens de la province, de nos étudiants et de cette part précieuse du capital humain? Le chômage devient plus pénible quand il affecte ainsi notre jeunesse. Pour améliorer le sort de ces jeunes gens, il faut que la province de Québec conserve son caractère agricole. Il faut que l'agriculture soit à la base de notre système économique. Le problème des villes provient de la dépopulation rurale et de la surpopulation des centres urbains." L'orateur parle alors de restauration sociale et il exprime cette opinion que la province de Québec n'a pas la législation sociale qu'elle devrait avoir. "On devrait, prétend-il, adopter le système des pensions de vieillesse pour la province de Québec, non pas parce que ce régime est parfait, mais parce qu'en nous abstenant nous perdons la contribution très onéreuse que nous versons au fédéral."

«En terminant, le chef de l'opposition promet son entière coopération pour les mesures qu'il jugera propres à améliorer la situation de la province de Québec.»

Au niveau fédéral, ce n'est guère plus reluisant.

(Extrait *La Presse*, samedi 2 janvier 1993 - Claude Piché)

«FAUT-IL LAISSER GRIMPER LE DÉFICIT

«Le cancer qui ronge nos finances publiques est abominable. En vivant systématiquement au-dessus des moyens des contribuables depuis un quart de siècle, Ottawa a accumulé déficit sur déficit, ce qui a fini par engendrer une monstrueuse dette de 450 milliards de dollars. Le financement de cette dette est une véritable tragédie nationale. L'an dernier, le gouvernement fédéral a payé, en intérêts seulement, 115 millions de dollars par jour. Le cercle est devenu tellement vicieux qu'Ottawa crée d'intolérables déficits qui ne servent plus qu'à éponger les intérêts de la dette, mais ces déficits contribuent à leur tour à gonfler la dette! L'état des finances publiques des autres paliers de gouvernement n'est pas très reluisant non plus. Si on ajoute les dettes des provinces et des municipalités, les administrations publiques canadiennes engloutissent, toujours en intérêts, quelque 180 millions de dollars par jour; 7,5 millions de dollars à chaque heure qui passe...»

Je m'arrête ici, je n'irai pas au bout de l'article de M. Claude Piché, c'en est assez pour moi. Il n'y a guère d'encouragement pour un simple contribuable comme moi à continuer en politique. Le Canada a fêté son 125e anniversaire de fondation et j'aurai pris part à environ le tiers de ces 125 ans en tant qu'organisateur à chacun des niveaux électoraux. Et qu'est-ce que l'on nous a chanté tout ce temps? Que le Canada est un pays qui possède d'immenses richesses, c'est beau à entendre. À partir de ce moment, faudrait-il en déduire que notre pays a été mal administré? Très difficile pour moi de m'y comprendre, je suis très peu calé en chiffres. Par contre, une chose est assez curieuse : les Partis conservateur et libéral qui se sont succédés au pouvoir durant ces années nous ont répété, à tour de rôle à chacune des élections, selon les programmes, qu'ils proposaient au peuple des solutions à tous ces problèmes.

N'est-ce pas que c'est émouvant? Alors aujourd'hui, en 1993, la question n'est plus de savoir quels sont les partis politiques sur la scène fédérale qui nous ont le plus endettés, mais plutôt celle de s'en sortir. Lorsque le gouvernement Mulroney a mis en marche la Taxe sur les produits et services (TPS), je n'étais pas tout à fait contre même si j'avais quelques réserves. La condition était que le déficit diminue. Il semble que jusqu'à présent, cette taxe n'a pas aidé à réduire le déficit. C'est un peu navrant, mais je n'ai pas la compétence pour juger.

Personnellement, de tous les niveaux politiques où je me suis impliqué, c'est certainement au niveau fédéral que j'y ai trouvé les élections les plus ternes. Mais comme l'on y paye des impôts, il est sain d'y avoir l'oeil. Par contre, il devient navrant de voir, année après année, le vérificateur des comptes publics dénoncer les lacunes qui s'y trouvent au niveau administratif. Il est à se demander si ces dénonciations sont prises au sérieux par les partis qui se succèdent au pouvoir. Il est bien évident qu'aucune compagnie du secteur privé ne pourrait survivre si elle devait vivre avec une gestion semblable à celle de nos gouvernements.

Au moment où j'écris ces lignes, M. Brian Mulroney vient d'annoncer qu'il quittera ses fonctions comme premier ministre du Canada dans quelques mois, vers la mi-juin. On ne pourra certes pas lui reprocher de ne pas avoir compris l'ampleur des problèmes que le Canada traverse. Il aura passé quelques mesures qui, à long terme, pourront peut-être aider le pays à se sortir du marasme économique qui le gruge. Il n'aura pas eu peur d'essayer de concilier le Québec avec les autres provinces. Il y a eu l'entente du lac Meech, rejetée par des gens du Québec et aussi dans certaines autres provinces, la fameuse TPS, qui, bien sûr, touche au portefeuille. Cette taxe, même instituée pour réduire le déficit, ne pouvait que déplaire à la population canadienne. Par la suite, l'entente constitutionnelle de Charlottetown conclue le 28 août 1992. Peu importe ce que l'on pense de M. Mulroney, pour moi, il aura été téméraire, audacieux, même en faisant adopter des projets de loi pour lesquels il savait à l'avance que l'opinion publique réagirait négativement. Il faut l'en féliciter. Il s'est tenu debout envers et contre tous. Il passera à l'histoire comme un ardent défenseur de la démocratie. Si sa vision d'un Canada uni ne s'est pas réalisée, il aura la gloire d'avoir essayé, en ne s'accrochant pas au pouvoir; il en sort grandi. Même si je n'ai pas toujours été d'accord avec les prises de position du gouvernement qu'il dirigeait, je n'ai qu'à le féliciter et le remercier. Pour celui ou celle qui prendra la relève, bonne chance et comme on dit en bon canadien français : «*Il y aura du pain sur la planche*».

Je n'avais pas renouvelé ma carte de membre du Parti conservateur depuis que M. Brian Mulroney m'en avait remis une en main propre, non pas que j'en voulais plus aux conservateurs qu'aux autres formations, mais simplement que j'ai pris la décision de ne plus être membre d'aucune formation politique à quelque niveau que ce soit, ce qui me permet de demeurer plus libre, mais cela ne m'empêche pas de souscrire à certaines formations politiques lorsque le coeur m'en dit.

Lors de la course à la chefferie du Parti conservateur, un peu comme tous les Canadiens, je suivais celle-ci. Comme plusieurs observateurs, je prévoyais la victoire de Mme Kim Campbell. Ceci était dû à l'alternance entre un candidat provenant du Québec et d'un représentant d'une autre province canadienne. Par contre, personne n'aurait pu prévoir que M. Jean Charest y mènerait une aussi belle lutte, celui-ci a très bien su tirer son épingle du jeu.

296

La victoire de Mme Campbell créait un précédent au Canada. Cette dernière était la première femme à accéder au poste de premier ministre du Canada, il fallait l'en féliciter.

UNE ÉLECTION SURPRENANTE ET RENVERSANTE

Les élections fédérales auront déjoué les calculs de tous les experts en politique. Au tout début, lorsque Mme Kim Campbell a annoncé la tenue d'élections générales pour le 25 octobre 1993, celle-ci jouissait d'une certaine popularité, ceci suite au congrès du Parti conservateur qui s'est tenu le 13 juin 1993. Mais l'usure du pouvoir, avec quelques erreurs de parcours, jouaient contre elle.

Les conservateurs avaient pu compter sur l'appui des nationalistes du Québec en 1984 et 1988. Mais suite à l'accord du lac Meech, qui fut rejeté, la défection de M. Lucien Bouchard des rangs du Parti conservateur, en plus de la défaite référendaire en ce qui a trait à l'entente de Charlottetown, ne pouvait que nuire au Parti conservateur.

Au Québec, la montée fulgurante du Bloc québécois ne pouvait que confirmer qu'il y a une mésentente profonde entre nos deux paliers gouvernementaux depuis belle lurette. C'est à croire que ceux qui se sont succédés au pouvoir durant cent vingt ans n'ont jamais compris ou n'ont jamais voulu comprendre que la province de Québec n'était pas comme les autres.

Comme chacun des nationalistes du Québec, j'ai quitté le Parti conservateur pour rentrer au bercail, c'est-à-dire au Bloc québécois. Ce n'est certes pas à cause de M. Brian Mulroney, celui-ci a fait son possible. Lors de cette campagne, je prévoyais, au départ, un gouvernement libéral minoritaire dirigé par M. Jean Chrétien. Mais c'est quand même la montée fulgurante du Bloc québécois qui retenait le plus l'attention des gens de notre province.

Dans les autres provinces, c'était le Reform Party qui était le grand inconnu, un fait assez surprenant, le Bloc québécois ne baissait jamais dans les intentions de vote lors des sondages, même si les partis d'opposition disaient, à qui voulait bien l'entendre, que ce parti ne pouvait former le gouvernement, et que seul un parti au pouvoir peut accomplir des choses. Ce message a eu peu d'impact, un peu comme si celui-ci entrait par une oreille et sortait de l'autre. Ce qui prouve qu'une bonne majorité de la province savait ce qu'elle voulait, même en optant pour l'opposition, ceux qui ont voté pour le Bloc québécois ont investi pour des changements en profondeur, à savoir si cela se concrétisera, seul l'avenir nous le dira.

Certains ont interprété ce vote comme un simple vote de protestation. Il est beaucoup plus un vote contre les gouvernements centralisateurs qui se sont succédés à Ottawa depuis la Confédération. Il faut féliciter M. Jean Chrétien pour sa belle victoire. Il faut dire aussi que celui-ci jouissait au départ d'une vaste expérience politique. Élu pour la première fois à la Chambre des communes en 1963, réélu sans interruption jusqu'à ce qu'il remette sa démission le 27 février 1986. Élu, par la suite, comme chef du Parti libéral du Canada le 23 juin 1990, M. Chrétien a même fait mentir les sondages dans sa propre circonscription. Même si son image a pâli au Québec, il devra composer avec un contingent de 54 députés du Bloc québécois, ce qui sera mémorable dans nos annales politiques.

Pour ce qui est du Parti conservateur, personne n'aurait pu prévoir un balayage semblable, ce doit être très difficile à accepter pour eux. Mais, hélas! le pouvoir n'est que prêté; le même phénomène s'est déjà produit au Québec pour l'Union nationale.

Le Reform Party a aussi connu passablement de succès pour avoir terminé nez à nez avec le Bloc québécois. Par contre, la plus grande surprise est certainement la performance du Bloc québécois qui leur a valu d'être reconnu comme opposition officielle.

Pour ce qui est du comté où je demeure, Laval-Ouest, ce fut une lutte des plus serrées, même si Michel Leduc, candidat du Bloc québécois, a dû s'avouer vaincu très tard en fin de soirée par le candidat libéral M. Michel Dupuis. Il faut aussi féliciter celui-ci et lui souhaiter la meilleure des chances. Ce qui a pu jouer quelque peu en sa faveur, c'est qu'il était promis à un ministère. Je lui souhaite que cela se concrétise dans un avenir rapproché.

Le comté de Laval-Ouest est certes un des plus difficiles à travailler. En une trentaine d'années d'implication, j'ai un dossier peu reluisant pour mes statistiques personnelles. Trois victoires avec le Parti conservateur, dont une dans les années 1960 alors que le Parti conservateur était dirigé par M. John Diefenbaker et deux sous la gouverne de M. Brian Mulroney, en 1984 et 1988. Guère plus chanceux au niveau provincial, une seule victoire, en 1981, alors que M. René Lévesque dirigeait les destinés de la province de Québec.

C'était aussi Michel Leduc qui était de la partie lors de cette élection. C'est un comté où il faut être très patient. Alors, pour en revenir à M. Jean Chrétien, suite à ce résultat qui l'a conduit à un gouvernement majoritaire, par la performance incroyable de l'Ontario qui a donné 98 comtés sur 99 au gouvernement libéral, est-ce là la dernière chance de tenir le Canada uni? C'est à suivre...

Il faut aussi souhaiter beaucoup de succès à M. Lucien Bouchard, chef du Bloc québécois, qui nous a offert une magistrale victoire, qui marque du jamais vu dans les annales politiques, tant canadiennes que provinciales. Vous imaginez, environ trois ans pour un succès de cette envergure. Au soir de cette victoire, c'est avec humilité que celui-ci a accepté cette victoire en nous laissant comme message qu'il demeurait à Ottawa pour baliser la route qui nous mènera à la souveraineté du Québec et en disant à la prochaine.

Personnellement, je ne prends rien pour acquis. Le Québec est présentement en profonde évolution. Pour ceux qui, comme moi, ont vécu l'air créditiste de Réal Caouette lorsque celui-ci a réussi des percées assez intéressantes à la Chambre des communes, il n'y a aucune ressemblance possible avec la percée du Bloc québécois, je n'ai d'ailleurs jamais entendu de ma vie un créditiste parler de souveraineté. Ceux-ci sont certainement allés à Ottawa pour essayer de changer quelque chose, mais ils n'auront jamais connu la force que le Bloc québécois détient présentement. Préparons-nous à vivre des années captivantes.

LE NIVEAU POLITIQUE LE PLUS PRÈS DES ÉLUS

Le niveau politique le plus près des élus est le niveau municipal, c'est celui où j'ai mis la majorité de mes temps libres. Au tout début, vers 1956, j'y trouvais mon compte : un appel téléphonique au maire ou à un échevin si un problème surgissait, le tout se réglait rapidement.

Dès la fusion en 1965, j'ai compris que rien ne serait plus pareil. J'ai continué de m'y impliquer mais les contacts étaient pratiquement inexistants en dehors des périodes électorales. Il en fut ainsi jusqu'en 1981, année où j'ai tenté ma chance à l'échevinage. Malgré ma défaite, cette expérience m'avait quelque peu rapproché du maire en place, M. Claude Lefebvre.

C'est en 1984 que j'eus la chance de le connaître, un homme des plus sympathiques, fin causeur qui aime la simplicité. J'ai eu la chance de travailler à ses côtés en tant qu'organisateur à deux occasions, soit en 1984 et en 1985. Parmi les maires qui se sont succédés depuis la fondation de Laval, c'est certainement celui que j'ai le mieux connu. Il ne se gênait pas pour m'inviter à communiquer avec lui si j'avais des problèmes, ce que j'ai d'ailleurs fait à quelques reprises. J'ai très rarement besoin des services des échevins ou du maire.

Le départ de M. Lefebvre aura laissé un grand vide à l'hôtel de ville. M. Gilles Vaillancourt, qui a pris la relève, est certainement un très bon administrateur. Il possède une vaste expérience de l'administration du domaine municipal. Il me semble moins communicateur, ce qui n'est pas un défaut. Pour tout dire, j'ai jasé très peu avec lui. Si depuis j'ai quitté cette formation, de multiples raisons en sont la cause, pas nécessairement en rapport avec M. Gilles Vaillancourt. Le fait d'avoir douté de ma sincérité y aura été pour beaucoup. Comme je suis tenace, le 28 janvier 1993 je me suis permis de communiquer une dernière fois avec la secrétaire de M. Vaillancourt. Elle n'était pas disponible pour prendre mon appel alors j'ai pris la résolution de laisser tomber. Bien sûr, c'était encore au sujet du Carré Laval mais, le lendemain, j'eus l'honneur de recevoir un appel téléphonique de la part de M. Gilles Vaillancourt. Selon les renseignements qu'il m'a communiqués, il y a une certaine rentabilité dans les investissements sur le Carré Laval mais les chiffres qu'il m'a fournis ne correspondent pas nécessairement à ceux que je possède, mais c'est quand même très gentil de sa part d'avoir pris quelques minutes de son temps pour me fournir ces renseignements, je dois l'en remercier. Dans un sens, je restais quelque peu sur mon appétit du fait que ceux-ci ne me furent pas transmis par écrit, cela n'aurait pas changé grand-chose en ce qui me concerne, car mon intention n'était certes pas d'en faire un plat. Cette réponse tardive m'a laissé songeur, même s'il y a un proverbe qui dit qu'«*il vaut mieux tard que jamais*».

Ce qui, pour moi, a fait déborder le vase dans ce dossier, c'est la remarque de l'un des organisateurs du P.R.O. des Lavallois que j'avais croisé lors d'un 25e anniversaire, celui-ci m'avait déclaré qu'une question semblable ne se posait pas en public, alors je lui fis la remarque que j'avais d'abord posé la même question à M. Robert Plante, l'échevin de notre district, celle-ci posée avec la plus grande discrétion mais que la réponse n'est jamais venue. Comme si ce n'était pas assez, celui-ci poussa l'injure jusqu'à me laisser entendre que si j'avais reçu la réponse par écrit, que je l'aurais communiquée à tous les médias d'information. Cette remarque désobligeante, je l'ai peu appréciée, car je suis un Lavallois de naissance, je me considère comme un citoyen propriétaire à part entière, d'ailleurs, si je m'étais déplacé pour aller demander cette question, c'est que je m'étais prévalu d'un conseil de l'un de nos éditorialistes du journal *La Presse*, Pierre Vennat, qui, dans l'édition du 6 novembre 1989, écrivit : «*Les citoyens de Québec et de Laval devront se montrer vigilants. Les séances du Conseil municipal sont publiques. Il importe que les citoyens s'y rendent et n'hésitent pas à poser des questions quand ils estiment avoir droit à des explications.*»

Suite à cette première intervention de ma part, j'ai cru comprendre que c'était beaucoup plus facile à dire qu'à faire. Lorsque vous posez des questions qui implique des sommes importantes, comme les investissements dans le Carré Laval, les réponses sont très lentes à venir. Alors, j'ai demandé à cet organisateur du P.R.O. ce qu'était, pour lui, un citoyen organisateur pour le P.R.O. des Lavallois? Est-ce que c'est quelqu'un que l'on place dans un classeur au lendemain d'une élection municipale pour le ressortir quatre ans plus tard? Cela revient à se demander s'il n'est pas normal qu'un contribuable aille poser des questions lorsqu'il en ressent le besoin? Ne serait-ce que pour une satisfaction personnelle? Je n'ai pas poursuivi la discussion, c'en était assez pour moi. Mais il me faut espérer que les élus municipaux ne voient pas la politique du même œil.

Compte tenu de cette discussion ainsi que du fait que mon intégrité avait été mise en doute en 1989 par certains membres de cette formation politique, je pris la décision d'aller supporter Stéphane Pothier dans le district 20 - Marc-Aurèle Fortin, c'est d'ailleurs mon district natal. J'ai même fait part de cette indélicatesse à mon endroit à Robert Plante. Celui-ci m'a bien compris. Il trouvait normal qu'un citoyen aille poser des questions aux assemblées du Conseil de ville, mais il ne m'a pas fourni cette réponse pour autant, car je lui avais pourtant demandé ces renseignements avant de me pointer à l'assemblée du Conseil.

Compte tenu de tous ces faits, même si je n'en voulais aucunement à Robert Plante, et qui plus est, que Guy et Stéphane Pothier m'avaient tous deux supporté à l'échevinage en 1981, je rendais simplement la politesse en me rangeant du côté d'Option Laval.

Il est bien évident que jusqu'au 25 octobre, l'élection fédérale s'était accaparée de tout le plancher. Il fallait même mener les deux campagnes de front jusqu'à cette date. Je suis à même de constater qu'il serait très difficile de faire une comparaison entre ces deux niveaux électoraux.

Au niveau fédéral, les électrices et les électeurs ne se gênaient pas pour donner leurs opinions mais, au niveau municipal, l'on pouvait observer une certaine méfiance qui frisait le désintéressement, c'est très malheureux. Un contraste inimaginable avec mes débuts à ce niveau en 1956. À cette époque, il nous était plus facile de déplacer des villégiateurs de Montréal, qui possédaient des chalets d'été dans la municipalité. Aujourd'hui, le message de quelque formation que ce soit au niveau municipal, attire à peine 50% de la population, c'est très difficile à accepter pour chacun de ceux qui s'y impliquent. C'est pourtant le niveau politique le plus près des gens. Est-ce un manque de confiance envers nos élus? Très difficile à dire, mais certaines gens ne se gênent pas pour nous laisser savoir qu'ils ne croient plus en aucun politicien, ceux que l'on peut déplacer sont souvent très près des candidats. Cependant que d'autres peuvent espérer des contrats assez alléchants des élus. Il est bien évident que l'argent n'a aucune couleur ni aucune odeur.

Comme par le passé, j'ai fait beaucoup de porte-à-porte. Stéphane Pothier, ce candidat pour Option Laval, a mené une très belle campagne. J'étais à ses côtés assez souvent, celui-ci avait une approche des plus réalistes pour intéresser les gens à se prévaloir de leur droit de vote. Je l'ai vu à maintes occasions dire aux gens que la constitution ou la souveraineté du Québec ne règlerait en rien les problèmes quotidiens dans les villes. Il l'avait aussi mentionné lors d'une entrevue avec un hebdomadaire de Laval. Son message n'a pas passé entièrement. Sa défaite m'a en quelque sorte fait revivre la mienne, subie en 1981. J'en avais personnellement attribué une part au thème de la possibilité de la venue du métro, mais l'abstinence de vote m'avait plus marqué.

Le même phénomène vient donc de se reproduire, c'est ce qui démoralise le plus, mais M. Pothier ayant un très bon moral, il se doit de continuer. Quatre ans c'est très vite passé. D'ailleurs, celui-ci a réussi un des plus beaux scores de l'équipe d'Option Laval.

Lors de cette campagne, tout a été écrit par les médias d'information. Je n'ai rien à rajouter. Par contre, M. Gilles Vaillancourt semble avoir trouvé la campagne difficile. Pourtant, un homme comme M. Vaillancourt, qui a vingt ans d'expérience en politique, doit savoir que le rôle des médias d'information n'est pas seulement de répandre la bonne nouvelle, comme ce fut le cas en 1989, lorsque l'annonce de la venue du métro à Laval a été faite en grande pompe, et qui ne s'est pas encore concrétisée.

Il est bien évident que le rôle des médias est aussi celui de dénoncer les lacunes ou failles dans chacune des administrations publiques. Si je donnais un exemple personnel : M. Vaillancourt m'avait bien promis, lors de mon dernier tête-à-tête avec lui, qu'à l'avenir, il ferait tout en son possible pour ne plus me déplaire, mais lorsqu'il a mis neuf mois à répondre à une question, cette attitude ne m'a pas plu plus qu'il ne le fallait, même si je ne lui en veux pas pour autant.

En 1989, je faisais partie de l'équipe du P.R.O. des Lavallois et, selon moi, cette campagne a été tout aussi difficile, les couteaux volaient bas, mais peut-être M. Vaillancourt, qui en était à ce moment à sa première expérience comme candidat à la mairie, acceptait-il mieux les critiques. Alors, suite à cette belle victoire du 5 novembre 1993, il ne me reste qu'à vous féliciter M. Vaillancourt. Bien sûr, comme plusieurs citoyens de Laval, j'aurais aimé qu'il y ait plus d'opposition à l'hôtel de ville. Le sort a voulu qu'un seul échevin soit élu pour tenir l'opposition, il faut respecter ce choix de la population. Vous nous avez déclaré que personne n'a perdu lors de cette élection, que vous tiendriez compte de ceux qui ont voté pour l'opposition. C'est de très bon augure de votre part, j'ose espérer que vous poursuiverez notre travail pour le mieux-être de la collectivité lavalloise.

JAMAIS DEUX SANS TROIS

Quelle belle histoire que celle de la famille Johnson. Tout d'abord, celle du père, M. Daniel Johnson.

Élu député de Bagot lors d'une élection partielle en 1946 sous l'Union nationale, réélu par la suite en 1948, 1952, 1956, 1960, 1962 et 1966. Il doit attendre dix ans pour accéder au Conseil des ministres. Nommé par le chef de l'Union nationale M. Maurice Duplessis, comme responsable des ressources hydrauliques en 1961. Élu chef de l'Union nationale, il ne met pas de temps à faire sa marque, il réorganise le parti en lui donnant des structures démocratiques.

En 1965, il publie «*Égalité ou Indépendance*» et fait adopter par son parti le principe qui servira de fondement aux positions de son gouvernement en matière de révision constitutionnelle, soit l'égalité politique des deux peuples fondateurs du Canada. Celui-ci crée une grande surprise, il s'accapare le pouvoir le 5 juin 1966. Il continue et accélère même les grandes réformes de la Révolution tranquille, notamment en créant l'Université du Québec et Radio-Québec, et en jetant les fondements du futur régime d'assurance santé.

Sur le plan des relations fédéral-provincial, sa défense des intérêts québécois et sa recherche d'un nouvel arrangement constitutionnel suscitent des réactions virulentes de la part du premier ministre fédéral, Pierre Elliot Trudeau.

Une nouvelle bouleversante, le décès de M. Daniel Johnson au barrage de Manic le 24 septembre 1968. Son décès sera douloureusement ressenti par les Québécois. Personne, à ce moment, ne pouvait prévoir que les deux fils de cet ex-premier ministre suivraient les traces de leur père pour devenir tour à tour premier ministre du Québec, mais ce qui est remarquable et mémorable, c'est que ceux-ci auront atteint leurs objectifs dans trois formations différentes. Un fait assez cocasse est que chacun des trois est arrivé au moment où les formations ressentaient beaucoup d'usure. Pour un, le père avait dû réorganiser l'Union nationale qui ne s'était jamais remise du décès de M. Maurice Duplessis et M. Paul Sauvé, en l'espace de quelques mois.

Pour son fils M. Pierre-Marc Johnson, au moment où celui-ci a accédé à la présidence du Parti québécois le 29 septembre 1985, ce n'était certes pas les ressources qui manquaient à l'intérieur de cette formation, puisqu'il y avait six candidats en lice pour prendre la relève de M. René Lévesque. Mais ce parti avait été éprouvé par des démissions fracassantes, des coupures salariales dans la fonction publique, en plus de l'usure de neuf années de pouvoir et, par surcroît, certains membres de cette formation qui «jouaient dans le dos» de M. Pierre-Marc Johnson. Il avait pourtant récolté un appui des plus significatifs le jour du vote. Celui-ci avait quand même une très bonne expérience car il était en poste depuis 1976. Il avait su faire ses preuves dans différents ministères. M. Pierre-Marc Johnson a donc tiré sa révérence à peine quelques jours après le décès de M. René Lévesque.

Pour ce qui est de l'autre fils de M. Johnson, qui porte le nom de son père M. Daniel Johnson, celui-ci a choisi de faire carrière dans le Parti libéral du Québec. C'est aussi un choix très respectable, même si ce parti a une position qui diffère de beaucoup de celle du Parti québécois. Daniel Johnson a fait son entrée à l'Assemblée nationale du Québec en 1981. Nommé ministre de l'Industrie et du Commerce le 12 décembre 1985; leader adjoint du gouvernement le 16 décembre 1985; président du Conseil du trésor et ministre délégué à l'Administration le 23 juin 1988 et ministre délégué à l'Administration et à la Fonction publique et président du Conseil du trésor le 11 octobre 1989.

Au moment où j'écris ces lignes, M. Daniel Johnson est seul à revendiquer la relève de M. Robert Bourassa qui quittera son poste dans quelques semaines. C'est en quelque sorte un signe que nous n'avons plus les courses à la chefferie que l'on avait dans le passé.

C'est un peu bizarre la vie; en 1985, lors de la course à la chefferie du Parti québécois qui devait conduire M. Pierre-Marc Johnson à la présidence du parti, M. Jean-Claude Rivest, qui était à ce moment député du PLQ du comté de Jean-Talon, déclarait que c'était une campagne terne à cause d'un manque de conviction, celui-ci disait même que c'était une lutte de juniors. Aujourd'hui, celui-ci est maintenant sénateur. J'aimerais bien savoir ce qu'il pense de la course actuelle, alors que le frère de Pierre-Marc Johnson (Daniel) est seul dans la course. Il n'y a certes aucune course plus terne dans quelque formation politique que ce soit que lorsqu'il n'y a qu'un seul candidat en lice.

Présentement, le Parti libéral du Québec a quelque chose en commun avec le Parti québécois de 1985: c'est l'usure du pouvoir. Est-ce que Daniel Johnson réussira là où son frère Pierre-Marc a échoué? C'est à suivre, mais il y a une chose qui est certaine en ce qui me concerne, je ne serai pas de la partie pour le PLQ, car j'ai toujours été allergique à cette formation.

J'ai aussi l'impression que ce gouvernement a toujours promis plus de beurre que de pain à la population lavalloise. Nous en avons eu une preuve en 1989, lorsque ce gouvernement est venu leurrer la population de Laval avec la signature du prolongement du métro vers Laval. Ce qui, à ce jour, ne s'est pas encore réalisé. Ce gouvernement est à cours d'idée en ce moment.

En terminant ces mémoires, j'apprends par les médias qu'il y aura une nouvelle formation lors du prochain scrutin provincial dirigé par M. Jean Allaire, ce n'est pas de mon ressort, mais personnellement je crois que le moment est très mal choisi. Tout d'abord, comme la majorité des Québécoises et des Québécois, j'ai cru à la nécessité d'élire un gouvernement souverainiste pour le Québec à Ottawa sous la bannière du Bloc québécois. Cette première étape est maintenant franchie. Les deux autres étapes sont toutes aussi logiques que la première. La prochaine sera cruciale pour le Québec, elle consiste à faire élire un gouvernement du Parti québécois lors du prochain scrutin provincial en 1994. Ce parti aura à son programme un référendum à tenir, comme il l'avait fait en 1976. Ce gouvernement aura quand même à administrer dans les voix les plus démocratiques, tout au long de ces étapes. C'est d'ailleurs en ces termes que Lucien Bouchard a promis, comme chef d'opposition, d'agir à Ottawa. Le Parti québécois dirigé par M. Jacques Parizeau saura respecter les règles du jeu. Celui-ci est d'ailleurs en train de s'entourer d'une des équipes les plus dynamiques qui soit. Ce n'est certes pas M. Jean Chrétien qui empêchera le Québec de s'affirmer, si volonté il y a. C'en est assez de tourner en rond.

CONCLUSION

Je dois admettre que j'ai vécu une aventure des plus passionnantes, même si parfois ce parcours était parsemé d'embûches. J'ai toujours travaillé à la base. Mais la question que je me pose aujourd'hui est de savoir si ce travail a encore la même signification. Je ressens que c'est le pouvoir qui domine les politiciens. Certains d'entre eux ne communiquent qu'en temps d'élections avec ceux qui les font élire, ce qui n'est pas de bon augure face à la démocratie. Je me suis personnellement toujours impliqué pour des valeurs et des principes, mais j'ai dû me rendre à l'évidence, à certaines occasions, que certains politiciens ont dévié de la trajectoire qu'ils s'étaient engagés à suivre, à mon grand désespoir.

Ce que j'ai retenu de plus concret dans ce cheminement, c'est qu'il n'y a probablement aucune université au monde qui puisse offrir des cours aussi enrichissants et peut-être aussi démoralisants. En 1970, j'ai vu M. Jean Drapeau, alors maire de Montréal, qui avait déclaré durant cette campagne qui devait le reporter au pouvoir, que le mot le plus important se composait de quatre lettres : VOTE. M. Drapeau jouissait d'une renommée internationale. Quel grand politicien ce fut. C'était certainement dans les années où je raffolais de la politique, mais de plus en plus je désenchante.

Par les temps qui courent, j'y participe maintenant presque sans conviction, un peu par oreille quoi. Ce qui me pique quelque peu, c'est d'entendre encore des gens dire que

M. Maurice Duplessis tenait la province dans la noirceur. Mais par ironie du sort c'est aujourd'hui le travail au noir qui a fait son apparition, je crois même que celui-ci est de beaucoup plus dommageable, mais nos politiciens modernes semblent peu se soucier de ce phénomène, et ceux qui, comme moi, travaillent là où l'impôt est prélevé à la source, commencent à étouffer dans ce collier de taxes. Peut-être un jour connaîtrons-nous des jours meilleurs, si nos politiciens qui administrent, changent leurs manières d'agir pour satisfaire chacune des classes de la société. C'est le seul souhait que je puisse formuler. J'ai participé à la politique, au meilleur de ma connaissance, avec ce que j'ai toujours cru être le plus logique de moi-même, toujours en recherchant le mieux-être de la collectivité québécoise.

TABLE DES MATIÈRES